DE
DIÊN BIÊN PHU
À
KOWEÏT CITY

GÉNÉRAL M. SCHMITT

DE DIÊN BIÊN PHU À KOWEÏT CITY

BERNARD GRASSET
PARIS

AVANT-PROPOS

Le 23 avril 1991 j'ai dit adieu aux armes après quarante-deux années de service en écoutant dans la cour d'honneur de l'Hôtel national des Invalides l'hymne de l'infanterie de marine. J'avais le cœur serré mais aucune amertume, au contraire.

J'aurai eu la chance de terminer ma carrière en participant comme chef d'état-major des armées à une victoire militaire et le bonheur de sentir la France soutenir son armée d'une façon tout à fait exceptionnelle. Double contraste avec des événements qui ont profondément marqué les militaires de ma génération.

Le 2 août 1990 en envahissant le Koweït l'Irak avait déclenché la guerre du Golfe. Le combat eut lieu en janvier et février 1991. Il fut victorieux au prix d'un minimum de pertes chez les Occidentaux et leurs alliés arabes.

Sans la guerre du Golfe, ce livre n'aurait pas été écrit. J'ai tenté de décrire cet affrontement comme je l'ai vécu. Mais le 23 avril 1991 se terminait aussi pour moi une carrière marquée par les deux grands conflits de la décolonisation, pendant lesquels beaucoup de mes compatriotes oublièrent que dans ces cas-là aussi l'armée de la République française combattait sur l'ordre de son gouvernement. Je donnerai donc quelques éclairages personnels sur ces deux affrontements auxquels j'ai pris part comme lieutenant puis comme capitaine tout en y ajoutant, les années ayant passé, quelques réflexions davantage patinées par le temps.

Entre la fin de la guerre d'Algérie et celle du Golfe trente ans ou presque se sont écoulés. Pendant ce long intervalle les armées françaises n'ont pas été inactives. Les crises, de plus ou moins grande ampleur, n'ont pas manqué, en Afrique et déjà au Moyen-Orient, leur fréquence et leur intensité ne faisant qu'augmenter après les quelques années de calme relatif qui ont suivi la décolonisation. Surtout, dans cette longue période, alors qu'elles furent parfois taxées de conservatisme, nos armées ont su mener à bien des transformations internes considérables. On retiendra au premier rang d'entre elles la constitution de nos forces nucléaires stratégiques et préstratégiques, fondement de notre sécurité mais aussi d'une liberté d'action qui nous fit défaut en 1956 à Suez. Cependant on aurait tort d'oublier la réarticulation des forces désormais adaptées pour l'essentiel au théâtre européen, les réformes dans le style de commandement, l'actualisation des statuts des personnels. La modernisation des forces classiques fut entreprise mais avec retard à cause d'une chute trop rapide et exagérée des ressources financières consacrées à la défense au cours des années 60, avant le redressement de la deuxième partie des années 70. Ce redressement nous aura permis de faire bonne figure dans la guerre du Golfe. Mais cette guerre démontrera aussi que dans des domaines très importants nous n'avons pas rattrapé le temps perdu.

Je tenterai donc de décrire ces trente années comme je les ai vécues dans des affectations diverses, depuis le grade de capitaine jusqu'à celui de général d'armée.

Je terminerai en tentant d'ouvrir quelques pistes vers l'avenir. Sachant d'expérience que l'Histoire se livre parfois à bien des pirouettes je dirai pourquoi la paix risque encore d'être menacée dans les prochaines années malgré les succès remportés par les démocraties à la fin des années 80.

Ce livre s'ouvrira sur la guerre d'Indochine. On me pardonnera, je l'espère, d'évoquer auparavant, brièvement, quelques années de mon adolescence. En effet, c'est pendant ces années-là que ma patrie a connu la pire défaite de son histoire, même si la suite montra qu'il ne s'agissait que d'une bataille perdue. Entre les deux guerres mondiales, nos alliés et nous-mêmes avions oublié que « les droits auxquels nous sommes accoutumés, les libertés qui nous paraissent aller de soi sont d'autant mieux assurés qu'on nous sait détenir les moyens suffisants pour les protéger ». C'est ce que rappelait le Président de la République, M. François Mitterrand, le 16 septembre 1989 à Valmy.

Le lecteur ne trouvera dans cet ouvrage aucune référence à ma vie familiale. Je ne suis pas enclin aux épanchements publics dans ce domaine. Je demande simplement qu'on me permette de remercier ma femme et mon fils d'avoir accepté avec le sourire de bourlinguer avec moi à travers le monde. Je pense, d'ailleurs, que mon fils Bruno aura trouvé autant d'aspects positifs, et même plus, à ce genre de préparation à la vie active que dans celle qu'il aurait pu avoir en contemplant vingt ans durant le même clocher.

I

POURQUOI LA COLONIALE ?

« La ville de Marseille à l'armée coloniale qui, pendant des années, a uni, sans distinction d'origine, de couleur ou de race, des hommes de courage et d'abnégation. Ils ont combattu au prix de leur sang pour la liberté de la France. »

Sur un monument de la
Corniche face au grand large

J'ai opté pour le métier de mon père. En 1947, on pouvait pourtant se poser des questions. La Seconde Guerre mondiale était terminée et gagnée. A quoi pouvait donc encore servir une armée ? Éternelle question des années d'après-guerres, surtout des guerres victorieuses, et à laquelle il n'est pas toujours répondu avec prudence dans les démocraties. En 1992, le fait que la victoire sanctionne une guerre froide ne change rien à ce constat.

En 1947 la tension commençait certes à monter entre l'Est et l'Ouest et l'impérialisme soviétique marquait des points dans ce qui allait devenir au fil des ans la zone des « satellites ». Il serait outrecuidant de ma part de prétendre qu'une analyse géopolitique de la situation qui se développait en Europe ait joué un rôle dans ma décision. Je ne suis pas non plus un homme de vocation, en quelque sorte, prédéterminée. Donc ni analyse géostratégique ni illumination. Je ne suis pas entré dans l'armée comme on entre « en religion ». Les choses sont plus simples.

En fait je suis entré dans l'armée parce que j'avais vu, de mes yeux, une armée étrangère fouler le sol de ma patrie, et que je pensais « Plus jamais ça ». J'ai choisi ensuite de servir dans les troupes coloniales parce que enfant j'avais connu la vie outre-mer et que bourlinguer, comme disait Blaise Cendrars, m'a toujours attiré.

Les années noires de l'Occupation m'ont beaucoup marqué, j'aurai eu aussi en quelque sorte la chance de les vivre dans une famille où l'on avait une idée très claire de la patrie – j'ai failli écrire « une certaine idée de la France » –, non pas qu'une tradition militaire y existât, mon père et moi sommes, à ce jour, les seuls militaires de carrière de la famille, mais parce que l'on y avait souffert de l'amputation de la patrie. Je garde précieusement l'option pour la nationalité française, signée par mon grand-père, jeune professeur alsacien, en 1871.

Entré à Saint-Cyr en 1900, mon père appartiendra à la promotion du « Tchad », déjà le Tchad! Il passera sa jeunesse, comme beaucoup d'autres officiers, en pensant à la revanche tout en ayant le goût de connaître le monde. Il le connaîtra au sein de l'infanterie coloniale. Méhariste cinq ans durant, il participera à la pacification de la Mauritanie et à l'établissement des premières cartes de cette colonie, poussant ainsi au nord jusqu'à Bir Moghrein dès 1908. Il aura Ernest Psichari comme sous-officier adjoint dans son groupe nomade. On le lui avait d'ailleurs envoyé en lui indiquant que c'était un original dont il convenait de se méfier particulièrement car il appartenait à l'artillerie coloniale! Mon père aimait à me le rappeler puisque j'avais choisi moi-même de servir dans l'artillerie coloniale.

Toujours en Mauritanie mon père fera colonne avec Gouraud. Puis la Grande Guerre surviendra alors qu'il sert au Maroc. Il combattra sous Lyautey avant d'aller sur le front français. Il finira la guerre commandant un bataillon sous les ordres du général Marchand, le héros de Fachoda, qui avait été rappelé du cadre de réserve.

La Seconde Guerre mondiale l'amènera à reprendre du service fin 1940 dans l'organisation « Combat » dont Henri Frenay, Chevance-Bertin et d'autres venaient de jeter les bases. Dénoncé, manqué de peu par la Gestapo, il passera la frontière espagnole le 3 avril 1943. Je le verrai revenir un an et demi plus tard après que Marseille eut été libérée par les tirailleurs et les goumiers du général de Monsabert.

Entre-temps, continuant ses activités au profit de la Résistance, ma mère participait à la dissimulation des Juifs pourchassés et à l'évacuation vers le maquis d'Alsaciens qui servaient dans la marine allemande. Ces Alsaciens transitaient par le bataillon des marins-pompiers de Marseille que commandait un autre Alsacien, le capitaine de frégate Winninger.

Elle aussi fut dénoncée. Fin 1943 une première dénonciation fut interceptée par un secrétaire des services allemands que nous vîmes un jour frapper à notre porte.

« Madame, je suis juif et allemand, j'ai pensé que la meilleure façon de me dissimuler était de me faire passer pour alsacien et de me faire embaucher par les Allemands. Vous avez été dénoncée comme résistante, voici la lettre que j'ai interceptée... »

Pendant les quelques jours suivant la libération de Marseille ma mère et moi aurons fort à faire pour lui permettre d'échapper à quelques héros des comités d'épuration de l'après-dernière heure.

J'ai revu en 1987 Herbert Wagner, devenu américain. Il représentait des firmes new-yorkaises au Salon du Bourget.

Mais en août 1944 ma mère sera à nouveau dénoncée et arrêtée par des supplétifs de la Gestapo. Elle profita d'une alerte aérienne pour quitter tranquillement les locaux de ce sinistre organisme, d'ailleurs en cours de déménagement, les Alliés ayant débarqué en Provence. Elle m'a rapporté le début de son dialogue avec l'officier qui l'interrogeait :

« Où est votre mari, madame ?

– Vous le savez bien : où vous seriez si vous étiez un officier français.

– Je vous comprends. »

Sévère condamnation pour les miliciens présents qui avaient procédé à l'arrestation.

Pourquoi raconter tout cela ? Tout simplement pour expliquer la chance dont j'ai bénéficié. Je n'ai pas eu à me poser tellement de questions pour choisir mon métier. Le service de la France vers lequel je me suis ainsi engagé me donnera aussi, de surcroît, la possibilité de courir le monde.

Courir le monde, je l'avais déjà fait puisque grâce à la carrière de mon père j'avais passé deux années et demie en Cochinchine et autant en Côte-d'Ivoire. Est-ce cela qui m'a déterminé ? En partie. Il faut y ajouter un attrait profond pour les larges horizons, le besoin même d'aller au-delà de l'horizon. Je n'ai pas été marin mais la mer, et tout ce qu'il y a au-delà de la mer, m'a toujours fasciné. L'affection que je porte à Marseille vient de l'adolescence que j'y ai vécue avec les yeux tournés vers le large.

L'année 1948 me verra entrer à Coëtquidan, rebaptisé Saint-Cyr-Coëtquidan. L'école n'avait rien de comparable avec les installations actuelles. Dans les promotions de l'époque les stagiaires issus des classes préparatoires et ceux issus du corps des sous-officiers constituaient un seul bataillon. Telle avait été la volonté du général de Lattre de Tassigny et, à ce moment-là au moins, c'était une excellente solution. Les excitations juvéniles des jeunes, frais émoulus des classes préparatoires, étaient tempérées par nos camarades issus des écoles de sous-officiers de Saint-Maixent, de Cherchell ou de Strasbourg.

Le général de Lattre avait également décidé que les saint-cyriens de recrutement direct passeraient plusieurs mois de leur première année de service dans les corps de troupe. Ainsi, comme mes camarades j'aurai connu la vie de soldat et celle de gradé d'encadrement. La décision du général de Lattre était pertinente. Avec quelques modifications cette formule sera reprise fort opportunément au début des années 80 lors de la réforme du cursus des études des saint-cyriens. Il est cependant regrettable qu'en 1949, lorsque nous nous sommes retrouvés à Coëtquidan, il nous ait fallu revoir tout ce qui nous avait été enseigné dans les régiments. Bien sûr, à l'époque on sortait d'une guerre européenne sans savoir encore que l'on était entré dans une phase de seize années de guerres coloniales. L'établissement des programmes n'était pas chose facile.

La formation des hommes dans une armée, comme d'ailleurs dans tout corps social, est de la plus grande importance et cela à tous le niveaux et à tous les stades de la carrière. Instruction des soldats, formation des sous-officiers et des officiers, perfectionnement en cours de carrière font la valeur d'une armée au moins autant, et même beaucoup plus, que la qualité des équipements. Toutes les guerres le montrent, donner des équipements performants, souvent d'un service délicat, à des hommes peu ou mal formés est un gaspillage inutile.

Pourtant au cours de notre histoire l'importance de l'instruction et de l'entraînement a souvent été négligée. Les causes des défaites de 1870 ne sont pas à chercher ailleurs. Je reviendrai souvent, dans cet ouvrage, sur ce problème qui n'est pas toujours abordé avec la sérénité voulue et sans arrière-pensées. Les critiques relatives à nos systèmes de formation sont fréquentes. Elles sont parfois pertinentes et de toute façon il faut sans cesse se remettre en question. Ces systèmes sont-ils pourtant, en cette fin de siècle, aussi déficients qu'on le dit ou écrit parfois. Plutôt que de répondre directement, je poserai trois questions :

– Au cours des dernières crises où elles ont été engagées, de Kolwezi au Golfe en passant par le Tchad et la première crise du Golfe, nos forces ont-elles donné l'impression d'être mal instruites et mal commandées ?

– Pendant la crise du Golfe, beaucoup d'appelés, voulant rester à leur poste, ont contracté un engagement. Ils ont été immédiatement opérationnels dans leurs chars comme sur leurs navires. L'auraient-ils été si, comme se plaisent à l'écrire certains commentateurs, ils avaient passé leur temps à balayer les casernes ou à laver le pont ?

– Enfin il faut savoir que nos armées sont extrêmement sollicitées par les armées étrangères pour assurer la formation de leurs cadres. Serait-ce le cas si cette formation n'était pas de grande qualité ?

En 1948, quand je suis entré à Saint-Cyr, l'école répondait-elle à ce que l'on attendait d'elle ? Au total je crois que oui, si l'on considère la formation générale de l'officier. En revanche il faut bien admettre que l'on y étudiait surtout la guerre mondiale qui venait de s'achever et que les réflexions sur la guerre d'Indochine étaient trop rares. Des initiatives individuelles de capitaines et de chefs de section palliaient en partie ces insuffisances. C'est à quoi s'efforçait en particulier le lieutenant Canarelli que j'ai eu la chance d'avoir comme instructeur et dont tous les anciens de la quatrième section de la première compagnie conservent le souvenir. Souvenir non seulement d'un homme de contact mais aussi d'un officier expérimenté et compétent.

Notre promotion s'appellera « Général Frère ». Le nom d'une promotion provoque souvent des débats. J'aurai par la suite à en arbitrer avant de proposer des noms au choix du ministre de la Défense. S'agissant de la nôtre celui du général Frère fit l'unanimité sans problème. A noter que lorsqu'il commandait Saint-Cyr, avant la guerre, il fut le promoteur d'une devise qui résume en peu de mots tout l'art du commandement et des relations hiérarchiques : « J'obéis d'amitié. » Je m'efforcerai tout au long de ma carrière de m'en inspirer et d'en répandre l'esprit.

Chaque fois que c'est possible, il faut donner aux promotions des noms d'officiers exemplaires, plutôt que commémorer une entité ou un événement. Pas seulement des noms de généraux, de préférence même des noms de lieutenants. C'est ainsi que je suis heureux que celui de Tom Morel ait été choisi récemment. Tué au Vercors, en 1944, il symbolise la participation des officiers à la lutte contre l'occupant, particulièrement à Aix-en-Provence, où avait été replié Saint-Cyr. Dans le même esprit j'espère qu'un jour le lieutenant Brunbrouk, de ma promotion, mort héroïquement à Diên Biên Phu, sera lui aussi donné en exemple à de futurs saint-cyriens.

Après deux années passées dans les landes bretonnes, le mois de septembre 1950 me verra rejoindre l'école d'application de l'artillerie. Elle était alors implantée en Allemagne à proximité des riantes localités d'Idar et d'Oberstein. Les manœuvres et les tirs au canon se déroulaient au camp de Baumholder au climat hivernal particulièrement rude. Comme Coëtquidan, Idar-Oberstein préparait fort peu les stagiaires à ce qui les attendait dans l'immédiat : l'Indochine. L'école d'artillerie a certes su faire de nous des observateurs et des officiers de tir connaissant parfaitement leur métier. C'est l'essentiel. Mais je me suis dit, des années après, que les cours d'emploi des armes, de l'artillerie en particulier, auraient pu s'ouvrir davantage sur des conceptions plus originales, voire un peu iconoclastes. Certaines surprises subies en Indochine et sur lesquelles je reviendrai dans quelques pages auraient ainsi, peut-être, été évitées en 1954. Toujours est-il qu'on s'occupait surtout de la préparation de la bataille de rupture du Garigliano... en 1944.

Sorti de l'école d'artillerie, je serai affecté à Melun au 1er régiment d'artillerie coloniale (1er R.A.C.). J'y resterai neuf mois avant de rejoindre Fréjus pour participer à l'encadrement d'un détachement de relève pour l'Extrême-Orient. En fin d'année 1952 j'embarquerai pour l'Indochine.

Le 1er R.A.C. sera à l'image de l'armée de terre de cette époque. Insuffisamment encadré, doté d'un matériel quelque peu dépassé, mais pour le reste constitué d'officiers, de sous-officiers et de soldats de carrière ou d'appelés dévoués, débrouillards, compétents. Ces professionnels et certains appelés volontaires et contractuels seront ceux qui se battront jusqu'à la limite de leurs possibilités à Diên Biên Phu et dont les héritiers participeront à la charge de la division Daguet en Irak.

II

LIEUTENANT EN INDOCHINE

« Nous avons l'impression que nous sommes des condamnés à mort que l'on dirige, savamment, vers leur dernière heure. Nous nous connaissons assez pour savoir que nous sommes considérés comme des fortes têtes, les irréductibles à éliminer pour l'avenir de tous les peuples. Parmi nous, deux curés, deux administrateurs, deux colonels. Le rebut de la société en quelque sorte. C'est d'ailleurs grâce au général Salan que nous serons sauvés.

[...]

– Que sont-ils devenus ? demande Salan.

Les Viets répondent :

– Morts de dysenterie.

– Alors rendez les cadavres.

[...]

Les Viets finissent par rendre, vivants, les soixante-dix énergumènes. »

PAUL JEANDEL
(aumônier militaire),

Soutane noire et Béret rouge.

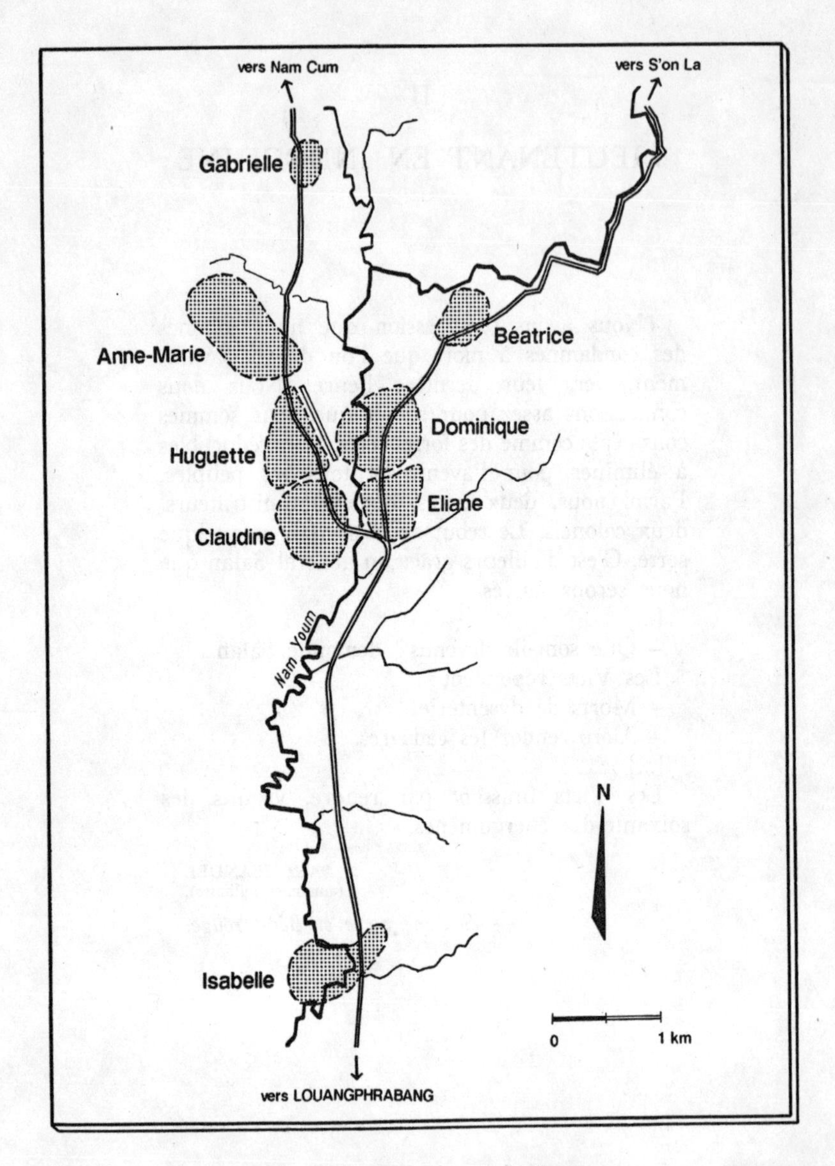

Diên Biên Phu avant l'attaque

Je passerai neuf mois au quatrième groupe du 1er régiment d'artillerie coloniale (IV/1er R.A.C.). Raconter ces neuf mois ne présenterait pas beaucoup d'intérêt si ce n'est de permettre de jeter, longtemps après, un regard sur les conditions de vie et d'instruction dans un groupe d'artillerie appartenant à un régiment stationné en France, tandis qu'à des milliers de kilomètres la guerre d'Indochine faisait rage et entrait dans ses phases décisives depuis la défaite subie en 1950 le long de la route coloniale numéro quatre, la R.C. 4, lors de l'évacuation de Cao Bang.

A Melun le quatrième groupe, auquel je suis affecté comme chef du poste central de tir (P.C.T.), comporte comme dans toute l'armée française quatre batteries. Les groupes numérotés un, deux et trois sont des groupes d'obusiers de 105 mm, le quatrième est équipé de 155 mm. A cette époque les matériels diffèrent, la majorité des groupes de 105 mm sont équipés d'un excellent obusier américain (pour les spécialistes il s'agit bien sûr du 105 HM 2), ceux de 155 mm d'un matériel également américain. Notre IV/1er R.A.C. fait exception : il est encore équipé pour quelques mois d'un canon de 150 mm allemand réalésé au calibre de 155 mm pour pouvoir utiliser les munitions américaines. Bricolage peut-être, mais souci d'interopérabilité des munitions qui me paraît tout à fait louable.

Le poste de commandement du régiment est installé à Melun comme notre quatrième groupe, le premier groupe est à Vincennes, les deuxième et troisième groupes sont en mobilisation, selon l'expression habituellement utilisée dans nos armées, ce qui veut dire que leurs matériels sont stockés et qu'ils ne sont armés en personnel que lorsque survient l'ordre de mobilisation. La charge de l'entretien des matériels des deux groupes de réserve incombe aux deux groupes d'active.

Un groupe d'artillerie requérait alors pour son encadrement un peu plus de vingt officiers. Le quatrième groupe du 1er R.A.C. comptait dix officiers d'active et dix réservistes en période militaire. Au niveau des sous-officiers le partage était à peu près identique. Le groupe était bien instruit et le devait en particulier à la qualité de ses cadres, y compris les réservistes. Les officiers de réserve qui arrivaient comme aspirants et passaient sous-lieutenants pendant leur service étaient pour la plupart de grande valeur. Je reste convaincu que l'on peut faire confiance aux réservistes pour prendre des responsabilités dans l'encadrement de nos unités; à condition, bien entendu, de prendre le temps de les former correctement.

Un groupe bien instruit donc; mais quelle guerre préparions-nous ?

Nous étions en 1952. Un officier général français, dont l'état-major était installé à Fontainebleau, commandait les forces alliées de Centre-Europe. Peu à peu, depuis la signature du traité de Washington, l'organisation alliée s'était mise sur pied en Europe de l'Ouest pour faire échec à l'impérialisme soviétique, alors en pleine expansion. Le dispositif dissuasif qui tiendra plus de quarante ans, et tient d'ailleurs encore, était en place. Personne à l'époque ne se serait risqué à pronostiquer un effondrement du bloc marxiste, bien au contraire. Des économistes très sérieux annonçaient un prochain rattrapage de l'économie américaine par celle des Soviets. Ils se fondaient, non sans raisons, sur les ressources potentielles de l'empire soviétique. Le marxisme était la philosophie à la mode; bien des publications illustraient par d'épaisses flèches rouges la stratégie indirecte soviétique qui se substituait peu à peu aux actions directes qui en Europe avaient fait tomber les pays de l'Est dans l'orbite communiste. En Europe occidentale même, les partis communistes, dont le nôtre, étaient à leur apogée et soutenaient systématiquement la politique menée par Moscou contre celles conduites par leurs propres pays.

A cette époque la France exerce donc des responsabilités importantes dans l'Alliance atlantique et ce n'est pas une des moindres difficultés de notre gouvernement et de notre haut commandement que de devoir assumer les obligations françaises vis-à-vis de l'Alliance tout en menant une véritable guerre en Indochine. Il est facile d'écrire, près de quarante ans après, qu'il eût fallu faire une impasse temporaire sur l'Europe et porter tout notre effort sur l'Indochine. C'est oublier que Staline est alors au pouvoir et que la menace principale contre notre existence en tant que nation libre se situe au centre de l'Europe. Cinq armées soviétiques, qui ont à l'époque un moral de vainqueur, stationnent déjà en République démocratique allemande.

En 1952 cependant les sous-lieutenants qui viennent d'être affectés au 1er R.A.C. se soucient peu de haute stratégie. Leur préoccupation est plutôt de faire face aux multiples missions qui leur incombent, et elles s'accumulent car le règlement – c'est toujours le même – interdit de confier aux officiers de réserve les tâches administratives comportant les responsabilités financières indispensables pour assurer la vie de tous les jours d'un corps de troupe : restauration des hommes, mess, foyers, comptabilité des matériels, j'en oublie ! Ces tâches s'ajoutent bien entendu à celles de commandement direct, et à l'instruction.

Avec le recul du temps, après plus de quarante ans de carrière, je dois cependant formuler deux remarques. Si le quatrième groupe du 1er R.A.C. était d'un niveau opérationnel correct et aurait pu être engagé, il lui était impossible, sauf sur le papier, de se dédoubler et d'armer le groupe de réserve dont il entretenait, très difficilement, les matériels. Il ne pouvait surtout pas le faire dans les délais requis pour s'opposer à une invasion soviétique. Si cette situation avait été spécifique au 1er R.A.C., cela n'aurait pas eu une grande importance ; mais elle était représentative d'une bonne partie de notre armée de terre.

Tandis que l'on contribuait à la dissuasion des armées soviétiques en Europe – et ce sera ma seconde remarque –, il fallait simultanément conduire une guerre, une vraie. Pas une guerre froide, une guerre chaude avec tous les jours son lot de morts et de blessés. A aucun moment n'était dispensé aux forces du corps de bataille un minimum d'instruction, d'entraînement ou même d'information sur les événements d'Indochine, sur la guerre qui s'y menait, sur ce qui pouvait attendre ceux qui allaient y être envoyés. Comme à Coëtquidan, comme à l'école d'artillerie d'Idar-Oberstein on préparait a posteriori les campagnes d'Italie et d'Alsace. Or les cadres professionnels du

IV/1er R.A.C. appartenaient au vivier constitué par la totalité de l'armée de terre : on y puisait pour remplacer ceux qui en Indochine arrivaient en fin de séjour, ou pour combler les pertes. Ce n'est qu'auprès des anciens revenus d'un premier et parfois d'un deuxième séjour, que l'on pouvait trouver un tant soit peu d'information sur la guerre à laquelle il allait falloir participer dans quelques mois. Seules les formations complètes mises sur pied pour remplacer la totalité d'un corps combattant en Extrême-Orient recevaient une instruction et un entraînement adaptés.

Je reconnais qu'il est facile de porter des jugements aujourd'hui ; n'empêche il est clair, je le répète, qu'aucune priorité n'était définie par les chefs d'état-major. Pouvaient-ils d'ailleurs en fixer une, dépourvus qu'ils étaient eux-mêmes de directives gouvernementales ? Or en 1952 comme en 1953 il n'était pas possible de tenir notre rang en Europe et de fixer des objectifs trop ambitieux en Indochine. Il eût fallu choisir.

On est loin de ce qui s'est passé en 1990 et 1991 au Moyen-Orient. Aux États-Unis, mais aussi en France, tout a été fait, pendant la guerre du Golfe, pour que les forces opèrent dans les meilleures conditions possibles. Mais il faut être honnête et reconnaître que les circonstances avaient changé et que la situation en Europe permettait de prendre des risques que chacun eût jugé déraisonnables tant pendant notre guerre d'Indochine que pendant la guerre américaine du Viêt-nam.

En 1952 alors qu'en Indochine se déroule la bataille d'Hoa Binh où s'usent nos meilleures troupes, nos divisions navales d'assaut [1] et notre aviation, les officiers et sous-officiers du corps de bataille stationné en Europe en suivent le déroulement exclusivement dans la presse. En manœuvre ils combinent l'action des armes et celles des armées de terre et de l'air à Mourmelon et à Mailly dans des opérations défensives contre un parti rouge venu de l'Est. En Indochine on a pourtant largement dépassé le stade de la simple guérilla. Dans quelques mois c'est la valeur d'une division qu'il faudra engager dans l'opération « Lorraine » pour progresser de moins de cent kilomètres en vue de détruire des dépôts sur les arrières de l'adversaire qui engage la bataille pour le contrôle du pays Thaï. Le

1. Il s'agissait de groupements de navires, de faible tonnage, spécialisés dans les opérations fluviales.

repli des forces engagées dans cette opération sera d'ailleurs un sanglant échec.

Peut-être manquait-il un état-major des armées structuré pour imposer ses vues. Il manquait surtout une volonté gouvernementale sans faille donnant une priorité temporaire à l'Indochine en vue d'y atteindre nos buts de guerre. Encore eût-il fallu que ces buts soient clairement définis et non laissés à l'interprétation d'un commandant en chef.

Mais il ne s'agit là que de réflexions a posteriori inspirées par une étude du conflit, que l'on peut conduire désormais avec une certaine sérénité. Au premier semestre de 1952 les jeunes officiers et sous-officiers attendent leur désignation tout en essayant de faire leur métier du mieux possible. Une anecdote, cependant, qui illustre le climat de l'époque : Je conduis un matin à Melun un groupe d'artilleurs vers un organisme de collecte de sang. Ces organismes font souvent appel aux militaires toujours portés vers la générosité. Au moment où j'entre dans la salle j'entends l'un des responsables dire à un autre groupe : « ... et je peux vous garantir qu'aucune goutte de ce sang ne sera envoyée en Indochine [1]. » On est loin du soutien moral qui, heureusement, quelque quarante années plus tard, entourera nos forces engagées dans la guerre du Golfe.

C'est en septembre 1952 qu'un message parvient au 1er R.A.C. de Melun demandant la désignation d'un officier pour participer à l'encadrement d'un détachement de relève destiné, en Indochine, au quatrième groupe du 4e régiment d'artillerie coloniale (le IV/4e R.A.C.). J'ai la chance d'être choisi et fin septembre je me retrouve dans un des nombreux camps des environs de Fréjus, celui de Puget-sur-Argens, avec mon camarade Zotier et aux ordres du capitaine Desaegher pour donner, en trois mois, instruction et cohésion à un détachement de cent Européens et deux cents Africains qui doivent assurer la relève des rapatriables du IV/4e R.A.C. au sud du Tonkin. Un détachement d'excellents sous-officiers, partant pour certains d'entre eux effectuer un deuxième séjour, souvent comme volontaires, va considérablement nous aider dans cette tâche.

A Fréjus, on pense Indochine et rien qu'Indochine. Mais les difficultés sont grandes pour se préparer aux combats. Elles

1. En 1951 le gouvernement avait fait connaître que le sang collecté par l'Office d'hygiène sociale ne servirait pas aux blessés d'Indochine.

commencent à m'apparaître. L'Indochine est au total trois fois plus vaste que l'ensemble des deux Corées où une autre guerre se poursuit. La guerre d'Indochine c'est une guerre sans front comme jadis la guerre d'Espagne. Le pays est contrasté. Les deltas sont rigoureusement plats et une butte de cinq mètres y constitue un observatoire. A l'inverse presque tout le reste du pays est montagneux et couvert de jungles. La population est très diversifiée, pour l'essentiel concentrée dans les deltas : huit millions d'habitants pour le seul delta du fleuve Rouge. Les montagnes, au Viêt-nam comme ailleurs, sont moins peuplées. Elles abritent souvent des tribus hostiles aux Vietnamiens de la plaine.

Les conditions du combat varient du tout au tout entre ce que l'on appelle « les plateaux » ou les « moyennes et hautes régions » et d'autre part les régions deltaïques. Préparer des forces à des conditions de combat aussi variées n'est pas facile. Au moins, s'agissant de notre détachement de relève, nous savons qu'il est destiné à la zone du sud du delta tonkinois, celle de Nam Dinh, que le IV/4e R.A.C. y est actuellement dispersé par sections dans un quadrilatère Phu Ly-Ninh Binh-Phat Diêm-Thai Binh et qu'il est équipé d'un matériel qui n'est plus en service en France, le canon de 105 long modèle 36. Enfin le capitaine Desaegher peut recevoir des directives du chef d'escadron Chamorand, qui à Thai Binh commande le groupe. Nous allons donc préparer nos artilleurs à se battre dans le delta du fleuve Rouge.

Le plus facile n'est pas de trouver dans les dépôts du service du matériel des 105 long 36 encore en état de tir. C'est chose faite à la mi-octobre ; nous disposons alors de deux canons. Les trois mois passés à Fréjus seront consacrés à l'instruction du niveau de la pièce et à la création d'une cohésion et d'un esprit de corps, au sein du détachement. Fin décembre 1952 nous pouvons organiser des tirs au petit champ de tir de Brovès, étendu plus tard pour constituer le grand camp de Canjuers au nord de Draguignan, et je crois pouvoir écrire que nous allons emmener avec nous dans quelques jours des artilleurs qui connaissent bien le service de leurs matériels et ont quelques idées sur le combat en zone deltaïque.

Avec certaines villes de Bretagne où se mettaient sur pied les bataillons parachutistes, Sidi Bel Abbes et quelques autres garnisons d'Afrique du Nord, Fréjus est un des lieux où se rassemblent et s'instruisent les relèves destinées à l'Indochine, trop rarement des renforts. En 1952 c'est un ensemble de camps qui s'étendent sur plusieurs communes parmi lesquelles Fréjus et Saint-Raphaël. Des milliers d'hommes, dont beaucoup ne reviendront pas, auront transité par ce que l'on appelait alors les camps du Sud-Est.

Il en est resté, au nord de Fréjus, le plus important, le camp Le Cocq qui constitue la garnison de deux régiments d'infanterie de marine et abrite le musée des troupes de marine. Il est juste que le mémorial des morts d'Indochine soit élevé à Fréjus. Il est temps que le souvenir de ces morts soit perpétué. C'est un devoir moral. C'est aussi une incitation à la réflexion sur les enseignements géopolitiques, stratégiques et tactiques de cette guerre dont beaucoup demeurent d'actualité et sur lesquels il serait bon de se pencher alors que la situation internationale permet de détourner un peu les regards du théâtre Centre-Europe. C'est en 1975 que les troupes du Nord Viêt-nam sont entrées à Saigon en dépit des accords de Paris et de l'attribution en 1973 du prix Nobel de la paix à M. Kissinger. 1975, c'est vingt et un ans après Diên Biên Phu. Malgré l'impopularité de la guerre du Viêt-nam aux États-Unis, un monument rappelle à Washington le sacrifice des Américains tués au Viêt-nam. Il est grand temps que la France fasse solennellement un geste qui serait une réparation vis-à-vis des soldats français et de l'Union française qui se sont battus, souvent héroïquement, en exécution, faut-il le souligner, des ordres reçus de leur gouvernement.

L'ambiance à Fréjus était assez particulière, mais toujours gaie. Les absences illégales, selon l'expression consacrée, étaient fréquentes chez les hommes de troupe européens, ils se donnaient du bon temps avant d'embarquer, néanmoins très rares étaient ceux qui manquaient le bateau. Aucun ne ratera celui du départ de notre détachement du IV/4e R.A.C. Je me souviendrai toujours du lieutenant-colonel Germanos, dont le fils est actuellement à la tête de la 11e division parachutiste. C'était un truculent officier supérieur d'artillerie coloniale qui commandait l'un des camps et savait réunir à sa table, très régulièrement, les jeunes officiers en partance pour leur parler de l'Indochine. Certes il savait qu'un sur deux probablement n'en reviendrait pas. Il valait mieux cependant qu'ils partent joyeux et en tout cas qu'un déjeuner les réunisse dans la bonne humeur. Le moral s'entretient beaucoup plus par des attitudes quotidiennes et des gestes simples que par des déclarations solennelles et périodiques.

Quelques jours après les tirs de Brovès (les « écoles à feu » pour employer le langage des artilleurs), l'ordre d'embarquement intervient. C'est à Marseille, la ville où j'ai passé les années de guerre et fait mes études, que le détachement du IV/4e R.A.C. va embarquer en janvier 1953 sur le *Campana*, paquebot des Chargeurs réunis, habitué de la ligne d'Extrême-Orient.

La croisière qui va nous conduire en trois semaines à Saigon avec escales à Port-Saïd, Djibouti et Colombo est probablement semblable à tous les autres transits France-Indochine d'alors. Il faut occuper les hommes, veiller à l'hygiène, maintenir la discipline. Un transport de troupes c'est au fond un casernement flottant mais où l'espace manque et où cohabitent plusieurs détachements. Il faut être encore plus vigilant. Mais au total, les choses se passent bien, plus agréablement que sur les navires importants et plus rapides que notre *Campana*, qui brûlent les escales et où la chère serait, dit-on, moins bonne.

Un mot de l'escale au Sri Lanka qui s'appelle encore à l'époque Ceylan. Nous sommes tous frappés par les magnifiques paysages de cette île. Les itinéraires proposés permettent aux uns d'aller visiter Kandy, aux autres de contempler les plages de Mount Lavinia. Quelle île superbe, riche, paisible! Qu'est-elle devenue aujourd'hui ? Un champ d'affrontement entre Cinghalais et Tamouls. Les massacres s'y perpétuent dans une indifférence quasi générale. Il y aurait même, ai-je lu, un pont aux environs de Colombo où certaines agences touristiques conduisent leurs clients car on y aurait une chance de voir dériver un ou plusieurs cadavres dans la rivière...

Arrêt au cap Saint-Jacques pour prendre le pilote, et le *Campana* remonte sans histoire la rivière de Saigon. Le détachement de relève du IV/4e R.A.C. est stationné dans un camp de transit des environs de Saigon en attendant son embarquement sur l'un des caboteurs qui effectuent la navette entre Saigon et Haiphong. Le colonel Stœber, qui a servi jadis sous les ordres de mon père, m'invite à dîner à l'Arc-en-Ciel, le restaurant à la mode de Cholon. Il me parle de la guerre, avec confiance quant à son issue. J'en aurais fait autant à sa place.

Le séjour à Saigon est bref et fin janvier nous voilà voguant vers Haiphong. Le train nous conduira ensuite à Hanoi et enfin le camion de Hanoi à Nam Dinh où, à la base arrière du groupe, éclatent les divers détachements de relève vers les batteries et les sections de tir à Phu Ly, My Coi, Ninh Binh et autres lieux. Pour ma part je rejoins Thai Binh où se trouve le poste de commandement du groupe et où je dois succéder au lieutenant Laurens, chef du poste central de tir et rapatriable.

Le trajet Haiphong-Thai Binh est au fond une remarquable mise dans l'ambiance pour qui observe quelque peu les alentours. Il me fait penser à ces somptueux génériques de films où le paysage est largement montré. La voie ferrée qui mène en une centaine de kilomètres de Haiphong à Hanoi via Hai Duong est un axe capital pour nos forces et par conséquent un objectif prioritaire pour les commandos adverses infiltrés ou levés dans le delta, qui atteignent alors plus de cinquante mille hommes dont trois régiments réguliers à trois bataillons. Pour eux chaque convoi est un objectif, la voie ferrée est un objectif, particulièrement chaque ouvrage d'art. Les postes défendant la voie, les wagons plats chargés de rails qui précèdent la locomotive et doivent faire éclater les mines illustrent bien l'importance et la vulnérabilité du chemin de fer que nous allons emprunter, le dernier en service au Tonkin. Le trajet Hanoi-Thai Binh par la route est également très instructif. Celle-ci est convenable grâce à d'incessantes remises en état. Elle chemine de poste en poste jusqu'à Nam Dinh, ensuite jusqu'à Thai Binh, en franchissant sur un bac à Tan Dê un des bras du fleuve Rouge. Au passage on me signale le cantonnement du commando dont le chef, l'adjudant-chef Vandenberghe dit Vanden, vient d'être trahi et assassiné.

Vandenberghe était un sous-officier exceptionnel qui, très jeune, s'était illustré dans la Résistance et dans la campagne de la libération de la France. Il avait mis sur pied un commando de Viets ralliés avec lequel il opérait en s'infiltrant profondément en zone viêt-minh. « Donnez-moi cent Vandenberghe et l'Indochine est sauvée ! » s'exclama un jour le général de Lattre de Tassigny. Ce n'était évidemment qu'une marque d'enthousiasme mais cela donne la mesure du combattant qu'était Vandenberghe.

Au total le capitaine Desaegher, le lieutenant Zotier et moi emmenons au chef d'escadron Chamorand un solide détachement de relève. Il a cependant perdu en route une dizaine de sous-officiers jugés plus nécessaires ailleurs, probablement avec juste raison, par les états-majors de Saigon et de Hanoi. Dix sous-officiers rapatriés ne seront donc pas remplacés. Dix hommes de moins pour des postes importants ! Quand voudra-t-on enfin comprendre, en France et particulièrement au ministère du Budget, que la valeur d'une troupe est liée à la qualité de son encadrement, à sa compétence et à la suffisance du rapport cadres-troupe ? L'Indochine comme l'Algérie ont vu l'engagement d'emblée, et donc en début de séjour, de compagnies commandées par des lieutenants d'un an de grade, n'appartenant d'ailleurs pas toujours à l'infanterie, de sections ayant comme chef des sergents et de groupes dirigés par des caporaux. Seuls les quelques corps d'intervention avaient un encadrement correspondant aux dotations réglementaires. Les résultats acquis par nos forces avec le nombre de cadres qui leur était consenti sont tout à fait remarquables mais bien des unités eussent été plus solides avec un taux de cadres raisonnable. Certes, je vois bien la réponse du technocrate : diminuez le nombre d'unités et dégraissez l'environnement. J'y reviendrai plus loin en disant un mot des problèmes actuels de notre armée. S'agissant de l'Indochine et de l'Algérie, diminuer le nombre d'unités c'était aussi diminuer les postes et les zones tenues. Y était-on prêt à Paris ? Dégraisser l'environnement en Indochine, il y a longtemps que c'était fait. Il restait le strict nécessaire pour soutenir les hommes, parmi lesquels blessés et malades ne manquaient pas, et entretenir les matériels d'une armée en guerre.

Détenir le taux d'encadrement le plus bas des armées occidentales, et cela depuis longtemps, n'est pas une performance. C'est une négligence.

Me voilà donc, début février 1953, chef du poste central de tir (P.C.T.) du IV/4e R.A.C. Les lieutenants d'artillerie d'aujourd'hui seraient surpris de voir quel était le rôle d'un chef de P.C.T. dans un régiment de réserve générale à qui étaient temporairement dévolues des missions d'artillerie de position. Organiser une artillerie de position consistait à répartir les moyens de plusieurs régiments en batteries de quatre pièces, sections de deux, voire pièces isolées dans des postes du delta afin de fournir un appui réciproque entre les postes dotés de canons et ceux qui n'en avaient point. Bien entendu lorsqu'une opération se déroulait dans une zone à portée de tir, l'artillerie de position renforçait les feux de l'artillerie des groupes mobiles engagés. Chaque officier de tir dans chacun des postes disposant d'artillerie pouvait donc déclencher toute une gamme de tirs d'arrêt préparés. Le rôle du chef du P.C.T. était alors, suivant les ordres du commandant de groupe, de jouer les chefs d'orchestre et de déclencher les tirs de telle ou telle unité, voire de plusieurs unités de tir, au profit des postes attaqués. Il s'agissait d'un métier tout à fait passionnant et que j'exerçais à peu près exclusivement de nuit ce qui me laissait la possibilité de participer de jour, comme officier observateur, à des opérations visant, le plus souvent, à assurer le ravitaillement en vivres et munitions de tel ou tel groupe de postes du secteur, le plus souvent au nord et au nord-est de Thai Binh : An Xa, Dong Cac, Dong Qui Thon, postes où nous avions des canons, et d'autres au-delà ou sur le trajet. Ces missions permettaient de rompre avec la relative monotonie de la vie à Thai Binh. De plus l'habitude avait été prise de confier à l'observateur d'artillerie le guidage des avions d'appui, ce qui ne faisait qu'ajouter à l'intérêt du métier. Les accrochages étaient fréquents avec les unités viêt-minh dans ce secteur où, la nuit au moins, elles étaient chez elles. Rares étaient les opérations où les canons restaient silencieux. L'artillerie avait aussi une autre utilité non fixée d'ailleurs par les règlements : éviter les méprises. Nous y échappâmes de justesse lors d'une opération entre Thai Binh et Dong Cac. A Dong Cac la 8ᵉ batterie du groupe était commandée par le capitaine Boussarie, personnage remarquable qui estimait que la guerre était une chose difficile et qu'il fallait donc la faire avec le sourire, ce qui n'empêchait nullement de la prendre au sérieux. Le capitaine Boussarie progressait du nord vers le sud avec un groupement, je progressais en sens inverse avec un autre groupement. Nous étions censés coincer entre nous une unité viêt-minh signalée dans la zone. Vers 10 heures un feu nourri de mousqueterie part de la digue où se trouvaient nos premiers éléments. Je les rejoins et je constate qu'ils ripostent à des tirs provenant d'une lisière à cinq ou six cents mètres. Je demande un tir d'artillerie au P.C. de Thai Binh, en faisant toutefois observer que l'adversaire se trouve bien proche des derniers emplacements connus du sous-groupement nord. De son côté le capitaine Boussarie procédait aux mêmes opérations. Le P.C. du groupe observant que nous allions nous tirer au canon rigoureusement l'un sur l'autre, les tirs ne furent évidemment pas déclenchés, et peu à peu cessa la fusillade échangée par les deux groupements. Heureusement dans le terrain particulier des rizières les tirs directs à cinq cents mètres étaient peu meurtriers; l'incident ne causa comme seul dommage qu'une inutile consommation en munitions.

Le P.C. de notre groupe, également P.C. de l'artillerie de secteur, était installé en février 1953 à l'évêché de Thai Binh. La province de Thai Binh était en effet la plus au nord des provinces catholiques du sud du delta. Le Bui Chu et le Phat Diêm étaient les deux autres provinces. Ce n'est pas pour autant que la totalité de la population et des villages étaient catholiques et hostiles au régime communiste que voulait installer le Viêt-minh. Dans les évêchés nombre de villages étaient bouddhistes et constituaient des zones de soutien pour les irréguliers viêt-minh. Ils étaient truffés de caches et d'abris souterrains remarquablement camouflés et à l'épreuve de l'artillerie. Il fallait y passer parfois plusieurs jours pour en extraire un ou plusieurs partisans, voire y trouver un dépôt de l'un des régiments viêt-minh réguliers du delta.

Les villages catholiques du Sud avaient mis sur pied des milices que nous soutenions. Les églises, qui constituaient les meilleurs observatoires du delta, étaient en général le réduit fortifié de ces villages. Pendant les quinze mois passés dans le Sud tonkinois je serai resté de nombreuses heures dans des clochers avec mon adjoint, alternativement le maréchal des logis chef Edange et le maréchal des logis Roche, et avec le radio et le conducteur de notre équipe, deux Africains, Bambaras tous les deux, toujours souriants, dévoués et courageux. Nous observions les lisières de village et les frémissements des rizières.

Toujours est-il que ces villages fournissaient les meilleures troupes des bataillons vietnamiens dont le recrutement commençait et surtout nos meilleurs engagés volontaires vietnamiens. La plupart de nos bataillons d'intervention, y compris les parachutistes, comprenaient un pourcentage important de combattants vietnamiens qui luttèrent jusqu'au bout avec autant de courage que leurs camarades français. Ceux qui les côtoyaient dans les bons et les durs moments de la vie en campagne avaient le sentiment de contracter une dette envers eux. Les conditions lamentables de l'évacuation vers le Sud Viêtnam des catholiques du sud du Tonkin après le cessez-le-feu de 1954 resteront un des pires souvenirs de cette campagne d'Indochine. L'accueil par les autorités du Viêt-nam du Sud, devenues hostiles à la France et basculant vers les États-Unis, ne fut pas non plus des plus fraternels. Et pourtant si des migrants ont bien mérité un jour d'être considérés comme des réfugiés politiques, ce sont bien les catholiques du delta du fleuve Rouge.

De février à mai 1953 je serai donc basé à l'évêché de Thai Binh que l'évêque – un Espagnol de grande tradition, et je crois le dernier évêque européen – partageait avec nous. Le bâtiment comportait trois étages, nous occupions le plus élevé. C'était un excellent P.C. et du toit plat on avait un excellent observatoire et de très bonnes liaisons radio. J'avais personnellement les meilleurs rapports avec l'évêque. En fin d'après-midi il aimait à disputer une partie de boules. Les années passées à Marseille faisaient que je n'ignorais rien de la pétanque tout en restant un médiocre joueur. Je jouais donc aux boules avec l'évêque. Puis lorsque la nuit tombait, j'allais vérifier la mise en place des guetteurs qui renforçaient le système d'alerte diurne. Aux lisières de Thai Binh la nuit le Viet-minh était chez lui. Il fallait se garder.

En juin 1953 le P.C. de notre IV/4e R.A.C. va quitter Thai Binh pour Nam Dinh. Après bien des années, je ne suis toujours pas convaincu que ce mouvement s'imposait. Enfin... il se fit.

Nam Dinh était alors une ville relativement importante, base arrière de plusieurs régiments, P.C. de la zone sud du delta. Sa cotonnière y fonctionnait toujours. Nous étions accueillis à son club, installation un peu insolite avec son club-house feutré, son tennis et sa piscine. Bien utile cependant à la détente des unités au repos comme les nombreux bars et restaurants de la ville. On peut critiquer la vie sur les arrières. Mais lorsque l'on impose à une troupe des séjours de vingt-sept mois comportant de nombreuses opérations difficiles, on ne peut lui demander en outre de mener une vie monacale pendant les rares périodes de repos. Il faut des installations de détente, y compris des bars à filles. Certes le Viet-minh y trouvait aussi ses renseignements. Mais le moyen de faire autrement ? Les Américains en fixant les séjours à un an n'ont pas mieux réussi, bien au contraire. Si l'on veut éviter la plupart des problèmes dus à l'isolement, une période de quatre mois constitue la durée la meilleure. C'est possible en Afrique avec des effectifs réduits et des relèves par avion. C'était hors de question en Indochine avec des dizaines de milliers d'hommes et des relèves par bateaux dont le transit durait de vingt à trente jours.

Je vais passer à peu près un an à Nam Dinh. Le deuxième semestre de 1953 va être capital et déterminer l'issue de la guerre d'Indochine. Je percevrai à la base les effets de décisions, prises évidemment ailleurs, et sur lesquelles je reviendrai plus tard.

En mai 1953 les généraux Salan et de Linarès sont rapatriés et remplacés respectivement par le général Navarre et le général Cogny. Au niveau plus modeste du IV/4e R.A.C., changement de commandant de groupe. Rien de plus normal, le chef d'escadron Chamorand est en fin de séjour. Après quelques mois son remplaçant sera affecté dans un état-major. J'aurai donc connu trois commandants de groupe en seize mois avant de partir pour Diên Biên Phu. Une rotation aussi rapide est contraire au souci d'efficacité qui veut qu'un chef connaisse ses hommes, les troupes appuyées, s'il est artilleur, le terrain d'action enfin. Heureusement ce cas n'était pas fréquent.

Telles qu'elles pouvaient être perçues par un lieutenant dans le sud du delta, les opérations au milieu de 1953 furent caractérisées par l'évacuation de la base de Na San du 8 au 13 août, l'opération « Brochet » dans les zones de Ninh Binh et de Thai Binh du 20 septembre au 10 octobre, et l'opération « Mouette » déclenchée à l'ouest de Ninh Binh le 15 octobre. Tous les officiers d'artillerie disponibles étaient évidemment requis comme observateurs soit dans les unités directement engagées, soit au profit de celles qui assuraient le maintien des lignes de communication.

C'est pendant cette période que je rencontrerai le médecin-commandant Grauwin, chirurgien à l'hôpital de Nam Dinh, et le chef de bataillon Bigeard, qui commande le 6e bataillon de parachutistes coloniaux.

Pendant l'opération « Brochet » je remplissais les fonctions d'observateur auprès du groupement amphibie de Légion étrangère. Nous étions engagés dans le triangle Nam Dinh-Phu Ly-Ninh Binh. Dans l'après-midi d'une journée fertile en accrochages plus ou moins violents, la valeur d'un bataillon viêt-minh était encerclée dans un important village. Les légionnaires d'un bataillon de Légion qui agissait avec nous s'en étaient fait rejeter avec quelques pertes. J'avais de mon côté exécuté quelques tirs sur le village. Décision fut prise d'attaquer le lendemain matin après une importante préparation d'artillerie. Au matin je disposais de six groupes d'obusiers de 105 mm auxquels s'ajoutaient les canons de mon groupe organique. Cela représentait un peu moins de cent pièces ; près de deux mille coups, deux cents à l'hectare, s'abattirent sur le village. A près de quarante ans d'écart je peux dire que c'est plus que la consommation qui s'abattit le 25 février 1991 sur la position « Rochambeau », tenue par trois mille Irakiens bien protégés. Lorsque les légionnaires s'élancèrent « à cheval sur les derniers obus », suivant l'expression consacrée, tout en profitant de l'appui des mitrailleuses lourdes des engins amphibies qui prenaient les lisières en écharpe, des dizaines de survivants leur opposèrent une résistance farouche. Le nettoyage du village nous coûta trente tués et des dizaines de blessés. L'adversaire laissait cinq fois plus de morts sur le terrain et de nombreux blessés évacués, avec les nôtres, vers l'hôpital de Nam Dinh. Cette bataille donne une idée de la violence des affrontements, de la qualité des combattants de part et d'autre ; elle fait mesurer les difficultés que nous aurions pu éprouver dans le désert, trente-huit ans plus tard, si les Irakiens avaient fait preuve d'un minimum de combativité.

C'est au soir de cette bataille que je vis pour la première fois Grauwin dans ses œuvres. Avec un détachement du groupe j'allais à l'hôpital donner du sang ; c'était d'usage courant après un accrochage particulièrement sévère. Je vis Grauwin en salle de triage, ne s'occupant pas de l'origine des blessés qui d'ailleurs continuaient à arriver, mais uniquement de leur état. Calme, efficace, direct et même sachant plaisanter avec ceux qui accrochaient son regard. Un grand nombre de survivants de l'Indochine, des deux camps, lui doivent la vie.

Pour beaucoup aussi il fut un élément majeur du maintien du moral. Grauwin est un des grands hommes de cette guerre.

Un peu auparavant, en juin, le 6e bataillon de parachutistes coloniaux de Bigeard (6e B.P.C.) fut envoyé pour quelque temps à Nam Dinh. Trois à quatre semaines avant sa venue, toujours avec le groupement amphibie du Tonkin, j'avais eu à relever les débris d'une compagnie d'ouverture de route prise dans une embuscade au moment de son décrochage. Mis en place la nuit précédente les Viets avaient passé la journée camouflés dans la rizière à quelques mètres des tirailleurs. En fin d'après-midi, alors que s'éloignaient les derniers convois, ils avaient donné l'assaut au moment où les tirailleurs embarquaient dans les camions qui devaient les ramener à Nam Dinh. L'engagement avait duré quelques minutes. Les assaillants avaient la nuit pour décrocher en emportant l'armement récupéré. Le lendemain le groupement amphibie ne put que ramasser une cinquantaine de cadavres.

Quoique bataillon de réserve générale, le 6e B.P.C. a reçu pour mission de perturber les ravitaillements que le général Giap fait mettre en place en prévision de l'offensive qu'il prépare sur le delta. Il s'agit aussi de soulager les unités de secteur. Bigeard se verra donc confier quelques ouvertures de route. Ses méthodes sont différentes. Plus d'unités alignées à droite et à gauche, les hommes regardant vers l'extérieur, comme s'il s'agissait simplement de contenir les curieux lors du passage d'un chef d'État étranger boulevard Montparnasse. Les compagnies occupent en fin de nuit les villages d'où l'on commande la route à protéger. Pas de dialogue inutile avec l'observateur d'artillerie. Simplement : voilà les lisières qui m'inquiètent, à vous de jouer le moment venu. Cela suffit pour préparer les tirs et les reporter de lisière en lisière. Bigeard, j'aurai l'occasion d'en reparler, c'est avant tout un chef qui étudie son terrain, prépare ses hommes, donne des ordres succincts, clairs et qui l'engagent. Pour le reste il fait confiance. Il a fait du 6e B.P.C. un bataillon exceptionnel. Faut-il pour autant couvrir d'opprobre les bataillons de secteur ? Certes non ! La route de Nam Dinh à Ninh Binh doit être ouverte pratiquement tous les jours. Comment varier chaque jour le dispositif ? Surtout lorsque des mois durant les mêmes unités doivent remplir la mission. Il faudrait pouvoir faire « tourner » les bataillons, les remettre périodiquement à l'instruction, réfléchir toujours à de nouveaux procédés de combat. C'est ce que fait Giap cet été 1953 avec ses unités régulières.

En juillet Bigeard et son bataillon quittent la zone pour quelques jours. Quand ils reviendront ils auront avec deux autres bataillons parachutistes détruit les dépôts viets de Lang Son après un coup de main audacieux et remarquablement monté. Le moral remonte dans le delta.

Le 20 novembre nous apprenons qu'un groupement aéroporté de trois bataillons a sauté sur Diên Biên Phu en Haute-Région, à cinq cents kilomètres à l'ouest de notre zone. Il a occupé le village et ses alentours malgré la résistance opposée par un bataillon viêt-minh complètement surpris. Trois autres bataillons le renforcent le 24 novembre et le terrain d'aviation est ouvert.

Dire que sur le moment les lieutenants combattant dans le delta en reçoivent un choc serait totalement faux. Le lieu une fois repéré sur une carte générale de l'Indochine ou du Tonkin, ils replient ladite carte et leur attention se porte sur la situation locale, les postes menacés, les routes à ouvrir, les ravitaillements à acheminer.

Les ravitaillements empruntent la route mais aussi, souvent, la voie du fleuve. Les convois quittent Haiphong, se présentent à l'embouchure du fleuve Rouge et le remontent jusqu'à Nam Dinh. Pendant le parcours fluvial ils sont escortés par des éléments de la division navale d'assaut de Nam Dinh qui dispose selon les époques de un ou deux L.S.S.L., bâtiments fluviaux d'origine américaine puissamment armés et sur lesquels il est d'usage d'embarquer un observateur d'artillerie pour pouvoir frapper les berges du fleuve au cas où une embuscade attendrait le convoi. Ces missions à bord des L.S.S.L. pour escorter les convois ou intercepter, sur le Day par exemple, les sampans de ravitaillement viêt-minh sont particulièrement prisées. Non pas qu'elles soient plus ou moins dangereuses que d'autres. Mais à bord des L.S.S.L. on trouvait un certain confort, le soldat de la boue y prenait ses repas à table, dormait sur une couchette, observait d'une passerelle où l'on buvait glacé. Les marins le savaient et nous accueillaient avec une grande gentillesse. S'il fut une guerre où la coopération interarmées, au moins au niveau des exécutants, a parfaitement fonctionné c'est bien en Indochine. Il en est d'ailleurs toujours de même, n'en déplaise à ceux qui arguent de légitimes débats au moment de l'établissement du budget pour en déduire que les querelles de boutons opposent les armées françaises perpétuellement et à tous les niveaux.

La marine française a acquis en Indochine une expérience remarquable de la bataille en zones deltaïques et en rivières. Je ne sais si les Américains qui ont eu les mêmes combats à mener dans les mêmes endroits ont cherché à s'informer de nos expériences. Je crains que non. De notre côté nous avons insuffisamment étudié les procédés employés par les Chinois en Corée de 1951 à 1953. Nous en aurions tiré quelques informations sur l'utilisation de l'artillerie qui nous auraient évité des surprises début 1954.

Les semaines passent. On bascule en 1954. Je ne sais absolument plus où j'étais le 25 décembre ni le 1er janvier. Une certitude : aucun artiste ne s'est proposé pour venir nous distraire. L'idée nous eût paru d'ailleurs saugrenue. Malgré la durée du séjour et les pertes, le moral reste excellent. L'opération « Mouette » a été un succès et on tient dans le delta. Les nouvelles qui parviennent du haut Tonkin sont bonnes. Début janvier arrive celle d'une offensive viêt-minh sur le moyen Laos ; elle sera bloquée du 5 au 9 janvier à Seno. Le 20 janvier autre nouvelle : le déclenchement de l'opération « Atlante » au sud-est de l'Annam. Reprendrions-nous l'initiative ?

Coup de tonnerre le 13 mars. Non pas parce que le Viêt-minh attaque Diên Biên Phu. On s'y attendait. Nos chefs le souhaitaient, ou tout au moins le disaient. Le pensaient-ils ? C'est une autre affaire. Vis-à-vis de l'extérieur, vis-à-vis des soldats de l'Union française, vis-à-vis de nous les lieutenants, pouvaient-ils tenir un autre langage ? Qu'aurions-nous pensé d'eux s'ils avaient dit : « Nous avons constitué un centre de résistance solide. Nous espérons qu'il tiendra. Nous n'en sommes pas sûrs ! » Coup de tonnerre et coup terrible au moral parce que les deux bataillons qui couvraient le nord du dispositif, un bataillon de la 13e demi-brigade de Légion étrangère sur la colline baptisée « Béatrice » et un bataillon de tirailleurs algériens sur celle nommée « Gabrielle », sont submergés en deux nuits.

Cette fois on ressort les cartes de la Haute-Région. On étudie le plan du camp retranché. On constate que la piste d'aviation ne sera bientôt plus utilisable car « Béatrice » et « Gabrielle » en commandaient les accès et parce que le Viêt-minh n'aura plus aucune difficulté pour y concentrer les feux de son artillerie et de ses mortiers.

Me trouvant en liaison à Hanoi vers le 25 mars je me rends au commandement de l'artillerie du Nord Viêt-nam. Mon camarade Fustier me montre les photos aériennes de la place, les premières tranchées viêt-minh qui convergent vers nos installations. Mais le 16 mars le 6e bataillon de Bigeard a été parachuté. Des volontaires du 35e régiment d'artillerie parachutiste ont remplacé les servants tués dans les alvéoles de 105 et de 155 mm qui constituent pour les Viets un objectif prioritaire. La bataille sera dure. Pour les lieutenants, il est hors de question qu'elle soit perdue d'avance.

C'est quelques jours après qu'est diffusé dans toutes les unités le télégramme demandant des volontaires, brevetés parachutistes ou non, pour sauter et combler les pertes dans les unités du camp retranché. Le maréchal des logis-chef Edange avec qui je fais souvent équipe, lors des missions d'observation avancée dites de D.L.O. en langage d'artilleurs, le décrypte et me l'apporte. « Je suis volontaire mon lieutenant, me dit-il. – D'accord, mais nous serons au moins deux. » La recherche des volontaires est lancée au sein des personnels du P.C. Impossible en effet, quelles que soient leur bonne volonté et leur ardeur, de prélever cadres ou hommes sur les batteries et sections de position déjà au-dessous de leurs besoins en effectifs et sollicitées jour et nuit. C'est une liste d'une quarantaine de spécialistes que notre IV/4e R.A.C. télégraphie le lendemain vers le commandement de l'artillerie des forces terrestres du Nord Viêt-nam. Aucun d'entre eux n'a jamais sauté.

Les jours passent. Les actions dans le delta se poursuivent. Il est question d'un regroupement du IV/4e R.A.C. pour en refaire un groupe de réserve générale après avoir remplacé ses canons de 105 L 36 par des obusiers de 155 mm américains. Chacun suit maintenant la lutte des défenseurs de Diên Biên Phu, la bataille poursuivie de fin mars à début avril pour les « Dominique », les « Eliane » et les « Huguette », le parachutage du 2e bataillon du 1er régiment de chasseurs parachutistes, la reprise de « Dominique 2 », le parachutage du 2e bataillon étranger de parachutistes à partir du 10 avril, la reprise d'« Eliane 1 » le même jour. Une intervention de l'aviation américaine est évoquée. Pourtant le quotidien nous accapare. Le sud du delta ne sera jamais une zone calme. Le Viêt-minh se bat partout, avec acharnement, pour interdire le renforcement de Diên Biên Phu et obliger le commandement français à engager quelques avions ailleurs. Les Vietnamiens [1], qui se battent si bien lorsqu'ils sont intégrés dans les bataillons ou les groupes d'artillerie français, sont beaucoup moins ardents, c'est le moins que l'on puisse dire, lorsqu'ils sont engagés en unités constituées. Affaire de cadres une fois de plus, de formation, de compétence et de comportement des cadres. Les premiers enga-

1. On disait « Viêt-minh ou Viets » pour désigner ceux qui se battaient contre nous, et « Vietnamiens » pour désigner ceux qui étaient à nos côtés.

gements des bataillons légers vietnamiens dans les évêchés se soldent par de sanglants échecs.

Un peu après le 20 avril la question m'est posée par un officier du commandement de l'artillerie du Nord Viêt-nam : « Êtes-vous toujours volontaire pour sauter à Diên Biên Phu, le colonel Vaillant a besoin d'un officier pour mettre de l'ordre dans les transmissions de l'artillerie ? » J'accepte immédiatement. Je suis convoqué pour le 25 avril.

Pendant quelques séances étalées sur quarante-huit heures, à la base arrière du 2e B.E.P., des moniteurs nous apprennent à nous équiper et à serrer les jambes avant l'arrivée au sol. Le soir du 28 avril nous nous présentons pour embarquer. Nous décollons dans les dakotas, mais la météo devient défavorable. Retour à Hanoi. Les pluies commencent, c'est, paraît-il, une bonne chose. Le 29 les seuls parachutages de nuit auront lieu au-dessus d'« Isabelle » qui recevra quatre-vingt-trois volontaires. Le 30 avril c'est enfin notre tour. Décollage vers minuit, survol au passage de quelques tronçons de la route provinciale nº 41 (la R.P. 41) ; les aviateurs nous font observer les convois viêt-minh qui, phares allumés, se dirigent vers Tuan Giao ou en reviennent. Aux environs de 2 heures le 1er mai, je saute derrière le capitaine Allix, un ancien de Corée, qui ne reviendra pas de cette seconde aventure. Feu rouge. Feu vert. Me voilà me balançant au-dessus de Diên Biên Phu avec quarante-trois autres volontaires [1].

Il fait relativement beau, c'est d'ailleurs pour cela que nous avons pu sauter. Le ciel est illuminé par des bombes éclairantes dites lucioles, parce que le Viêt-minh attaque à l'ouest dans la zone des « Huguette ». Je dois probablement oublier tout ce que l'on m'a enseigné il y a quelques jours : vérification de la coupole et autres consignes. Je touche très vite le sol, car on parachutait les hommes très bas pour éviter la dispersion. Première constatation, je n'ai rien de cassé. Seconde, je suis à quelques mètres d'un char. Les Viets n'en ayant pas, je suis donc dans les lignes. Bilan satisfaisant.

Je suis encore en train de me déséquiper lorsqu'un Vietnamien s'approche de moi et me donne un coup de main. Je dois me rendre à son P.C. et remettre au général de Castries un pli que l'on m'a confié. Le parachutiste vietnamien me guide

1. Au total un peu plus de 600 volontaires « premier saut » seront parachutés.

au P.C. le plus proche, celui du chef de bataillon Vadot. Accueil chaleureux, l'ordre règne, je remets aux légionnaires la masse de courrier personnel dont on m'a lesté au départ de la base arrière du 2e B.E.P. Ce seront probablement les dernières lettres qu'ils recevront. Le commandant Vadot me fait ensuite guider, par un lacis de tranchées, vers le P.C. du groupe opérationnel du nord-ouest. Je remets ma lettre et me présente ensuite au colonel Vaillant qui a succédé au colonel Piroth.

Le P.C. de l'artillerie est vraiment réduit au minimum, cinq officiers, je serai le sixième. Son rôle est évidemment de déclencher les tirs au profit des points d'appui attaqués. Autour du colonel Vaillant deux capitaines dirigent les feux. Avec les lieutenants Michel et Verzat j'assure la permanence à l'observatoire d'action d'ensemble. Entre ces permanences j'essaye de faire assurer la remise en état des lignes téléphoniques qui relient le P.C. aux observateurs des bataillons. Avec un adjudant qui a sauté avec moi le 1er mai je passe les quelques heures de repos dans l'ancien abri du colonel Piroth que personne ne voulait occuper [1].

Le 1er mai il doit rester sept obusiers de 105 mm et deux de 155 mm en état de tirer à Diên Biên Phu, et sept de 105 mm à « Isabelle ». Les deux 155 mm ne peuvent tirer que dans un secteur de 45 degrés environ, la boue, qui dans les alvéoles et les tranchées atteint le milieu des cuisses, interdisant le pivotement des affûts. Elle empêche aussi le tir vertical qui sur les tranchées viêt-minh serait plus efficace que le tir plongeant sans pour autant perdre beaucoup de précision car les tirs d'arrêt, à l'exception de ceux d'« Isabelle », sont effectués à des portées de l'ordre du kilomètre. Les mortiers de 120 mm ont beaucoup moins souffert des tirs de l'artillerie viêt-minh, un seul a été détruit. Deux raisons à cela : le mortier nécessite des alvéoles dont la surface est quatre fois moins étendue que celles des obusiers; les parapets des alvéoles sont plus hauts, le mortier ne faisant que du tir vertical. Je serai durant toute ma carrière un ardent propagandiste du 120 mm. Je ne serai heureusement pas le seul et notre armée de terre dispose actuellement d'excellents matériels, améliorés et équipés de munitions très performantes.

1. Le colonel Piroth, glorieux combattant d'Italie et de la campagne de France, avait mis fin à ses jours après la chute de « Béatrice » et de « Gabrielle ».

La situation en munitions est le point le plus critique. Avec seize canons et sept mortiers on peut faire mal, encore faut-il avoir des munitions. Il reste trois mille coups de 105 mm, la consommation d'une nuit au profit d'un gros poste du delta sévèrement attaqué. Ici par économie les tirs d'arrêt se font avec vingt ou vingt-cinq coups pour cent mètres de front, ce qui est largement inférieur à ce que prévoient les règlements. Il est vrai que l'on tire au ras des tranchées amies, à cinquante mètres environ, ce que la portée permet, la dispersion étant à mille ou deux mille mètres à peu près insignifiante. La contre-batterie, il y a longtemps qu'il n'en est plus question. Entre les tirs d'arrêt indispensables et une contre-batterie aux résultats plus qu'incertains, avec les munitions dont il dispose, le colonel Vaillant ne peut faire d'autre choix. Pourtant certains classiques s'en inquiètent à Hanoi et lorsque, libéré début septembre, je serai le premier artilleur à me présenter au P.C. de l'artillerie des forces terrestres du Nord Viêt-nam. j'aurai droit de la part de l'un, un seul, des officiers supérieurs présents à la phrase suivante : « Mais pourquoi n'avoir pas fait de contre-batterie ? »

Le 1er mai la garnison de Diên Biên Phu va encore se battre une semaine. Mais à cette date elle n'en sait rien. A chacune de ses attaques le Viêt-minh perd un nombre considérable de ses hommes. Des soldats moins aguerris les remplacent. Les échos de la conférence de Genève sont captés à la radio. L'hypothèse d'un engagement de l'aviation américaine est aussi évoquée au sein de notre P.C. L'espoir de gagner le dernier round demeure.

Je rends visite au médecin-commandant Grauwin à son hôpital enterré. L'ordre règne. Mais les blessés graves sont entassés dans des conditions épouvantables. Les blessés légers, eux, regagnent leurs unités sitôt traités. Grauwin est toujours le même, calme, détendu, précis. Nous parlons quelques minutes de la situation dans le delta. Très vite il retourne à sa salle d'opération : le harcèlement d'artillerie, incessant, un obus par-ci, un obus par-là, vient encore de faire mouche. Agglutinés comme nous sommes, il y a toujours un objectif.

Les 3 et 4 mai bataille à l'ouest dans la zone des « Huguette », l'ennemi nous grignote. Mais le parachutage des deux tiers du 1er bataillon de parachutistes coloniaux apporte des troupes fraîches et décidées, deux compagnies de ce bataillon s'installent sur la colline « Eliane 2 », clef de la défense de l'ensemble du camp retranché.

Au soir du 6 mai s'abattent les tirs de préparation viêt-minh. En moins d'une heure la quasi-totalité de notre artillerie est détruite, surtout celle du réduit central. C'est le Viêt-minh qui est dans les meilleures conditions pour faire de la contre-batterie. Ses observatoires sont mieux placés, nos pièces ne sont abritées que par des alvéoles ouvertes au ciel. Il est même étonnant que toute notre artillerie n'ait pas été détruite avant la fin du mois d'avril. Toujours est-il que le 6 mai en début de nuit, elle l'est à l'exception de quelques mortiers de 120 mm et deux ou trois 105 mm d'« Isabelle ».

Tout ce qui reste tire sans interruption ou presque au profit d'« Eliane 2 » dont nous suivons la défense avec anxiété de l'observatoire et du P.C. Pendant la nuit deux pièces de 105 mm sont remises en état et reprennent le tir. Mais à 11 heures du soir environ les Viets font exploser une mine sous la position d'« Eliane 2 ». Les sapeurs viets ont travaillé comme ceux de la Première Guerre mondiale, creusant sous nos positions. Une partie du 1er B.P.C. est engloutie. Le reste tient encore avec les capitaines Pouget et Nectoux mais ils manquent de munitions. Bigeard essaye d'y envoyer une compagnie de marche aux ordres du capitaine Lepage. Elle ne peut rompre l'encerclement. Il s'en faut de quelques mètres. Au matin les « Eliane » sont submergées. Le sort de Diên Biên Phu est désormais scellé.

En fin de matinée je suis au P.C. de l'artillerie. On fait le point des tubes remis en état et des munitions. A côté, un parachute déployé tenant lieu de cloison, j'entends le dernier briefing du général de Castries. Tentera-t-on une sortie la nuit prochaine ? Encore faudrait-il tenir jusque-là avec des hommes qui se battent nuit et jour depuis plusieurs jours. « Mon bataillon tient dans un dakota », dit Bigeard avec son sens de la formule. Il est finalement décidé de cesser le feu à 17 heures. Quelques minutes après cette heure le lieutenant Moreau commandant de batterie au II/4e R.A.C. appelle le P.C. « Je vois les Viets, je suis prêt à déboucher à zéro » – quand l'artillerie débouche à zéro c'est que l'infanterie adverse s'en approche à moins de quatre cents mètres, on tire alors tube à l'horizontale et avec des projectiles fusant en moins d'une seconde. Je regarde le colonel Vaillant qui me fait transmettre l'ordre de saboter les pièces sans tirer. Sage décision. A cette heure la garnison n'a plus aucune chance. Cela ne ferait que des morts en plus. Quelques minutes après un groupe d'assaut viêt-minh pénètre dans le P.C. de l'artillerie. La marche vers la captivité débute.

J'extrais quelques lignes du communiqué de victoire viêt-minh qui constitue un des hommages les plus nets et les moins discutables aux défenseurs de Diên Biên Phu :

« A l'est, sur la colline n° 5 (Eliane II) la position la mieux fortifiée de tout le système de Diên Biên Phu, les combats ont été d'un acharnement et d'un héroïsme extrêmes. »

Comme la bataille d'ensemble, la marche vers la captivité, la vie dans les camps ont été décrites par bien des auteurs, comme le père Jeandel dans *Soutane noire et Béret rouge*, Bernard Fall dans sa *Guerre d'Indochine*, Jean Pouget avec *le Manifeste du camp n° 1*, Bigeard avec *Pour une parcelle de gloire*, Bergot avec *Bataillon 42*, Jules Roy, le général Langlais, Grauwin et quelques autres, je vais me limiter à quelques réflexions et éclairages personnels. Quelques chiffres s'imposent, le lecteur m'en excusera, mais tant de choses imprécises ou inexactes ont été dites et imprimées qu'il faut parfois rétablir quelques faits.

De 1944 à 1954, 37 000 combattants de l'Union française ont été faits prisonniers parmi lesquels 16 000 Vietnamiens, les 21 000 autres se répartissant par tiers entre Français métropolitains, légionnaires et Africains, soit environ 7 000 pour chaque catégorie. Sur les 37 000 prisonniers, 10 750 ont été libérés soit moins de trente pour cent. Cinquante pour cent des Africains, quarante pour cent des métropolitains et des légionnaires, dix pour cent seulement des Vietnamiens.

S'agissant du seul affrontement de Diên Biên Phu, au total, 16 000 hommes furent engagés dans la bataille de notre côté. Seize bataillons, cinq de parachutistes français et vietnamiens, six de Légion étrangère dont deux de parachutistes, deux bataillons de tirailleurs algériens et un de tirailleurs marocains, deux bataillons thaïs ; deux groupes de 105 mm, une batterie de 155 mm, un escadron de chars et des éléments des autres armes et services.

Avant la chute, nos pertes se situaient à un peu plus du tiers des effectifs, dix pour cent de tués et vingt-cinq pour cent de blessés, soit respectivement 1 600 et 4 000. Le 7 mai au soir et le 8 mai, on vit s'extraire des rives de la Nam Youm ceux que

Jean Pouget baptise les « rats de la Nam Youm ». Il s'agit de plusieurs centaines de soldats ayant abandonné leur poste, qui s'abritaient dans des trous au bord de la Nam Youm et étaient devenus des bouches inutiles. D'où sortaient-ils ? Rarement des bataillons parachutistes ou légionnaires, très peu à partir des Vietnamiens qui combattaient dans nos bataillons. Pourquoi tant de déserteurs sur place ? Il y a plusieurs réponses à cette question. Mais il en est une indiscutable : un encadrement quantitativement insuffisant.

Le commandement viêt-minh n'a pas publié de statistiques concernant ses propres pertes Après la bataille nos services de renseignement les estimaient à 20 000 hommes dont 8 000 à 10 000 tués. Ces chiffres paraissent réalistes car lorsque deux infanteries de qualité s'affrontent, celle qui attaque subit presque toujours des pertes trois à quatre fois supérieures à l'autre. Après les batailles de mars et de début avril, le Viêt-minh avait dû combler les pertes de ses divisions d'élite, les 308e et 312e, avec des recrues venant en particulier du Than Hoa, et faire face à une chute du moral. Le général Giap lui-même le reconnaît dans ses Mémoires lorsqu'il écrit : « Les combats de position les plus acharnés provoquèrent à un moment des hésitations de caractère droitiste dont se ressentit l'exécution des tâches. (...) Nous avons ouvert, sur le front même, un vaste mouvement de lutte contre tout relâchement et toute tergiversation pour renforcer l'ardeur révolutionnaire et le sens de la discipline en vue d'assurer le succès total de la campagne. » Il est hors de doute qu'à la place de De Castries Giap aurait fait fusiller quelques rats de la Nam Youm pour leurs hésitations de caractère « droitiste ou marxiste ». Ces quelques phrases du chef de nos adversaires montrent aussi que l'engagement à Diên Biên Phu de la bataille pour le Nord Laos n'était pas une décision militaire aussi stupide que certains commentaires de l'époque (y compris ceux de militaires s'exprimant après coup) ont voulu le faire apparaître. Fallait-il défendre le Laos ? C'est cela la vraie question. La réponse n'était pas du ressort du commandement mais du gouvernement.

Le Viêt-minh maintient les prisonniers dans des camps aux alentours de Diên Biên Phu pendant une quinzaine de jours environ. Ces camps étaient les cantonnements de ses propres troupes et de ses coolies qui, les uns et les autres, prennent la route vers les abords du delta, vers leurs zones de repos habituelles, pour se refaire et reprendre ensuite l'offensive.

Pendant ces quinze jours les Viets vont soigneusement nous séparer, officiers supérieurs dans un camp, lieutenants et capitaines dans un second, sous-officiers et militaires du rang dans d'autres. Il faut briser les liens hiérarchiques. Le résultat en sera une mortalité très importante pendant la marche vers les camps puis dans ceux-ci parmi les hommes du rang. L'encadrement n'a pas seulement pour rôle de commander au combat mais aussi celui d'ordonner de faire bouillir l'eau des ruisseaux avant de la consommer. La mortalité sera forte dans les camps d'officiers, plus faible qu'ailleurs néanmoins.

Ma première nuit de captivité mérite quelques lignes. Je la passerai entassé avec un groupe de prisonniers pas encore triés, dont Bigeard que les Viets chercheront dans la nuit. Nous sommes dans un abri creusé par nos ennemis pour abriter leurs canons. Creusé non pas à contre-pente mais sur la pente qui aurait été exposée à nos vues si la jungle m'avait fourni une couverture impénétrable. Il s'agit d'un tunnel au fond duquel on abrite la pièce pour la pousser à l'orée lorsqu'il faut tirer, à l'orée mais derrière un épais merlon. Le tir terminé, la pièce est reculée. L'aviation peut s'échiner, si elle les repère, contre de telles installations. C'est en pure perte. La contre-batterie, n'en parlons pas, ce serait un gaspillage d'obus plus utiles dans les tirs d'arrêt. Le réglage des tirs à partir de tels emplacements ? Rien de plus simple quand l'adversaire, nous en l'occurrence, occupe des positions fixes à courte ou moyenne distance de tir. C'est donc pour le Viêt-minh que la contre-batterie est facile, élémentaire, nos emplacements de tirs ne pouvant être changés. Ajoutons que dans le périmètre du camp retranché tout mètre carré renfermait un objectif. Surprise ? elle n'aurait pas dû se produire pour deux raisons ! Un le bon sens, deux le fait que les Chinois avaient il y a peu utilisé la même tactique en Corée. L'*Histoire du corps des marines en Corée* en fait d'ailleurs mention.

Vers la fin mai la colonne des officiers subalternes s'ébranle vers la zone des camps dont on ignore d'ailleurs l'emplacement. Pour ma part je ne suis sorti du sud du delta que pour passer une semaine à Diên Biên Phu. Les camarades m'indiquent la cuvette de Tuan Giao, le col des Méos, Son La, Na San, Ta Koa et la rivière Noire, Yen Bay et le fleuve Rouge que nous franchissons étroitement surveillés. C'est pourtant là qu'avec mon ami Weinberger, bon nageur comme moi, et même bien meilleur nageur, nous avions espéré nous laisser glisser à l'eau pour descendre ensuite le fleuve vers un poste français. Après Yen Bay, la colonne prend la direction de la rivière Claire. Quelques jours après l'avoir franchie nous arrivons au camp n° 1. C'est dans la région de Yen Bay que pour la première fois nous avons été l'objet de manifestations hostiles de la population, insultes, jets de pierres. Il y a longtemps que le Viêt-minh contrôle cette zone et puis une fois de plus se vérifie la règle que ce sont toujours ceux qui ont couru le moins de risques qui sont les plus agressifs.

Au camp n° 1, après six cents kilomètres environ, toujours effectués de nuit, nous retrouvons les anciens de Cao Bang, de Nghia Lo et même des années précédentes. M. Moreau, administrateur colonial, a été enlevé à Vinh en 1946. Il est allé de camp en camp depuis huit ans. L'accueil des anciens est extraordinaire. Ce sont eux qui nous réconfortent. Ils ont préparé le repas de l'arrivée avec leurs maigres moyens. Cela nous change du riz cuit dans un casque lourd qui fait notre ordinaire depuis quarante-cinq jours. C'est toujours du riz mais il y a le coup de patte du cuisinier.

Pendant le trajet nous avons enterré bien des camarades, nous en avons laissé d'autres agonisant sur le bord de la piste. Il faut poursuivre, rester dans le groupe. Pour survivre trois règles : rester dans le groupe, assimiler le riz, le compléter si possible; pousses de bambou et crosses de fougères seront l'essentiel de ce complément.

Début septembre le commissaire politique du camp, ni meilleur ni plus mauvais qu'un autre, nous annonce la signature des accords de Genève et la décision d'échanger les prisonniers. Une joie profonde nous envahit. On ne peut demander à des captifs d'avoir une vue objective d'une situation. Pour nous le but c'est la libération. Il semble pourtant que j'aurais pu la manquer si j'en crois ce qu'écrit le père Jeandel dans *Soutane noire et Béret rouge*.

En effet, fin juillet ou début août je suis convoqué comme mes compagnons pour être interrogé par un officier de renseignement. Est-ce mon jeune âge ? Malgré la cigarette qui débute la conversation et que je refuse facilement, puisque je ne fume pas, malgré la tasse de thé, que j'accepte, je manifeste quelque insolence et refuse de communiquer autre chose que mon nom, mon grade et mon unité. Quelques réflexions sur le communisme paraissent aussi indisposer mon interlocuteur, qui me congédie néanmoins aimablement après m'avoir dit que manifestement je ne suis pas prêt à « combattre pour la paix ».

J'avais oublié cet incident. Vers la mi-août, alors que nous avons déjà quitté le camp n° 1, et que la colonne vient de traverser un camp où aurait sévi le sinistre Boudarel, deux soldats viêt-minh viennent me quérir, je retrouve le capitaine de Basin qui commandait le 1er B.P.C. et mon camarade de promotion Bonduelle qui arrive du Centre Laos. Ensemble nous sommes escortés vers un camp, je crois qu'il s'agit de Lang Trang, où sont parqués un peu moins d'une centaine d'énergumènes irrécupérables, aumôniers, officiers de renseignement, membres des groupements de commandos mixtes aéroportés qui opéraient sur les arrières des Viets par exemple. On y est pas plus mal qu'ailleurs. Au contraire, il y règne une remarquable solidarité. Nous n'y restons que quelques jours et prenons la route de Viêt Tri. Notre groupe sera le dernier à être libéré début septembre. Le père Jeandel indique que c'est à l'insistance du général Salan, informé par les premiers libérés, que nous devons d'avoir été relâchés quoique irrécupérables. Je n'ai jamais vérifié mais je ne saurais douter de la parole d'un aumônier.

Grâce au commandant Grauwin, libéré avec l'admirable Geneviève de Galard et les blessés graves, vers la fin juillet, mes proches ont su assez vite que j'avais été fait prisonnier en bonne santé. Ils seront aussi prévenus rapidement de ma libération. Mais comme d'autres ils auront vécu quatre mois d'inquiétude. A la fin de ma première nuit d'homme libre à l'hôpital Lannessan à Hanoi, dans la matinée de ce qui devait être le 7 ou le 8 septembre 1954, je suis à la porte d'une chambre où j'ai essayé de dormir avec une dizaine de camarades lorsque vers 9 ou 10 heures je suis abordé par une jeune femme qui a vu la liste affichée à la porte et me dit : « Est-ce dans cette chambre que se trouve le lieutenant Schmitt, je suis sa belle-sœur ? » Je savais que mon homonyme le lieutenant Schmitt, lui aussi de l'artillerie coloniale, était mort au début de la marche vers les camps. Situation douloureuse. J'essaye de la réconforter mais, dans le secret de mon cœur, j'imagine le chagrin que va éprouver la famille de cet officier.

Je quitte vite Lanessan, je soignerai ailleurs toutes les parasitoses de ces derniers mois. Accueilli par mes camarades du IV/4e R.A.C., je suis prêt à terminer mon séjour avec eux; mais décision est prise de ramener en France l'ensemble des prisonniers. Une noria de dakotas nous achemine à Saigon où, pendant trois semaines de détente, je visite un peu cette ville où j'ai passé trente mois de ma prime enfance lorsque mon père commandait le 11e régiment d'infanterie coloniale à la caserne Martin-des-Pallières.

Début octobre je quitte l'Indochine pour toujours, je pense. J'embarque sur le *Félix-Roussel* qui, par Singapour cette fois, va ramener son lot de rapatriables et d'ex-prisonniers à Marseille, après avoir touché Oran où légionnaires et Nord-Africains sont débarqués. A Marseille je perçois la solde des quatre mois de captivité, ce qui ne mériterait évidemment pas d'être mentionné si en examinant le décompte je ne m'apercevais que l'on en avait retranché une somme correspondant à l'alimentation durant ces quatre mois. Administrativement indiscutable : les Viets nous avaient nourris. Mais je pensais à ce que pourraient éprouver nos soldats légionnaires, sénégalais, nord-africains s'ils avaient, ce qui est heureusement rare, la curiosité de lire le décompte de leur rappel de solde. Lorsque ma carrière me donnera quelques responsabilités en la matière, je veillerai à ce que soit évité ce genre de fausse manœuvre.

Ainsi se termine mon séjour en Indochine. Séjour comparable à celui de milliers de camarades. Je crois y avoir beaucoup appris et c'est pour cela que je vais tenter de revenir sur cette guerre dans les pages qui vont suivre. Plus que l'Algérie ce fut une vraie guerre. Nous y avons été battus, c'est vrai, par de vrais soldats commandés par un chef remarquable. Avant de la livrer nous aurions probablement dû savoir que cette guerre ne pouvait pas être gagnée. Il est facile évidemment de l'écrire aujourd'hui, mais il est surtout nécessaire de savoir pourquoi. Nous ne nous sommes pas seulement battus, nous avons aussi aimé ce pays, plus que ne l'ont aimé nos successeurs américains; je crois que ceux-là mêmes qui furent nos adversaires en sont encore conscients.

III

RÉFLEXIONS SUR UNE GUERRE COLONIALE

« Les républiques faibles sont irrésolues et ne savent ni délibérer ni prendre un parti. Si quelquefois elles en prennent un, c'est plus par nécessité que par choix. »

MACHIAVEL,
Discours sur la première décade de Tite-Live.

« On ne pouvait pas “ dire et surtout écrire que nous ne défendrions pas le Laos ”. L'expression est du président du Conseil... Le Laos ? Il faut le défendre sans le défendre tout en le défendant. Ne pas dire qu'on ne le défendra pas et faire comme si on le défendait, sans toutefois risquer quoi que ce soit en le défendant. Quant au ministre des Finances, il se déclara contre tout ce qui contribuait à vider ses caisses. Pas un sou pour le plan Navarre. »

JULES ROY,
La Bataille de Diên Biên Phu.

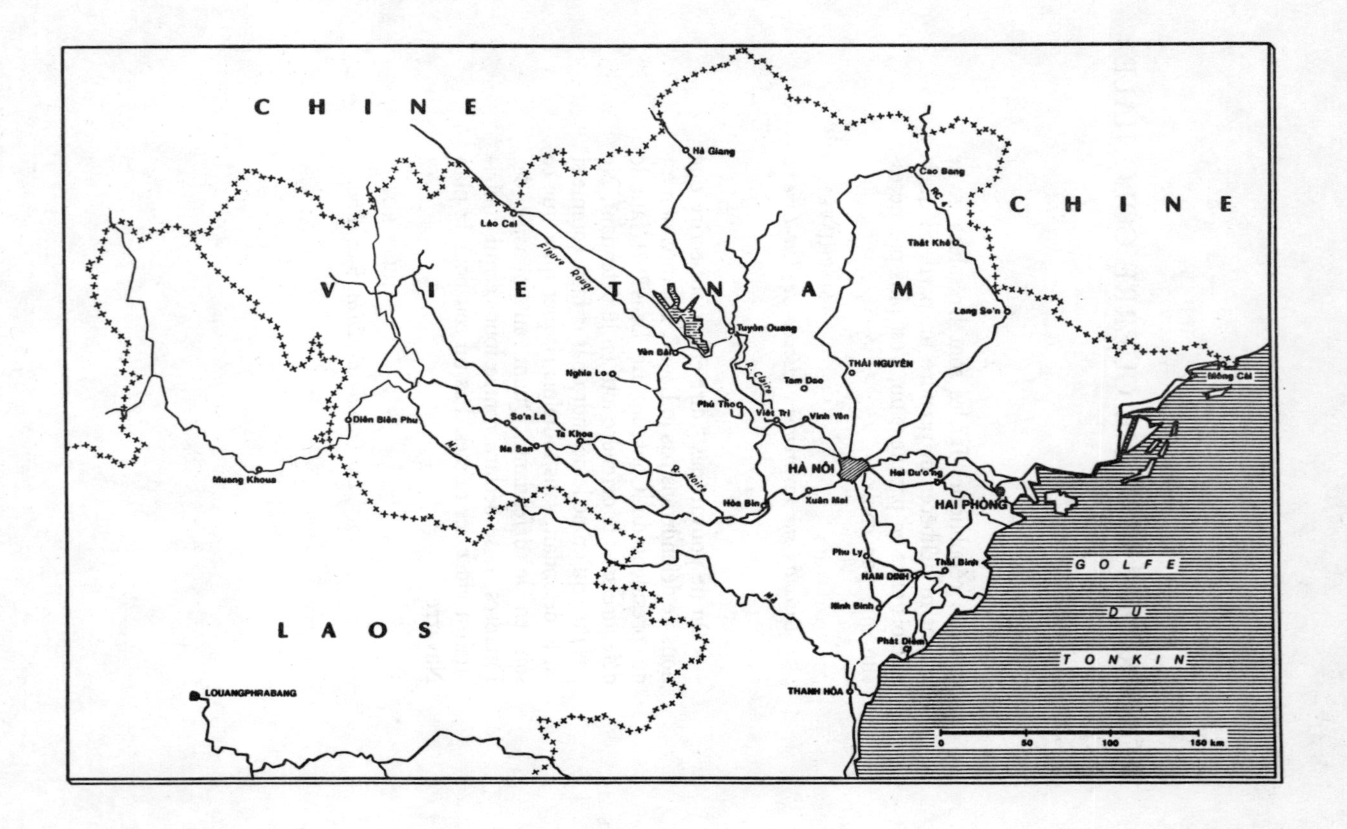
CHINE
CHINE
VIETNAM
LAOS
GOLFE DU TONKIN
Hà Giang
Cao Bang
RC 4
Thât Khê
Lang So'n
Lào Cai
Fleuve Rouge
Tuyên Quang
Yên Bái
Nghia Lo
THÁI NGUYÊN
Tam Dao
R. Claire
Phú Tho
Viêt Tri
Vinh Yên
Diên Biên Phu
So'n La
Ta Khoa
Na San
Muang Khoua
R. Noire
HÀ NÔI
Hai Du'o'ng
HAI PHÒNG
Xuân Mai
Hòa Bin
Phu Ly
Thái Binh
Ninh Binh
Phát Diêm
THANH HÓA
LOUANGPHRABANG
0
50
100
150 km

La guerre d'Indochine a duré huit ans. Elle prit fin le 20 juillet 1954 avec le cessez-le-feu négocié à Genève. On peut en situer le début au 19 décembre 1946, date à laquelle le Viêt-minh attaqua les garnisons françaises.

Deux événements auront eu des conséquences stratégiques majeures sur le déroulement du conflit. En 1949, à la suite de la victoire des communistes sur les nationalistes chinois, le Viêt-minh disposera dans un pays ami et limitrophe de bases d'entraînement et il recevra un soutien en équipements de toute nature. Quatre ans plus tard, en juillet 1953, le cessez-le-feu intervenu en Corée permettra à la Chine de concentrer ses efforts au profit des communistes vietnamiens, efforts qui seront portés à leur maximum au moment de la bataille de Diên Biên Phu dont la Chine et le Viêt-minh ont compris très vite l'enjeu capital.

Quelques chiffres, volontairement arrondis, sont nécessaires pour illustrer la violence des combats. Pendant les huit années de guerre les forces françaises ont eu 76 000 morts au combat parmi lesquels 2 000 officiers dont 1 300 lieutenants. De 1954 à 1962, pour une durée à peu près équivalente, la guerre d'Algérie coûtera 23 000 morts. Pendant la guerre de Corée les Américains perdront 30 000 hommes. La guerre du Viêt-nam en revanche sera pour eux deux fois plus meurtrière.

La guerre d'Indochine sera livrée à dix mille kilomètres de la France, à trois semaines de mer de Marseille, alors qu'Alger en est à vingt-quatre heures et que Yanbu, qui sera pendant la guerre du Golfe la base de nos forces en Arabie Saoudite, est à une semaine. En Algérie le contingent sera engagé, car il s'agit de trois départements français. Cela permettra de disposer des effectifs nécessaires pour assurer simultanément le contrôle du pays et la constitution de forces mobiles. En revanche, dès le début de la guerre d'Indochine le commandement fut confronté à l'impossibilité d'assurer simultanément la couverture du terrain et la constitution d'un corps de bataille à la mesure de celui de l'adversaire. On peut affirmer que militairement la guerre d'Algérie a été gagnée. A tout moment de cette guerre, une bonne compagnie d'infanterie, et même à la fin une bonne section, pouvait parcourir, sans courir de risques sérieux, n'importe quelle zone du territoire. En Indochine, dès 1950, il était devenu difficile, voire impossible avec une division renforcée de tenir le terrain à une centaine de kilomètres à vol d'oiseau d'Hanoi, dans les régions de Yen Bay, de Tuyen Quang ou de Lang Son. Perdue à Paris la guerre d'Indochine l'a été aussi, militairement, sur le terrain.

La guerre d'Indochine a été une guerre sans front. Cela ne veut pas dire que l'adversaire ne disposait pas d'un corps de bataille, bien au contraire, dès le début Giap a entrepris sa mise sur pied. Mais, couvert et renseigné par des unités régionales, qui atteignirent chacune souvent la taille d'un régiment à trois bataillons comme dans le delta du fleuve Rouge ou le Sud Annam, le commandement viêt-minh pouvait engager ce corps de bataille par division, ou le concentrer, soit enfin le mettre au repos et à l'instruction, ce qui était pratiquement impossible pour nos groupes mobiles et nos réserves générales constamment sollicités.

Lorsqu'ils ont enfin décidé de nous aider, après avoir jusqu'à la fin des années 40 sapé nos entreprises, les Américains ont mis du temps à comprendre que l'on ne pouvait appliquer au Viêt-nam les schémas de la guerre de Corée. La guerre de Corée se livrait sur un front continu, relativement étroit; les arrières étaient sûrs. Le président Syngman Rhee avait su engager son pays à fond dans la guerre. Il est vrai que son passé pendant l'occupation japonaise lui avait acquis une autorité indiscutable dont ne disposait aucun des leaders démocrates et libéraux du Viêt-nam, du Cambodge et du Laos. Après le cessez-le-feu de 1954, les Américains ont cru pouvoir refaire au Viêt-nam ce qu'ils avaient fait en Corée : tenir la ligne relativement étroite, cinquante kilomètres à vol d'oiseau, qui séparait les deux Viêt-nam, et bâtir en quelques années une armée du Sud-Viêt-nam en mesure de s'opposer à celle du Nord. Giap de son côté a usé de la tactique qui lui avait réussi contre nous, en reconstituant au Sud-Viêt-nam les formations régionales qui deviendront le Viêt-cong. Le Viêt-cong allait tout d'abord neutraliser l'administration en assassinant ses représentants, et créer l'insécurité dans les zones que contrôlait déjà le Viêt-minh lors de la guerre française : presqu'île de Ca Mau, plaine des Joncs, hauts plateaux du Sud-Annam, « rue sans joie ». En 1962 le conflit se radicalisait et les États-Unis s'engageaient massivement. A aucun moment les Américains ne purent arriver à un véritable affrontement avec le corps de bataille du Nord-Viêt-nam rassemblé. Usés par un Viêt-cong bien ravitaillé par la piste Hô Chi Minh, en fait un ensemble de pistes abrité par les jungles laotiennes et cambodgiennes, ils se sont retirés après les accords de Paris de 1973. Le sort du Sud-Viêt-nam était scellé. Le prix Nobel de la paix pouvait bien échoir à M. Kissinger, rien n'empêcherait plus les troupes du Viêt-nam du Nord d'entrer à Saigon que quittaient, en hâte, les derniers Américains, en avril 1975.

Que les Américains n'aient pas mieux réussi que nous n'est pas une consolation. Que les quinze dernières années aient démontré que le marxisme à l'asiatique n'avait pas fait le bonheur du Viêt-nam et qu'il y aurait certainement eu moins de boat people si Diêm ou Bao Dai ou les deux avaient présidé à ses destinées n'en est pas une non plus.

La guerre d'Indochine a considérablement marqué l'armée française et la marque encore. Beaucoup plus que la guerre d'Algérie. Dans le chapitre précédent j'ai donné quelques éclairages sur l'aventure que j'ai personnellement vécue en Indochine. Je vais tenter maintenant une réflexion sur cette guerre en l'abordant au niveau politico-militaire ou stratégique et au niveau du théâtre, tout en revenant sur quelques considérations tactiques qui me paraissent importantes.

L'ébranlement des grands empires coloniaux à la suite de la Seconde Guerre mondiale, les défaites subies en Europe et surtout en Asie par la France, la Grande-Bretagne et les Pays-Bas, l'occupation japonaise, s'agissant plus particulièrement de l'Indochine, créaient un climat propice au développement des mouvements nationalistes revendiquant l'indépendance du Viêt-nam, du Laos et du Cambodge. La France pouvait bien être dans le camp des vainqueurs, la défaite rapide et brutale de 1940 restait dans tous les esprits. Les États-Unis, de leur côté, le président Roosevelt en particulier, étaient bien décidés à ne favoriser aucune tentative de rétablissement de la domination française en Indochine. A telle enseigne qu'en octobre 1944 Roosevelt donnera l'ordre de ne pas aider les résistants français et vietnamiens qui s'opposaient à l'occupant japonais. Les Américains auront plus tard la même attitude. Seules quelques initiatives de militaires britanniques et américains, à la limite de l'indiscipline pour ces derniers, apportèrent quelque soutien aux garnisons françaises dont les Japonais entreprenaient la destruction, en mars 1945, avant de se retirer. Les hommes des colonnes conduites par les généraux Alessandri et Sabattier, qui au prix d'efforts surhumains avaient gagné la Chine de Tchang Kaï-chek pour reprendre le combat, seront même internés comme s'ils étaient réfugiés dans un pays neutre.

Pendant ces événements, fin 1944, début 1945, se constituèrent dans les hautes et moyennes régions du Tonkin les premières unités de guérilla dirigées par Hô Chi Minh et Vô Nguyên Giap. A cette époque ils se présentaient comme des nationalistes antijaponais et antifrançais. Ils recevront même quelques parachutages d'armes américaines. Lors de la capitulation japonaise, la résistance française ayant été anéantie, comme ses sympathisants vietnamiens, le Viêt-minh apparaîtra comme le seul mouvement politique structuré du Viêt-nam.

En France, à cette époque, on vivait les premiers mois de la libération du pays. Le général de Gaulle, élu en novembre 1945 chef du gouvernement, s'était très vite opposé aux partis qui dominaient l'Assemblée et voulaient contrôler les deux pouvoirs, le législatif et l'exécutif. Il refusa de se soumettre et démissionna le 20 janvier 1946. Le règne des partis fut rétabli pour douze ans. Ainsi face au Viêt-minh où Hô Chi Minh et Giap tiendront les rênes politiques et militaires pendant toute la guerre on verra en France dix-neuf gouvernements alterner au pouvoir, donc avoir la charge de définir la politique de la France en Indochine.

En Indochine même se succéderont cinq responsables politiques : l'amiral d'Argenlieu, M. Bollaert, M. Pignon, le général de Lattre, qui seul cumulera les responsabilités politiques et militaires, et M. Letourneau; sept commandants en chef : les généraux Leclerc, Valluy, Blaizot, Carpentier, de Lattre, Salan et enfin Navarre. Le poste de chef d'état-major des armées ne sera créé et ses responsabilités clairement définies que beaucoup plus tard, en 1961, avec l'entrée en fonction du général Ailleret. Le chef d'état-major de la défense nationale n'avait pas la même mission. Cette situation ne favorise évidemment pas la définition d'une politique et la conduite des opérations. On ne sait d'ailleurs quels buts la France poursuit dans cette guerre. Un jour peut-être les archives livreront-elles les textes des directives adressées aux responsables politiques locaux ou ceux des instructions personnelles et secrètes, pour employer le vocabulaire militaire habituel, remises aux commandants en chef successifs lors de leur prise de fonction. Il est permis de douter de leur clarté.

Dans un livre paru en 1956 et qui a pour titre *l'Agonie de l'Indochine*, le général Navarre décrit ainsi son entretien avec M. René Mayer, président du Conseil, lors de sa prise de fonction le 8 mai 1953 : « Au cours de cette première entrevue et d'une seconde que j'eus avec lui quelques jours après, M. René Mayer m'exposa ses vues sur la situation en Indochine. Il la jugeait très mauvaise et ne pensait pas qu'il fût possible de lui apporter une solution favorable. Le problème consistait, selon lui, à trouver une sortie honorable, mais cette sortie, il ne voyait clairement ni ce qu'elle pouvait être ni comment l'atteindre. Il me demandait donc de partir dans les dix jours, de prendre le commandement, d'étudier sur place la situation, et de revenir, dans un délai d'un mois, proposer au gouvernement un plan d'action. Sur ce que pourraient être les grandes lignes de ce plan, il préférait ne me donner pour le moment aucune indication ! Il m'appartiendrait de dire ce que je croirais réalisable. M. René Mayer tint cependant à me mettre en garde, d'emblée, contre toute demande importante de renforts, car il ne serait pas à même de la satisfaire. Il me précisa aussi qu'il n'envisageait en aucun cas l'envoi du contingent en Extrême-Orient. »

Ainsi le président du Conseil demande au commandant en chef de fixer les buts de guerre de la France en Indochine et de revenir au bout d'un mois en proposant un plan pour les atteindre. Il ajoute que ce plan ne devra entraîner aucune augmentation des moyens en place alors que l'on sait parfaitement que les aides chinoise et soviétique au Viêt-minh, déjà massives, vont être considérablement augmentées, l'armistice étant imminent en Corée. Notons aussi qu'il s'agit de directives verbales auxquelles ne semblent pas associés les ministres concernés (Affaires étrangères, Défense, chargé des relations avec les Etats associés), pas plus que les responsables militaires de nos armées.

Le 24 juillet 1953 le général commandant en chef expose son plan au Comité de défense nationale, présidé par M. Vincent Auriol, Président de la République, constitutionnellement quasi démuni de pouvoirs sous la IVe République. A ce Comité participent le nouveau président du Conseil, M. Joseph Laniel, investi le 26 juin 1953, et le ministre de la Défense, M. René Pleven. Selon les divers témoignages disponibles le général Navarre pose clairement le problème de la défense du Laos; impossible, selon lui, avec les moyens dont il dispose. M. Georges Bidault, ministre des Affaires étrangères, réagit vivement : « Si à la première menace nous lâchons le Laos... il vaut mieux renoncer tout de suite à constituer une Union française. » Le général Navarre n'aura ni les renforts qu'il sollicite ni une décision claire du gouvernement sur le Laos, ce qui permettra à certains de dire, par la suite, qu'au fond il n'avait pas reçu l'ordre formel de le défendre.

De fait, le 21 novembre 1953, le secrétaire général permanent de la Défense nationale, secrétaire du Comité de défense, écrit à M. Marc Jacquet, nouveau secrétaire d'État chargé des États associés, pour lui indiquer les décisions prises en Comité de défense le 13 novembre.

L'essentiel tient en trois phrases :

« Considérant qu'un nouvel accroissement des moyens militaires de l'Union française, mis à la disposition du théâtre d'opérations d'Indochine, ne pourrait être obtenu qu'au prix d'un affaiblissement excessif de nos forces en Europe et en Afrique du Nord et que les inconvénients qui en résulteraient seraient plus graves pour la situation de la France dans le monde que ne seraient avantageux pour elle les résultats à attendre de l'envoi de nouveaux effectifs en Extrême-Orient, [le Comité] décide de s'en tenir, en ce qui concerne les renforts et la relève, aux termes de la note du 11 septembre, adressée par le ministre de la Défense nationale au général commandant en chef qui devra, en conséquence, ajuster ses plans aux moyens mis à sa disposition.

« Le secrétaire d'État chargé des relations avec les États associés est invité à porter ces décisions à la connaissance du général commandant en chef et lui confirmer :

– que l'objectif de notre action en Indochine est d'amener l'adversaire à reconnaître qu'il est dans l'impossibilité de remporter une décision militaire;

– qu'il importe de favoriser au maximum le développement des armées vietnamiennes dont la participation active à la pacification des zones actuellement contrôlées constitue la mission principale sans exclure pour autant leur intervention aux côtés du corps expéditionnaire. »

On notera que c'est le 24 juillet que le général Navarre a présenté son plan d'action. Alors que l'on est dans une phase difficile de la guerre, puisque les Viets se sont renforcés et que l'on attend leur attaque pour l'automne, c'est le 21 novembre, quatre mois après, qu'il reçoit une réponse. Or le général Navarre, qui sait qu'il ne peut atermoyer indéfiniment, a déclenché le 20 novembre l'opération « Castor », c'est-à-dire l'occupation de Diên Biên Phu. Quatre mois alors que le corps expéditionnaire se bat tous les jours! Ce délai se passe de commentaires.

L'objectif est en revanche assez nettement défini : il faut faire match nul sans renforcement; c'est incompatible avec la défense du Laos. On aurait dû alors dire clairement au commandant en chef, et à temps, que la défense du Laos n'était pas prioritaire. Mais nous avions, le 22 octobre, signé un traité d'assistance mutuelle. Il y a donc contradiction entre les moyens consentis au commandant en chef et la politique étrangère suivie.

Enfin le développement des forces vietnamiennes et des autres États associés entrait bien dans les objectifs du général Navarre; mais ces forces ne pouvaient avoir une certaine efficacité qu'en 1955 et non en 1954. Par ailleurs il n'est point de forces efficaces sans cadres compétents et payant d'exemple. L'école de Dalat n'en avait point produit suffisamment. Il fallait pallier ce manque. Or cela ne pouvait être fait par prélèvement sur les forces du corps expéditionnaire, déjà gravement sous-encadrées. Les premiers engagements des bataillons vietnamiens dans les évêchés du Tonkin seront des échecs sanglants. Le général Navarre avait raison de demander des renforts temporaires pour attendre la montée en puissance des forces des États associés. Cela ne lui fut pas accordé.

Donc confusion et surtout lenteurs inadmissibles dans une période cruciale : le général Navarre ne recevra d'ailleurs la note du 21 novembre que le 4 décembre. Elle est pourtant brève et les transmissions fonctionnent bien.

On constate les conséquences de l'absence à Paris d'un chef d'état-major des armées aux attributions définies, dont celle de diriger l'action du commandant en chef sur le terrain selon les directives du gouvernement, et communiquant régulièrement avec lui. Pendant la guerre du Viêt-nam les Américains ne feront pas mieux. Ils en auront tiré les leçons pour la guerre du Golfe.

Il n'y eut donc pas en France de direction politico-militaire de la guerre d'Indochine. « La guerre est une chose trop sérieuse pour être laissée aux militaires. » Les commentateurs aiment à rappeler cette phrase de Clemenceau pour brocarder les militaires. Ils ignorent, ou feignent d'ignorer, qu'il s'agissait d'une condamnation de la passivité du gouvernement dans les domaines de sa responsabilité. Elle est à rapprocher d'une autre : « Je fais la guerre. » Ce qui veut dire que nommé à nouveau président du Conseil en 1917, Clemenceau consacrera toute son énergie à la conduite de la guerre que les grands chefs militaires jugeaient indécise à un moment où il fallait avoir une vue d'ensemble de tous les théâtres d'opérations et animer une coalition. Le Tigre sera d'ailleurs de ceux qui, à Doullens, imposeront le commandement unique et le confieront au général Foch, se gardant bien de s'immiscer dans la conduite des opérations. Aux politiques donc, selon Clemenceau, la conduite de la guerre, aux militaires celle des opérations.

Confusion, lenteurs, en a-t-il été ainsi dès le début ? Un retour sur les différentes phases de la guerre d'Indochine s'impose afin de tirer également des enseignements au niveau du théâtre et au niveau tactique.

L'amiral Thierry d'Argenlieu et le général Leclerc ont rejoint l'Indochine en septembre 1945. Avaient-ils des directives claires ? C'est peu probable. On attendait sans doute d'eux un point de situation avant la définition d'une politique, ce qui était sage dans les circonstances du moment.

Contrairement à une légende soigneusement colportée, y compris dans les manuels d'histoire, le Viêt-minh était déjà solidement armé. Il avait récupéré, avec la complicité des Japonais et des Chinois, des armes françaises, américaines et japonaises : 35 000 armes individuelles et environ 2 000 armes automatiques et mortiers. Il avait donc les moyens d'entamer la première phase de la guerre révolutionnaire, la guérilla telle qu'elle est définie par Mao Tsé-toung et codifiée par Giap.

Le général Leclerc reprend peu à peu le contrôle de l'Indochine, il entre ainsi le 6 mars à Hanoi. Néanmoins il pense et écrit que la France « n'a pas les moyens matériels de mener une guerre à dix mille kilomètres de la métropole ». Un an plus tard il écrira à Léon Blum, président du Conseil, que « l'erreur la plus grave serait de sous-estimer la dure résistance du Viêtminh (...) et de croire que rien n'a changé depuis 1939 ».

Au début la politique réaliste préconisée par Leclerc l'emporte. Hô Chi Minh est accueilli à Paris en chef d'État, et le 6 juillet s'ouvre la conférence de Fontainebleau. Il semble qu'il ait été alors partisan de la conciliation afin d'accéder à l'indépendance en évitant une guerre longue et meurtrière. Il a, en tout cas, dès cette époque un but : l'indépendance et le regroupement de la totalité du Viêt-nam, Cochinchine comprise.

Cette indépendance pouvait-elle s'établir dans le cadre de bonnes relations avec la France et de la préservation de nos intérêts, alors qu'il s'agissait de l'indépendance d'une république populaire ? Ce n'était évidemment pas l'avis de l'amiral Thierry d'Argenlieu qui, de sa propre initiative, reconnut une république indépendante de Cochinchine attachée à l'Union française ; ce qui pour Hô Chi Minh était inacceptable.

De malentendu en malentendu on en arriva ainsi à l'attaque, sans succès d'ailleurs, de nos garnisons du Nord. Giap prit alors la décision de replier ses troupes régulières dans la haute région du Tonkin pour les préserver et les remettre à l'instruction. La guerre d'Indochine commençait. Nous nous y engagions sans trop savoir où nous voulions aller. Dans l'exécution, nous allions faire toujours trop peu, trop tard.

Hô Chi Minh et Giap avaient adhéré au mouvement communiste dès ses débuts. Il est probable qu'ayant fait dans la seconde partie des années 40 de l'ensemble des trois ky du Viêtnam : Tonkin, Annam et Cochinchine, une république démocratique sur le modèle de celles qui existaient déjà, ils auraient rapidement rompu tous les liens avec l'ancienne puissance coloniale. Les circonstances du moment s'y prêtaient. Le marxisme apparaissait à beaucoup d'États comme le modèle à suivre et la solution à toutes leurs difficultés. Bloqué en Corée, il gagnera Cuba, la Guinée de Sékou Touré, Madagascar, j'en passe.

Ajoutons à cela qu'en France même, dès 1947, le parti communiste soutient le Viêt-minh et qu'il en est de même d'une part importante de l'intelligentsia. Les démarches hostiles à la guerre ne se limitent pas au débat politique : Henri Martin sabotera l'un de nos porte-avions et Boudarel, jeune insoumis, désertera pour rejoindre le camp du Viêt-minh. En regard que s'est-il réellement passé ? En huit ans les combats menés par le corps expéditionnaire français conduiront au cessez-le-feu de Genève. On peut en critiquer les dispositions mais plus de la moitié des Vietnamiens se trouvaient soustraits à l'emprise communiste comme les deux tiers de l'Indochine. Après avoir sévèrement critiqué notre conduite de la guerre et des opérations, après avoir joué un jeu personnel auprès de Diêm en vue de nous écarter, les Américains répéteront nos erreurs et ils connaîtront à leur tour des arrières dénonçant la « sale guerre ». Comme nous ils feront toujours trop peu, trop tard.

Sitôt engagée, notre guerre d'Indochine ne pouvait être gagnée militairement. Répétons-le, c'était une guerre sans front où les gouvernements locaux, et nous à leurs côtés, devaient assurer l'administration et défendre les localités importantes. Cette tâche consommait une part considérable des forces. Dès le début nos unités mobiles seront quantitativement insuffisantes pour réduire les embryons des forces régulières viêt-minh qui se constituaient en Moyenne et Haute Région tonkinoise. Pour y parvenir il aurait fallu consentir à engager au moins deux fois plus de forces terrestres dès 1947, et leur donner l'équipement nécessaire à la contre-guérilla et à la guerre en moyenne montagne. Conscient de l'impossibilité de le faire, Leclerc avait préconisé la négociation.

En octobre 1947, pourtant, débuta la série des grandes opérations d'Indochine. Nos forces se lancèrent à l'assaut du triangle Thai Nguyên-Bac Kan-Tuyen Quang. Ce fut l'opération « Léa ». Le Viêt-minh refusa le combat « à l'européenne », ne s'estimant pas en position de force. Alors que nos groupements fortement mécanisés évoluaient dans un terrain peu favorable débutait la bataille des axes de ravitaillement qui allait être le cauchemar de tous les responsables militaires en Indochine, particulièrement au Tonkin et en Annam. Hors du delta et bientôt dans le delta, toute implantation allait constituer un ensemble consommant vivres, carburants et munitions. Le ravitaillement des postes, importants ou non, allait coûter cher en effectifs et en pertes, le Viêt-minh ayant le choix du lieu et du moment, n'agissant qu'à coup sûr.

Fin décembre 1947 les forces engagées dans l'opération « Léa » se retirent. Nous conserverons cependant Cao Bang, Dông Khê et Lang Son, les portes de Chine. Ces agglomérations jalonnent la route coloniale numéro 4, la célèbre R.C. 4. Trois ans plus tard elles seront perdues dans des conditions dramatiques alors que leur défense aura coûté des centaines d'hommes et de véhicules.

En novembre 1949 les forces communistes chinoises s'assurent le contrôle de toute la frontière du Tonkin : Tchang Kaï-chek est battu. Perdu par lui un matériel considérable, principalement américain, tombe aux mains des troupes de Mao Tsé-toung. Une des conditions essentielles du succès d'une guerre révolutionnaire est désormais remplie pour les forces du Viêt-minh. Elles disposent en Chine de bases de repos et d'instruction contiguës aux zones qu'elles contrôlent et d'un soutien matériel appréciable. A côté de l'infanterie légère (plutôt mieux équipée que la nôtre pour le combat de jungle car mieux fournie en armes automatiques légères tandis que nos forces sont en général armées de fusils à répétition), le général Giap va pouvoir mettre en ligne des unités plus lourdes équipées de mortiers, de mitrailleuses, de canons de 75 mm sans recul et même d'obusiers de 105 HM 2 américains.

Le combat pour des points d'appui ou des bases éloignées est une des caractéristiques majeures de la guerre d'Indochine, spécialement au Tonkin. La garnison française est peu à peu asphyxiée et mal ravitaillée au prix de pertes importantes. Son évacuation est décidée en général trop tard. Les troupes qui se replient tombent dans une embuscade et celle-ci englobe souvent dans ses victimes les colonnes de dégagement.

En septembre et octobre 1950, le drame de la R.C. 4 illustre bien cette situation. Le dispositif frontalier n'interdit absolument pas les communications entre les zones Viêt-minh et la Chine. Il ne saurait en être autrement dans ce terrain montagneux couvert d'une jungle difficile à pénétrer. Le général Revers recommande au gouvernement français l'évacuation des garnisons placées le long de la R.C. 4. L'autorisation gouvernementale est aussitôt connue de l'adversaire qui a ses informateurs à Paris même. On pourrait pourtant au moins rechercher la surprise tactique. Il faudrait pour cela conserver le secret au niveau de quelques responsables militaires, détruire en quelques heures les nombreux impedimenta et matériels accumulés à Cao Bang, puis se lancer dans une évacuation à pied indifférente aux nombreuses coupures de route établies par les Viets. C'est la seule façon de donner la main à temps aux forces de recueil. Cela impose de parcourir quarante kilomètres par jour et c'est possible. Malheureusement on décide localement d'une évacuation motorisée. La lenteur des mouvements imposée par la nécessité de rétablir les passages pour les véhicules permet le développement de la manœuvre viêt-minh qui engage plus de vingt bataillons disposant d'artillerie. Nous laisserons dans cette célèbre et tragique embuscade la colonne Charton qui vient de Cao Bang, la colonne Lepage qui devait la recueillir et trois bataillons de parachutistes engagés pour essayer de sauver ce qui pouvait l'être : 7 000 hommes perdus, au total, et tous leurs équipements.

Le début de l'année 1951 sera alors marqué du côté de Giap par une précipitation certainement consécutive à l'euphorie créée par le succès de la R.C. 4. Chez les Français il y aura un sursaut. Comme souvent dans notre histoire, pour pallier les conséquences d'une politique hésitante et d'une stratégie incohérente, on recherche l'homme providentiel. Cette fois on le trouve, c'est le général de Lattre de Tassigny qui cumulera, et il sera le seul, les responsabilités politiques et militaires.

Au début de 1951 les premières divisions du corps de bataille viêt-minh viennent d'achever leur montée en puissance. On dénombre les cinq divisions d'infanterie, à l'effectif de 10 000 hommes chacune, aux numéros bien connus des anciens d'Indochine (trois polyvalentes : 304, 308, 312, la 316 plutôt spécialisée dans la Moyenne-Région, et la 320 orientée vers le delta du fleuve Rouge). S'y ajoute la division lourde 351. Fort de son succès sur la R.C. 4, Giap estime pouvoir frapper un grand coup. Il constate aussi que, la politique américaine évoluant et devenant plus anticommuniste qu'anticolonialiste, l'aide des États-Unis au corps expéditionnaire français s'accentue. Il veut donc un succès majeur avant que les effets de cette aide se fassent sentir.

A la mi-janvier 1951 Giap décide donc d'engager tout son corps de bataille. Il veut conquérir Hanoi pour la fête du Têt, le nouvel an vietnamien qui se situe à la mi-février.

Le général de Lattre de Tassigny a-t-il reçu des directives et une instruction personnelle et secrète ? Ce n'était probablement pas le souci majeur d'un homme de sa dimension, d'autant que dans l'immédiat les circonstances suffisent à lui fixer un but : sauver Hanoi et par la même occasion le corps expéditionnaire. Il est renseigné : il sait que c'est à partir du massif du Tam Dao, à une cinquantaine de kilomètres de Hanoi, que l'ennemi va engager son corps de bataille. Effectivement Giap déclenche le 16 janvier en fin d'après-midi son attaque dans la région de Vinh Yên, localité qui donnera son nom à cette bataille. Au sol il a la supériorité numérique mais il est cette fois obligé de s'engager en terrain relativement découvert. De Lattre, qui a pris personnellement le commandement des opérations, rameute tous ses renforts et utilise à fond ses atouts : l'artillerie et surtout l'aviation qui opère à cinquante kilomètres de ses bases. Le 17 janvier les Français sont maîtres du champ de bataille. Le Viêt-minh aura perdu 6 000 tués et 500 prisonniers.

Dans les premiers mois de 1951 Giap mènera encore deux offensives contre le delta. L'une au nord-est, ce sera la bataille de Mao Khe. La seconde, la plus importante, dans la région de Ninh Binh où il engage deux divisions, la 304 et la 308. Ces deux grandes unités agissent en liaison avec la 320 infiltrée sur nos arrières pour donner la main au régiment 42, notre adversaire traditionnel dans le sud du delta, régiment d'élite qui échappera jusqu'au bout aux opérations menées pour l'anéantir. Ces deux batailles seront meurtrières, mais surtout pour le Viêt-minh, en particulier la seconde lors du repli de ses régiments réguliers vers leurs refuges des zones montagneuses de l'ouest du Day.

En juin 1951, le général de Lattre a rétabli la situation. Le général Giap, de son côté, constate sans doute que ses forces n'ont pas encore la cohésion, l'entraînement et les équipements pour livrer avec succès la bataille décisive du delta. Certes si nous n'arrivons pas à empêcher le Viêt-minh de tenir la nuit la majorité des villages, c'est dans le delta et ses approches que nos atouts nous permettent des victoires tactiques : les blindés, les engins amphibies, l'artillerie et l'aviation qui agit à proximité de ses bases, enfin un terrain, certes difficile car alternant rizières inondées et villages difficilement pénétrables, mais néanmoins plus facile que ceux où le général Giap va désormais nous attirer et où nous irons le chercher : la Moyenne-et la Haute-Région tonkinoise.

Le gros des forces régulières viêt-minh est, en dehors des périodes d'opérations, centré dans la Moyenne-Région tonkinoise entre Cao Bang, Yen Bay et Lang Son. Il y reçoit matériels et soutiens de la zone chinoise de Nanning. Le gouvernement de Hô Chi Minh se déplace dans ce triangle. Le Thanh Hoa au Sud du delta du fleuve Rouge sert également de base refuge à une division. De ces bases le Viêt-minh peut soit s'engager vers le delta comme il vient de le tenter sans succès, soit s'en prendre à nos postes de la haute rivière Noire où les Thaïs nous sont encore fidèles et d'où il peut menacer le Nord Laos et même la capitale Louang Prabang. La haute rivière Noire verra en septembre 1951 la division viêt-minh 312 traverser le fleuve Rouge pour essayer de faire sauter les postes franco-thaïs installés entre le fleuve et la rivière Noire. Ce sera un échec mais le dernier car Giap sait tirer les leçons de ses erreurs.

A l'automne de 1951 l'action du général de Lattre a conduit à un certain équilibre dans la zone où se concentrent alors les affrontements : le Tonkin. Sauf à y engager la valeur de deux divisions au moins, nous ne pouvons chercher les Viets dans leurs repaires. Giap de son côté ne peut obtenir le succès spectaculaire recherché au début de 1951 : la prise de Hanoi ou au moins celle de Ninh Binh ou de Nam Dinh. Aurait-on pu alors trouver une formule pour négocier en bonne position ? L'histoire ne le dit pas. Face à Giap et Hô Chi Minh alternent les gouvernements français. L'Indochine est un boulet dont on voudrait bien se débarrasser. En même temps les réussites de De Lattre font à nouveau espérer une victoire militaire. Elles sont également un prétexte pour refuser les renforts. Enfin l'aide financière et matérielle américaine qui s'amplifie dans le cadre du « barrage au communisme » s'accommoderait mal de négociations de paix.

Le général de Lattre a parfaitement compris que le problème indochinois ne peut recevoir une solution que si les Indochinois, et avant tout ceux des Vietnamiens qui sont nationalistes, mais opposés au communisme, s'engagent à fond. La tâche n'est pas facile mais il s'y emploie. Paris applaudit, mais ne comprend pas ou feint de ne pas comprendre qu'il ne suffit pas de décider de la création d'une armée vietnamienne pour que celle-ci existe. Il y faut plusieurs années, au moins trois. On prendra cependant prétexte, en bord de Seine, de la création des armées dites des États associés pour refuser les renforts qui permettraient de tenir jusqu'en 1955, année où un engagement décisif des forces vietnamiennes aurait peut-être été possible. Pendant ce temps l'aide chinoise s'accroît et Giap va réviser ses méthodes.

Créer une sorte de môle sur lequel viendront se casser les assauts viêt-minh tout en interrompant les communications entre la zone de Yen Bay et le Thanh Hoa, telle est, semble-t-il, l'idée de manœuvre de l'opération de Hoa Binh, initiative probablement la plus contestable du général de Lattre dès lors qu'il ne recevait pas les renforts nécessaires pour simultanément la lancer et interdire, ou au moins ralentir, le pourrissement du delta.

La bataille de Hoa Binh va durer du 14 novembre 1951 au 24 février 1952. Le général Giap accepte le combat. Tout en multipliant les infiltrations dans le delta, il concentre ses divisions régulières sur la zone de Hoa Binh et en particulier sur les voies d'accès à la localité. En effet, dès lors qu'il y a garnison importante il faut en assurer le ravitaillement et la voie aérienne n'y suffit pas. Deux voies d'accès mènent à Hoa Binh, l'une fluviale sur une cinquantaine de kilomètres par la rivière Noire, à partir de Viêt Tri, l'autre routière, à partir de Xuân Mai par les défilés de la route coloniale numéro 6 (la R.C. 6). La bataille de Hoa Binh devient rapidement celle de la R.C. 6 et de la rivière Noire et les noms de Ba Vi, Rocher Notre-Dame, Tu Vu resteront gravés dans la mémoire des anciens du corps expéditionnaire. Marins des divisions navales d'assaut : les dinassauts, marocains, légionnaires, parachutistes, français et vietnamiens, sapeurs et artilleurs vont, trois mois durant, user et fixer les meilleures divisions viêt-minh mais aussi subir des pertes qui au total se situeront entre 5 000 et 6 000 hommes.

En janvier 1952 le général de Lattre meurt. Il accède au maréchalat à titre posthume. Son successeur, le général Salan, décide et, on peut le dire, réussit l'évacuation de Hoa Binh grâce, en particulier, à une remarquable manœuvre des feux d'artillerie. Fallait-il faire Hoa Binh ? Localement ce fut pratiquement un match nul. Ailleurs on a retardé le développement de l'offensive viêt-minh sur la Haute-Région mais on a aussi facilité le pourrissement du delta du fleuve Rouge.

Au début de 1952 le haut commandement viêt-minh a choisi sa tactique : entraîner le corps expéditionnaire français sur un terrain où ses atouts perdent leur efficacité. Le général Salan et après lui le général Navarre en sont bien conscients. Mais pendant deux hivers ils devront aller livrer la bataille du Nord-Ouest tout en faisant face à des unités plus ou moins régulières mais toutes très agressives, essentiellement dans le delta, mais aussi au moyen Laos et sur les hauts plateaux du sud de l'Annam. Ils y seront contraints sans pour autant recevoir les renforts nécessaires et sans que leur soient données des orientations nettes par le gouvernement ou les états-majors dont on ne sait clairement, faute de chef d'état-major des armées, qui en coordonne l'action.

En octobre 1952, Giap lance une offensive contre le pays thaï. Couvertes au nord-ouest par le régiment 148, deux divisions franchissent le fleuve Rouge en direction de Nghia Lo et de la rivière Noire. La réaction française combine l'installation d'une base à Na San, un renforcement de Lai Châu et le parachutage – le sacrifice, peut-on dire – du 6e bataillon de parachutistes coloniaux (6e B.P.C.) de Bigeard pour ralentir les Viets et permettre à quelques postes de se replier sur la rivière Noire. Surprenant amis et adversaires, Bigeard sauvera les trois cinquièmes de son bataillon et rejoindra Na San. Mais les Viets, après avoir subi un échec sanglant dans une attaque du camp retranché, le masqueront avec quelques forces et poursuivront vers les confins nord et nord-est du Laos. Le sacrifice de postes avancés dans des actions souvent héroïques, parmi lesquelles il faut citer la défense de Muong Khoua qui, en avril 1953, tiendra trente-six jours sous les ordres du capitaine Teullier, ainsi que l'action des groupements de commandos aéroportés harcelant les arrières ennemis se conjuguèrent pour amener un arrêt progressif de l'offensive viêt-minh sur le haut Laos. Simultanément, pour tenter de couper les communications du viêt-minh entre ses zones refuges et la Haute-Région, le général Salan ordonnait l'offensive « Lorraine » qui sera la dernière lancée en profondeur hors du delta. Comme dans l'opération de Hoa Binh, après des succès initiaux, en particulier la destruction d'importants dépôts logistiques, cette offensive, où sont pourtant engagés près de 30 000 hommes, s'essoufflera. Le harcèlement de nos voies de communication sera de plus en plus intense et le repli, très difficile, sera marqué par la sanglante embuscade de Chan Muong au cours de laquelle, dans une héroïque contre-attaque, le bataillon de marche indochinois, le B.M.I., chargera les Viets baïonnette au canon et au son du clairon.

J'ai relaté plus haut comment dans son livre *l'Agonie de l'Indochine* le général Navarre rend compte de son entrevue avec le président du Conseil du moment, M. René Mayer, lorsqu'il est investi des fonctions de commandant en chef en mai 1953. Dans le même ouvrage il présente un bilan de la situation à son arrivée, dont jamais personne n'a contesté l'objectivité. L'ensemble de ce bilan mérite examen. J'en extrais trois passages :

« Nous avions été amenés à organiser nos moyens et à équiper nos troupes presque exclusivement en vue de la guerre dans les plaines et les deltas sans nous demander s'il nous serait possible, un jour, de les employer dans la montagne et dans la jungle. Aussi allions-nous avoir d'insurmontables difficultés quand, à partir de l'automne de 1952, le commandement viêt-minh renonça à engager son corps de bataille – qui, lui, était apte à se battre partout – dans le delta du Tonkin, pour le lancer sur le pays thaï, le haut et le moyen Laos et sur les plateaux montagnards. »

« ... Dans les zones que nous contrôlions théoriquement, des unités régionales et même régulières viêt-minh, qui soutenaient et prolongeaient l'action des guérilleros locaux, faisaient planer sur nos arrières une insécurité constante. Les effectifs ennemis ainsi présents en permanence à l'intérieur de notre dispositif s'élevaient à environ 60 000 hommes au Tonkin, 25 000 en Annam, 40 000 en Cochinchine, 6 000 au Laos et 8 000 au Cambodge. »

« Il résultait de cette situation une déperdition considérable d'effectifs, qui n'avait chez l'ennemi aucune contrepartie. A titre d'exemple, pour tenir un tronçon de route de vingt à quarante kilomètres selon les régions, il fallait un bataillon et une batterie en moyenne, alors que, pour y entretenir l'insécurité, une ou deux sections suffisaient au Viêt-minh. »

Les observateurs présentent souvent les rapports de forces en termes d'effectifs globaux. Cette façon de procéder a prétendument pour but de simplifier les choses, alors qu'elle ne fait qu'abuser le public. Les effectifs du Viêt-minh et les nôtres augmentés des forces des États associés devaient être en 1953 à peu près comparables. Mais en fait beaucoup de nos unités étaient engluées par des effectifs mobiles agressifs et insaisissables alors que le Viêt-minh avait réussi la constitution d'un corps de bataille terrestre puissant, supérieur à nos forces mobiles terrestres (groupes mobiles et bataillons parachutistes de réserve générale). Les huit divisions viêt-minh aguerries, très bien équipées, grâce à l'aide chinoise que l'armistice de Corée permettait d'accélérer, et remises à l'instruction depuis mai 1953, représentaient près d'une centaine de bataillons, y compris l'artillerie et la D.C.A. Le général Navarre pouvait à peine en opposer la moitié en comptabilisant les groupements blindés et l'artillerie. Ses atouts étaient d'ailleurs les blindés, l'artillerie, auxquels on pouvait ajouter les dinassauts, sous réserve de ne pas « chercher le Viet » sur son terrain, et surtout l'aviation à condition de l'utiliser, comme à Vinh Yên, à des distances raisonnables. Grâce à notre aviation de transport, la mobilité stratégique était de notre côté, mais les Viets étaient supérieurs dans la rapidité des mouvements tactiques surtout hors des zones deltaïques. Ils ignoraient peu de chose de nos intentions, tant au niveau tactique qu'au niveau stratégique. Quant à nous, contrairement à ce qui a été souvent dit, nous n'étions pas mal renseignés non plus, en particulier grâce à l'écoute des réseaux logistiques de l'adversaire.

S'étant fixé comme but la création des conditions militaires d'une solution politique honorable, le général Navarre établit ce que l'on a appelé le plan Navarre. Il le présenta, on l'a vu, le 24 juillet 1953 au Comité de défense nationale. L'idée centrale en était la suivante : tenir pendant la campagne 1953-1954 pour permettre la mise sur pied des forces des États associés ; puis augmenter les forces mobiles afin de livrer bataille dans de bonnes conditions pendant la campagne 1954-1955.

La question cruciale était celle du Laos. Les raisons politiques et militaires de défendre le Nord Laos, où se trouve la capitale Louang Prabang, étaient importantes. Mais le terrain y est très difficile. En y livrant bataille nous perdions nos atouts, y compris celui de la supériorité aérienne totale que nous détenions car nos forces aériennes tactiques y étaient à la limite de leur rayon d'action et le terrain extrêmement propice au camouflage.

En fait, et c'est évidemment facile à écrire aujourd'hui, n'importe quel plan butait sur deux obstacles : d'une part il fallait au moins deux ans encore pour donner une certaine valeur aux armées des États associés, surtout à l'armée vietnamienne qui en constituait l'essentiel ; d'autre part les moyens du corps expéditionnaire ne permettaient pas d'assurer simultanément, pendant l'hiver 1953-1954, la défense du delta et celle du Nord Laos. Pour tenir, le général Navarre demandait donc les moyens de constituer trois groupes mobiles supplémentaires c'est-à-dire une dizaine de bataillons et les soutiens correspondant en artillerie et en génie, vingt-cinq appareils de transport et à peu près autant d'appui feu, enfin la mise en place permanente d'un porte-avions, seul point sur lequel il eut satisfaction. Mais le général Navarre demandait surtout 750 officiers et 2 500 sous-officiers pour renforcer l'encadrement des unités dont il disposait et participer à la formation des armées des États associés. Le sous-encadrement était le mal profond dont souffraient nombre de nos bataillons. Or économiser sur l'encadrement était le plus mauvais des calculs. Il y aurait eu par exemple beaucoup moins de « rats de la Nam Youm » à Diên Biên Phu si l'on avait eu dans chaque bataillon un encadrement conforme aux tableaux d'effectifs. La leçon ne portera d'ailleurs pas et en Algérie beaucoup d'unités n'auront pas la moitié de l'encadrement qui leur eût été nécessaire. « Le succès dans une bataille tient, pour au moins cinquante pour cent, à la compétence et à l'énergie des jeunes officiers », écrit le maréchal Rommel dans ses Carnets. Il a totalement raison et rejoint ainsi le colonel Ardant du Picq écrivant avant la guerre de 1870 : « Les soldats ont de l'émotion, peur même. Le sentiment du devoir, la discipline, l'amour-propre, l'exemple des chefs, leur sang-froid surtout, les maintiennent et empêchent la peur de devenir terreur. »

Le général Navarre n'eut satisfaction que pour un quart environ de ses demandes. Certes en 1953 l'Europe exigeait la vigilance. N'était-ce pas le cas quelques années plus tard aussi au moment de l'Algérie ? On consentit pourtant alors à de plus fortes impasses. Il est clair que le général Navarre n'eut pas les moyens de sa mission dès lors que, sans d'ailleurs l'écrire formellement, on lui imposait de défendre Louang Prabang.

Ainsi le général commandant en chef, responsable du théâtre d'opérations, n'eut pratiquement pas le choix de sa stratégie sur un point essentiel. Pourtant l'histoire fournit maints exemples de campagnes où de larges replis, reportant sur l'adversaire le problème des lignes de communication, permirent de durer puis de rétablir la situation. Enfermé dans un dilemme, il fera choix de couvrir le Laos, non pas par un combat mobile d'usure au nord de Louang Prabang, qui sans doute n'était pas à la mesure de nos forces, mais en adoptant à nouveau le système du camp retranché : ce sera Diên Biên Phu.

Avant de livrer bataille à Diên Biên Phu le général Navarre prit cependant l'initiative et, sachant que les forces régulières de l'adversaire se préparaient à la campagne d'hiver dans leurs bases habituelles des zones de Yen Bay-Thai N'Guyên et Than Hoa, il déclencha l'opération « Mouette » à l'ouest de Ninh Binh. « Mouette » fut un succès et interdit probablement une offensive imminente de la division 320 en direction du delta. Imaginée et étudiée, une réédition de l'opération « Lorraine » contre les bases principales du moyen fleuve Rouge et de la rivière Claire fut abandonnée : le corps expéditionnaire ne disposait pas des moyens nécessaires. Incapables de livrer la bataille décisive à cent cinquante kilomètres d'Hanoi nous allons la provoquer à quatre cents kilomètres. Certes la logistique du Viêt-minh sera plus difficile à assurer autour de Diên Biên Phu ! La nôtre le sera encore plus car elle reposera entièrement sur le transport aérien. La distance et le terrain très couvert compliqueront aussi l'action des forces aériennes de combat et la rendront beaucoup moins efficace en dépit des sacrifices consentis par les pilotes de l'armée de l'air et de l'aéronavale.

On a tout dit et écrit pour critiquer et brocarder le choix de Diên Biên Phu. Le général Navarre a été accusé d'avoir négligé les principes tactiques les plus élémentaires. Il y a du vrai dans ces critiques mais ceux qui les ont portées immédiatement après la chute et même, comportement plus grave, pendant que la garnison tenait encore auraient mieux fait de donner vigoureusement leur avis pendant l'été 1953 et lorsque l'on débattait de la défense du Nord Laos. Dès lors que l'on s'imposait cette défense il n'y avait pas de moins mauvaise solution. La zone de Diên Biên Phu est celle qui se prêtait le mieux à l'établissement d'un camp retranché au nord de Louang Prabang. Le fait même que 15 000 soldats de l'Union française y aient tenu pendant cinquante-cinq jours face à la quasi-totalité du corps de bataille viêt-minh en est la meilleure démonstration.

Le concept du centre de résistance fixant et usant les forces viêt-minh était très critiquable fin 1953 pour quatre raisons essentielles d'ordre tactique et logistique :

– pour être en mesure de tenir et de rayonner, il aurait dû être plus puissant, pratiquement deux fois plus puissant, mais nous n'avions pas les moyens de lui donner cette puissance sans dégarnir exagérément le delta et, surtout, le général Navarre ne disposait pas des moyens aériens de transport nécessaires à l'établissement et au soutien d'un centre de résistance de plus de 20 000 hommes renforcés en artillerie et eux-mêmes protégés plus efficacement contre l'artillerie adverse ;

– pour avoir insuffisamment étudié la campagne de Corée notre commandement a cru pouvoir neutraliser l'artillerie viêt-minh ; or celle-ci était dispersée, abritée et tirait à vue sur un camp retranché où tout changement de position pour échapper au feu adverse était devenu progressivement impossible ; les unités de choc viêt-minh de leur côté pouvaient fort bien, entre deux assauts, se replier dans la jungle pour se refaire à l'abri des coups de l'artillerie et de l'aviation ;

– quantitativement insuffisante, notre aviation agissait à la limite de son rayon d'action ; à plusieurs reprises les derniers jours j'ai entendu les pilotes dire : « Je lâche mes bombes au pif sur les tranchées viets que je vois, je suis à limite de potentiel » ;

– enfin et c'est l'essentiel, il est probable que si le général Giap s'était trouvé en face d'un camp retranché plus puissant qu'il n'aurait pas estimé « à sa mesure », il se serait contenté de le « masquer » et aurait reporté son effort ailleurs, très probablement sur le delta.

Alors que les défenseurs de Diên Biên Phu luttaient pour durer, se sacrifiant pour permettre une sortie honorable, ce qui, il faut le reconnaître, n'est pas un but de guerre des plus exaltants, un autre drame se déroulait sur les hauts plateaux du Sud Annam, la destruction du groupement mobile n° 100 (G.M. 100), composé pour l'essentiel de deux bataillons issus du bataillon de Corée et d'un bataillon de marche du 43ᵉ régiment d'infanterie coloniale. Occultée sur le moment par Diên Biên Phu, la lutte opiniâtre de ce groupe mobile, essayant de se frayer un passage entre An Khê et Pleiku, reste dans bien des mémoires. Le seul deuxième groupe du 10e régiment d'artillerie coloniale y perdra la moitié de ses effectifs et après avoir détruit la totalité de ses canons constituera une compagnie qui se battra comme des fantassins. La proportion de tués en un laps de temps plus court fut probablement supérieure chez les combattants des hauts plateaux que dans la garnison de Diên Biên Phu. Pour ceux qui y furent faits prisonniers la longue marche sera encore plus longue et plus dure.

Au fil de ce survol d'une campagne de huit ans j'ai tenté de faire apparaître les erreurs d'ordre stratégique et tactique qui furent commises. Certains constats s'imposent aussi et s'imposeront ensuite aux Américains. J'en retiendrai deux, l'un militaire, l'autre politique.

Je ne sais si un jour, prochain ou éloigné, nos forces auront à nouveau à livrer bataille dans un terrain comparable, montagneux et couvert d'une jungle épaisse, et face à des combattants de la qualité des soldats de Giap. Si cela était il serait coupable de vouloir y employer, sans nuance, les méthodes qui en 1991 viennent de réussir dans la guerre contre l'Irak et surtout d'entretenir l'illusion qu'une offensive aérienne, aussi massive soit-elle, puisse y régler seule le problème.

Le combat en régions coupées et couvertes exige, entre autres moyens, une infanterie légère bien armée, bien instruite et surtout déterminée. Les Russes en ont fait aussi l'expérience en Afghanistan. En Indochine nous avions cette infanterie, mais en nombre insuffisant.

Mais surtout – et c'est l'aspect politique du problème – il faut que le gouvernement fasse tous les efforts nécessaires pour que sa politique et l'action des troupes soient soutenus par la Nation. Pour cela les buts de cette politique doivent être clairs. Le sacrifice de nos forces, qu'elles soient de métier ou du contingent, doit être reconnu. Un gouvernement ne peut prendre la responsabilité de faire tuer des milliers de soldats français et en même temps ne pas sévir contre ceux qui incitent au sabotage et à la désertion et se fixent pour but la désagrégation des forces de leur propre pays.

Sans revenir longuement sur l'affaire des fuites, rappelons cependant que certains journalistes soutinrent à l'époque la thèse qu'il était normal qu'ils cherchent à découvrir des « secrets d'État » et qu'ils les publient. Soulignons qu'il était beaucoup plus grave encore que le système ait été tel que des journalistes aient pu obtenir, facilement, des « secrets d'État ».

Ajoutons enfin que certains hommes politiques, et non des moindres, ne reculèrent pas devant des déclarations publiques pour le moins inopportunes lorsque des soldats français sont engagés dans des combats difficiles. Ainsi M. Daladier en octobre 1953 : « Je suis fermement partisan de mettre un terme à l'expédition d'Indochine où l'on ne défend plus les intérêts français. » Ce n'était pas évident car notre intérêt, comme celui du Viêt-nam, eût été que l'Indochine prenne modèle sur la Corée du Sud. Mais surtout il eût pu employer un autre langage par respect envers ceux qui se battaient pour en avoir reçu l'ordre d'un gouvernement légitime et pouvaient donc supposer qu'ils défendaient des intérêts français.

Les Américains connaîtront les mêmes déboires que nous, après avoir préféré nous évincer du Sud Viêt-nam plutôt que de rechercher notre coopération. Ils en tireront les leçons lorsqu'ils auront à nouveau la responsabilité complète d'un théâtre d'opérations. Nous ferons de même à notre niveau.

Au total, lorsque l'on s'engage dans un conflit, il faut vouloir le gagner et s'en donner les moyens. Le gouvernement doit fixer les buts de guerre, les expliquer et fournir aux forces les moyens nécessaires. On ne doit jamais faire trop peu, trop tard. Le général Leclerc avait probablement compris dès 1946 que ces conditions ne pouvaient être remplies en Indochine.

Qu'en dépit de ce contexte les soldats du corps expéditionnaire se soient battus comme ils l'ont fait, contre-attaquant à Vinh Yên, sur le Day, à Diên Biên Phu ou lors des embuscades des hauts plateaux après avoir perdu parfois la moitié de leurs effectifs est tout à leur honneur. Mais cet héroïsme même dont ont fait preuve les soldats français avec leurs camarades algériens, marocains, africains, vietnamiens et tous les légionnaires ne fait qu'ajouter aux responsabilités de ceux qui les ont engagés dans cette guerre sans leur donner les moyens de la gagner. « Au fond l'armée c'est Sparte dans une France athénienne », m'a dit en 1958, à Alger, le journaliste américain Joseph Alsop. Pensait-il qu'il allait pouvoir faire quelques années plus tard la même réflexion pour son propre pays ?

IV

L'ALGÉRIE

« Les grandes nations comme les grands hommes doivent faire les fautes avec grandeur. Oui à mon avis la possession d'Alger est une faute. »

MARÉCHAL BUGEAUD

« La bonne et impartiale justice, qui ne distinguera jamais l'Européen de l'Arabe doit aussi exercer son influence. »

MARÉCHAL BUGEAUD

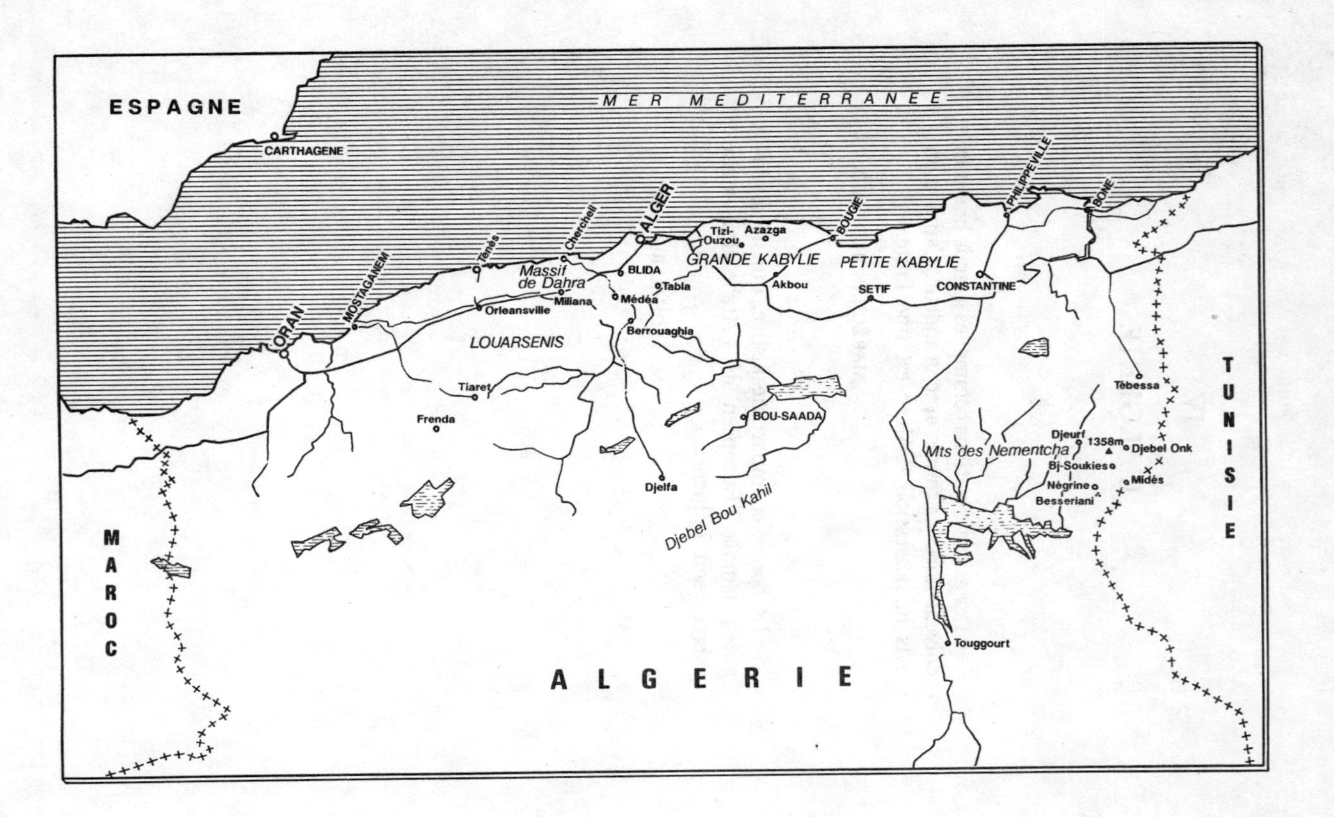
ESPAGNE
MER MEDITERRANEE
CARTHAGENE
ORAN
MOSTAGANEM
Tenès
Cherchell
ALGER
Tizi-Ouzou
Azazga
BOUGIE
PHILIPPEVILLE
BONE
Massif de Dahra
BLIDA
Tabla
GRANDE KABYLIE
PETITE KABYLIE
Akbou
SETIF
CONSTANTINE
Orleansville
Miliana
Médéa
Berrouaghia
LOUARSENIS
Tiaret
Frenda
BOU-SAADA
Djelfa
Djebel Bou Kahil
Tébessa
Djeurf
1358m
Djebel Onk
Mts des Nementcha
Bj-Soukies
Négrine
Midès
Besseriani
Touggourt
MAROC
ALGERIE
TUNISIE

Lorsque, début novembre 1954, le *Félix-Roussel* qui me ramène d'Indochine laisse les îles de Frioul et le château d'If à bâbord, la guerre d'Algérie vient d'éclater dans les Aurès. Elle aussi va durer huit ans. Comme beaucoup de Français je mesure mal l'importance de cette Toussaint 1954. Les miens m'attendent sur le quai de la Joliette, et je dois reconnaître que dans les semaines qui vont suivre j'ai surtout le souci de reprendre du poids et du muscle et de me débarrasser de quelques encombrants parasites que je traîne depuis plusieurs mois. Les groupes rebelles qui battent le bled algérien en cette fin de 1954 devraient être, pense-t-on généralement, à la mesure de nos forces. C'est tout au moins la vérité officielle.

En fait, en lisant d'un œil distrait ce qu'en disent les journaux, je ne sais pas encore que débute un nouveau conflit auquel je participerai durant trente et un mois. J'ignore tout autant qu'après avoir combattu en Indochine pendant tout mon séjour dans l'artillerie et en appui des troupes de secteur, sauf les huit derniers jours, j'irai arpenter pratiquement toute l'Algérie au sein du 3e régiment de parachutistes coloniaux.

Les missions d'observateur auprès du chef de bataillon Bigeard, le saut opérationnel de nuit du 1er mai à 2 heures, la captivité avec des camarades parachutistes, tout cela n'y est pas étranger, mais, à vrai dire, c'est beaucoup plus le hasard qui présida à ce changement d'orientation dans ma vie militaire.

Le hasard ou plutôt l'affectation outre-mer du seul lieutenant d'artillerie coloniale qui participait à l'équipe chargée du cours d'artillerie-topographie à l'école d'application de l'infanterie de Saint-Maixent.

Dans les dernières semaines de 1954 j'avais pris contact avec la direction des troupes coloniales. Attiré vers la formation des cadres un peu plus jeunes que moi, j'avais demandé à être affecté à l'école d'application de l'artillerie à Châlons-sur-Marne. Dans sa traditionnelle bienveillance le bureau qui m'administrait me donna un accord immédiat, je fus donc quelque peu surpris en recevant en janvier une affectation, certes en école, mais à celle de l'infanterie. Je pensai sur-le-champ à une erreur de dactylographie, aujourd'hui on incriminerait « l'ordinateur », et téléphonai au susdit bureau. Mon interlocuteur m'indiqua qu'il ne s'agissait pas d'une erreur, qu'il devait honorer un poste vacant et c'était donc bien Saint-Maixent qu'il convenait que je rejoigne.

L'école d'application de l'infanterie de Saint-Maixent était commandée par un parachutiste, le général Jacques Faure. Celui-ci avait réuni autour de lui plusieurs officiers qui avaient encadré des bataillons parachutistes. Ainsi le lieutenant-colonel Buchoud qui allait si brillamment commander le 9e régiment de chasseurs parachutistes, quelques mois plus tard, était-il adjoint au directeur de l'instruction. Le fait que j'aie effectué un saut opérationnel, le fait aussi qu'il appréciait, je crois, la façon dont je conduisais l'instruction sur le mortier de 120 mm et surtout sur ces instruments étranges et mystérieux que sont, pour les fantassins, le goniomètre ou le théodolite l'incitèrent à me proposer de passer le brevet de parachutiste peu de temps après mon affectation. J'acceptais immédiatement et quelques jours après je rejoignais la base école aéroportée de Pau pour la première fois de ma carrière. A noter que, quelques semaines plus tard, le brevet fut attribué d'office à tous les volontaires « premier saut » de Diên Biên Phu. Mais je me félicite encore d'avoir pris la voie normale : il est toujours bon d'avoir connu à la base l'ambiance d'une promotion de candidats au brevet.

Revenu à l'école de Saint-Maixent je repris ma tâche d'instructeur. L'ambiance du moment mérite quelques commentaires.

A mon arrivée, début 1955, l'instruction était toujours centrée sur la préparation au combat en Europe. La tension était vive entre l'Occident et les pays regroupés, cette même année 1955, au sein du pacte de Varsovie. En 1956, ne l'oublions pas, les chars soviétiques briseront la résistance de la population hongroise. La France participe au commandement intégré de l'Alliance ; elle a des obligations.

Et pourtant l'évolution de la situation en Afrique du Nord devrait conduire à s'y intéresser de plus près! L'indépendance du Maroc comme celle de la Tunisie sont en marche. Cela ne se fait pas sans heurts mais cela se fait. Aux frontières de l'Algérie prennent corps deux pays qui vont en favoriser l'indépendance. On ne voit dans ce qui se passe en Algérie que des « événements », alors que se déroule le premier stade de la guerre révolutionnaire que nous avons pourtant vécue ailleurs. Si les attentats de l'hiver 1954-1955 visaient rarement les Européens, en revanche tout ce qui représentait l'ordre parmi les Arabes et les Kabyles était systématiquement visé. Les meurtres et les mutilations des caïds, des gardes-champêtres ou plus simplement d'Algériens refusant l'impôt du F.L.N. se comptaient par centaines. Fumer et boire de l'alcool fut interdit par les insurgés, les contrevenants subirent d'horribles mutilations. Avec beaucoup plus de sauvagerie c'était la répétition de l'Indochine. Le contrôle de la population par les rebelles se met donc en place en employant simultanément l'action politique et la contrainte. Les attentats engendrent la répression, la plupart du temps maladroite, car mal ciblée, répression dont l'un des effets est de grossir les rangs des rebelles.

Les années 55 et 56 seront celles de la montée en puissance des forces de la rébellion. Le choc viendra des événements du Constantinois, le 20 août 1955. Aux massacres d'Européens soigneusement organisés par le F.L.N. répond une répression sanguinaire et aveugle. C'était exactement le but visé par le F.L.N. : déclencher des événements ayant un retentissement international et provoquant une réaction des Européens et une répression des forces de l'ordre qui seront condamnées par les opinions publiques. Il s'agit de placer le gouvernement français devant un dilemme : ou bien s'en tenir à la fiction du maintien de l'ordre, c'est-à-dire appliquer une législation du temps de paix qui ne permet pas de faire face au problème; ou bien appliquer les dispositions de l'état d'urgence et c'est alors reconnaître que l'on est confronté à une véritable guerre et non plus seulement à des « événements ».

En cette année 1955, à Saint-Maixent, on a peut-être un peu plus qu'ailleurs le souci de s'intéresser à cette guerre révolutionnaire qui va peu à peu absorber tous les jeunes cadres issus de l'école, où d'ailleurs les durées de formation vont être réduites pour faire face rapidement aux besoins. Ces jeunes cadres, il faut, il faudrait tout au moins, les préparer à ce qui les attend. Il importe en effet de se garder de trop calquer sur l'Indochine car si le développement progressif de la guerre révolutionnaire est comparable, pour le reste tout diffère. Le terrain, tout aussi difficile, est cependant différent; une importante population européenne vit dans le pays qu'elle a mis en valeur; la population musulmane n'a rien de commun avec celle de l'Indochine. Faute d'avoir les premiers enseignements on utilise les compétences de ceux qui connaissent le pays. Les élèves travaillent sur des cartes et des photographies aériennes de l'Algérie. Ils apprennent que dans ces terrains, qui s'apparentent un peu à nos Alpes du Sud, encore qu'aucune région de France ne rappelle les Aurès ou les Nemencha, il leur faudra grimper, descendre, lourdement chargés, même si l'on s'encombre du minimum, éviter les embuscades et à leur tour en tendre.

Je me plais à Saint-Maixent, la population de cette petite ville de l'Ouest accueille plutôt bien les militaires, la vie n'est pas facile, je viens de me marier et les logements sont pour la plupart d'un inconfort que l'on imagine mal aujourd'hui, mais l'ambiance est bonne. Pourtant, les mois passant, je commence à penser que ma place est ailleurs, là où l'armée française est engagée. Aussi lorsqu'à l'été 1956 j'apprends que l'on recherche des lieutenants d'artillerie pour encadrer les sections de mortiers de 120 mm de création récente dans les régiments parachutistes, je me porte volontaire. L'occasion est trop belle de servir dans une unité d'élite avec un matériel dont j'ai sur le terrain apprécié l'efficacité et enseigné l'usage depuis plusieurs mois. Je ne peux que me féliciter d'avoir un an plus tôt passé un brevet complet, ce qui facilitera mon affectation à la brigade de parachutistes coloniaux. Ma mutation décidée, je coiffe un béret rouge offert par le lieutenant Grintchenko [1], instructeur à

1. Je retrouverai mon ami Grintchenko à divers grades et à plusieurs reprises dans ma carrière. Nous passerons plusieurs mois ensemble aux Antilles où il commandera un bataillon alors que je serai chef d'état-major de l'ensemble Antilles-Guyane. J'aurai aussi le plaisir de renconter en 1990, au sud de la frontière irakienne, son fils, capitaine au 5ᵉ régiment d'hélicoptères de combat. Plusieurs fils de camarades serviront d'ailleurs dans nos forces dans la zone du Golfe. Je voudrais surtout signaler le cas du général Janvier dont le fils servait également dans la division Daguet en février 1991 et je me souviendrai longtemps des larmes de Mme Janvier lorsque le 27 mars à Toulon elle vit défiler son fils dans le premier détachement important débarqué en France au retour du Golfe.

Saint-Maixent et parachutiste colonial, et je me présente à la citadelle de Bayonne, persuadé d'y faire un transit de quelques jours avant de rejoindre un régiment.

C'est le lieutenant-colonel Ducasse qui m'accueille. Je l'ai rencontré il y a presque deux ans dans le camp des prisonniers réfractaires. Il s'en souvient. A Bayonne il est confronté à une sérieuse difficulté : le manque de cadres pour donner l'instruction et l'entraînement indispensables aux jeunes appelés et engagés qui régulièrement assurent la relève dans les quatre régiments de parachutistes coloniaux stationnés en Algérie, le 2e, le 3e et le 6e qui appartiennent tous les trois à la 10e division parachutiste, et le 8e qui fait partie de la 25e division parachutiste.

A noter que l'on avait changé la formule en vigueur chez les parachutistes pendant la guerre d'Indochine. On constituait alors un corps en quatre à six mois, il partait pour deux ans, les pertes étaient comblées tant bien que mal en cours de séjour, et au bout de ces deux années, il revenait. Le cycle reprenait, ce qui explique que, parmi les anciens, on parle encore du premier 6, du deuxième 6 et du troisième 6 et cela vaut pour les différents numéros de bataillons. En Algérie, où certains corps avaient d'ailleurs leurs garnisons du temps de paix, les deux régiments étrangers de parachutistes en particulier, ils étaient mis en place pour la durée de la campagne. On formait en métropole en quatre à six mois les détachements de relève qui rejoignaient les corps pour remplacer les appelés, leurs vingt-sept mois de service écoulés, ou les engagés qui terminaient des contrats de cinq ans ou plus généralement de trois ans.

Les deux formules ont leurs mérites propres et ont fait l'objet de multiples débats. Ma seule remarque portera sur les cadres. Dans les régiments « coloniaux », qui allaient devenir « d'infanterie de marine » pendant cette période, la nécessité de pourvoir à la relève des autres garnisons outre-mer imposait une rotation conduisant à des séjours de l'ordre de trois ans. A mon avis c'était une période bien adaptée. Elle était d'une durée suffisante pour que l'expérience acquise les premiers mois sur le terrain soit mise à profit, mais elle n'était pas trop longue. Cette formule évitait en effet le risque de routine et surtout l'absorption totale par le milieu local. Les gestionnaires auraient dû en tenir compte et faire tourner davantage certains officiers et sous-officiers dans l'ensemble des régiments servant en Algérie. Le comportement de certains cadres en 1962, qui a certes bien d'autres explications, a aussi pour cause leur coupure de la métropole et du monde.

En octobre 1956 on n'en est pas encore à ces situations dramatiques. D'ailleurs les multiples déclarations des responsables politiques sont sans ambiguïté aucune. Je rappellerai simplement à cet égard quelques phrases prononcées le 15 février 1955 lors de l'accueil du nouveau gouverneur général, Jacques Soustelle, à la mairie d'Alger par Jacques Chevallier qui est tout le contraire d'un ultra. « Vous allez trouver une Algérie profondément troublée, mais aussi une Algérie profondément fidèle et raisonnable. Quelle est la raison de nos ennuis ? Ils n'ont rien d'original. Il se passe ici ce qui se passe dans les pays en pleine évolution où le progrès pousse les hommes et les faits. Il n'y a ici que des problèmes humains, qui sont surtout des problèmes sociaux. Nous vous faisons confiance quant à la solution. » A ces phrases du maire d'Alger Jacques Soustelle répond : « Je suis profondément convaincu que les événements troubles que nous connaissons ne sont sans doute qu'une crise de croissance. Il nous appartient de faire que cette crise soit plus bienfaisante que néfaste. Nous devons savoir tirer de la situation les conséquences qui s'imposent. Il faut d'abord prendre connaissance des problèmes. Rien ne peut être fait sans l'effort de tous, l'esprit d'union, la volonté de travailler en commun, le désir de tout faire ensemble pour notre Algérie. » Le même jour il dira plus tard devant la presse : « Arbitre désigné par le gouvernement de la République pour représenter et faire prévaloir l'intérêt national au-dessus de toute autre considération, je me suis fixé pour règle de ne connaître d'autre but que le bien de l'Algérie française et de tous ses enfants. »

Revenons à Bayonne et à octobre 1956. Le lieutenant-colonel Ducasse m'accueille donc et il manque de cadres. Il doit aussi prévoir de combler les pertes éventuelles des 2e et 3e régiments de parachutistes coloniaux qui sont à Chypre en préparation d'une opération visant à la reprise du contrôle du canal de Suez que Nasser a nationalisé en juillet. « Je comprends votre désir de rejoindre un régiment, me dit-il, mais vous allez payer votre tribut à l'instruction et en même temps prendre la tête d'une centaine de cadres et parachutistes qui devraient rejoindre Chypre dès le début des combats pour combler d'éventuelles pertes. » Je pensais avoir à Saint-Maixent payé mon tribut à l'instruction. Mais en même temps la perspective de rejoindre le 2e ou le 3e R.P.C. en Égypte me convenait parfaitement.

A Bayonne, l'instruction est bien adaptée à ce qui attend nos hommes. Certains cadres reviennent d'ailleurs déjà d'Algérie et l'orientent. Le terrain alentour se prête bien à la mise en condition de soldats destinés à l'Afrique du Nord. Les parachutistes envoyés seront en bonne condition physique, ils sauront tirer, tendre des embuscades de jour et de nuit et surtout éviter d'y tomber, ils sauront se couvrir mutuellement lors des fouilles de terrain, ils sauront enfin vivre des jours durant dans des conditions difficiles, car dès que l'on quitte la côte il fait en Algérie très chaud l'été et très froid l'hiver.

L'ambiance dans la garnison de Bayonne pendant l'hiver 1956-1957 est très particulière. Chez les officiers, les sous-officiers et les parachutistes, se retrouvent ceux qui viennent de rentrer d'Indochine. Selon une tradition bien établie, ils racontent leurs campagnes aux plus jeunes. D'une façon générale les militaires sont bien accueillis dans la ville et ses satellites d'Anglet et Biarritz, moins bien qu'en Bretagne, disent cependant les anciens qui ont mis sur pied des bataillons à Quimper et à Vannes, et gardent la nostalgie de ces garnisons. La gaieté règne. La guerre est une activité parfois difficile où il arrive que l'on risque sa vie. Quand on vit, comme dans ces années-là, une brève période d'entre-deux-guerres il faut savoir rire. Cela surprend parfois ceux qui, n'ayant pas connu le risque, ne comprennent pas ce besoin de détente. Et pourtant! Nous sommes dix à la table des lieutenants, cinq sur les dix mourront au combat dans les deux années suivantes dans l'un ou l'autre de nos régiments ou à la tête du commando que forme le lieutenant d'artillerie coloniale Guillaume, qui figurera lui-même parmi les cinq tués.

Le 6 novembre 1956 prend fin l'opération de Suez. Militairement, on le sait, ce fut une promenade. Le détachement de maintenance ne quittera donc pas Bayonne. Politiquement ce fut un succès pour l'Egypte, l'Union soviétique et les États-Unis s'entendant pour arrêter l'expédition franco-britannique déclenchée conjointement avec l'attaque de l'Israélien Moshé Dayan à travers le Sinaï.

Dans les semaines qui suivent, les régiments faisant partie des forces engagées en Egypte regagnent l'Algérie. Aussi début 1957 je commence à penser que le tribut à l'instruction est payé. Rencontrant quelques cadres permissionnaires du 3e R.P.C. qui vient de recevoir ses mortiers de 120 mm, je réussis à faire demander mon affectation par le colonel Bigeard qui commande le régiment. Début avril 1957 je me présente à Sidi-Ferruch[1] à mon nouveau chef de corps.

Lorsque je débarque à Alger il s'est passé bien des événements en Afrique du Nord depuis la Toussaint de 1954. A l'est et à l'ouest, la Tunisie et le Maroc sont désormais des États indépendants. Le passage à l'indépendance des deux protectorats s'est déroulé sans trop de drames, même s'il y en eut quelques-uns. On peut, à cette époque, se réjouir de ces indépendances ou les regretter. Militairement le problème n'est pas là, il réside dans la nécessité de prendre en compte le fait qu'à l'est comme à l'ouest les indépendantistes algériens disposent d'États qui les soutiennent, de zones refuges et de camps d'entraînement. Les bandes rebelles seront instruites au Maroc et surtout en Tunisie. Elles franchiront les frontières sans que cela pose un problème sur le plan international, alors que, s'il s'agissait d'États neutres, elles auraient dû être non pas armées mais désarmées et internées. En revanche, chacune de nos réactions à cette perméabilité des frontières, et en particulier l'opération de Sakiet-Sidi-Youssef, seront condamnées par les Nations unies.

A l'intérieur de l'Algérie, après un passage à vide du F.L.N., au début de 1955, que nous ne savons pas exploiter, les exécutions réciproques du Constantinois d'août 1955, sciemment provoquées, on l'a vu, par le F.L.N., lui ont profité comme c'est toujours le cas en guerre révolutionnaire. La population des campagnes algériennes est de mieux en mieux prise en main, les compagnies rebelles, les « katibas », s'organisent dans des régions, les « wilayas », mieux structurées. Le terrorisme urbain, assassinats puis bombes, débute en 1956.

Je ne dirai qu'un mot de la situation institutionnelle. De nombreux ouvrages et études y ont été consacrés. Le statut de 1947 n'était pas appliqué, et l'on se refusait à modifier le système des deux collèges électoraux. L'application du statut eût-elle changé le devenir de l'Algérie ? Probablement pas, et l'Algérie serait de toute façon aujourd'hui indépendante, ce qui au total est certainement bénéfique pour la France. En tous les

1. Bourgade en bord de mer à 30 km à l'ouest d'Alger, où débarquèrent les forces françaises en 1830.

cas, en ce début de 1957, les deux collèges existent toujours et l'idée d'intégration émise le 13 mai 1958 viendra trop tard. Dans les *Mémoires d'espoir* le général de Gaulle résume la situation du moment et l'impact qu'elle avait sur l'armée :

« Les combats ayant commencé le 1er novembre 1954 pour ne plus cesser de s'étendre, le régime se mit à osciller entre des attitudes diverses. En fait, beaucoup de ses dirigeants discernaient que le problème exigeait une solution fondamentale. Mais, prendre les dures résolutions que celle-ci comportait, vaincre tous les obstacles qui s'y opposaient sur place et dans la métropole, braver la malveillance de la presse et des groupes parlementaires qui se nourrissaient de l'émotion publique et des crises politiques provoquées par cette énorme affaire, c'était trop pour des ministères chancelants. »

Et, quelques lignes plus loin :

« Assumant non seulement les épreuves du combat, mais aussi la rigueur, parfois l'odieux de la répression, étant au contact des alarmes de la population française d'Algérie et des auxiliaires musulmans, hantée par l'angoisse d'un aboutissement qui serait, comme en Indochine, le revers militaire infligé à ses drapeaux, l'armée, plus que tout autre corps, éprouvait une irritation croissante à l'égard d'un système politique qui n'était qu'irrésolution. »

Irrésolution sur le fond oui, mais si de Gaulle le sait, au niveau des lieutenants et des capitaines et même au-dessus, on ne le sait pas encore. Le ministre résidant, M. Lacoste, qui a remplacé Soustelle, se montre au contraire résolu. Il faut gagner la guerre sur le terrain et on y mettra les moyens nécessaires. Le 19 mai 1956 il adresse aux officiers et sous-officiers des armées de terre, de mer et de l'air stationnés en Algérie une directive qui débute ainsi :

« Je tiens pour commencer à exprimer avec une netteté absolue que les droits imprescriptibles de la France en Algérie ne comportent dans mon esprit aucune équivoque. »

Pourtant, une fois encore, on a tardé, tardé à mettre en place ces moyens jugés nécessaires. Tardé à les adapter à la guerre qui se déroule. Le transfert en Kabylie de la 2e division d'infanterie mécanisée (2e D.I.M.) en est l'illustration. Mais pouvait-on, à temps, faire autrement ? Ce n'est pas sûr.

Lorsqu'en mai 1955 le général Beaufre est averti qu'il doit dans le plus bref délai rejoindre l'Algérie à la tête de la

2e D.I.M., celle-ci vient d'être réorganisée en vue de l'adapter à la guerre atomique au-delà du Rhin. Il s'agit donc d'une division fortement mécanisée dont les soldats sont entraînés au combat contre des forces du même type. Le général Beaufre allège autant que possible sa division. Elle arrive néanmoins en Algérie avec ses chars et ses half-tracks et défile à Alger pour rassurer les uns, impressionner les autres. Ces effets de manche terminés la division rejoint la Kabylie. Son P.C. est installé à Fréha, à trente kilomètres environ à l'est de Tizi-Ouzou. Le général Beaufre tire le meilleur parti possible de sa grande unité mais tous ses blindés, tous ses canons, l'aviation qui l'appuie sont de peu d'utilité dans le terrain extrêmement particulier qu'est la Kabylie, pays de montagnes très découpées, aux pentes raides, couvert dans son ensemble et particulièrement en bord de mer où la forêt se transforme en maquis. C'est le terrain type de l'infanterie légère, très manœuvrière, dont les armements les plus lourds doivent être la mitrailleuse, le mortier de 81 mm et le canon sans recul pour traiter les grottes. Le général Beaufre mettra ses hommes à pied; en trois mois il récupérera soixante-treize armes de guerre de l'adversaire; mais lui-même écrit : « C'est bien, mais le résultat visé n'a pas été atteint, la rébellion n'a pas été complètement écrasée. Les principaux chefs, Krim Belkacem et Ouamrane, nous ont échappé. »

Fin septembre 1955 la 2e D.I.M. sera relevée par la 27e division alpine, en principe mieux adaptée à la guerre en montagne. Elle rejoindra la frontière algéro-tunisienne où elle trouvera un terrain auquel ses caractéristiques s'adapteront un peu mieux.

L'armée française mettra du temps à s'adapter à la guerre d'Algérie. Pouvait-elle aller plus vite ? Je ne crois pas. Des efforts considérables ont été faits. Marins et aviateurs ont participé à pied aux combats. Des unités de blindés et d'artillerie ont fait de même. Peu à peu les hélicoptères, clé du succès dans ce genre de combat, sont arrivés en nombre. Malgré des lenteurs, malgré des erreurs telles que l'engagement trop rapide d'unités sous-encadrées et mal instruites qui, bien entendu, subiront le plus de pertes, au total, à la fin des années 50 les katibas organisées auront pratiquement disparu, celles en formation au-delà des frontières n'oseront plus franchir les barrages. Avec une bonne section d'infanterie on va, dans toute l'Algérie, où l'on veut et quand on veut.

Mais en ce début de 1957 l'effet des grandes opérations des années 1959 et 1960 ne s'est évidemment pas encore fait sentir. En dehors de quelques unités on en est encore aux méthodes lourdes, aux actions télécommandées qui font que lorsque nos troupes arrivent sur le terrain le fellagha est ailleurs.

Sous l'impulsion de son chef, le colonel Bigeard, le 3e régiment de parachutistes coloniaux fait partie des corps qui peu à peu mettent au point les manœuvres adaptées pour détruire les rebelles. Devenu général, Bigeard racontera lui-même dans son livre *Pour une parcelle de gloire* l'épopée vécue par le 3e R.P.C. depuis qu'il en a pris le commandement le 24 octobre 1955. Je vais tenter d'y apporter quelques éclairages, ceux du chef de section puis du commandant de compagnie que je fus, en disant un mot de l' « après-Bigeard », car le colonel Trinquier, à son tour, s'impliquera beaucoup lui aussi dans cette guerre et sera de ceux qui inspireront les actions qui conduiront aux succès de 1959.

A mon arrivée je suis affecté à la compagnie d'appui que commande le capitaine Chabanne. Appui, c'est beaucoup dire ! L'unité agit surtout en compagnie de combat, de voltige, comme l'on dit à l'époque. Néanmoins, lors des périodes dites de repos, l'entraînement au service des armes lourdes est systématiquement repris. La compagnie pourrait donc retourner instantanément à sa vocation première. Les mortiers de 120 mm sont là et avec mon ami Fleutiaux, artilleur colonial comme moi, nous nous attachons à conserver le savoir-faire des servants.

Au début d'avril 1957 le 3e R.P.C. rentre d'une opération « en solitaire » dans l'Atlas blidéen. Pendant les préparatifs de Suez et pendant la première phase de la bataille d'Alger, opérations qui ont retenu hors du maquis l'essentiel de la 10e division parachutiste, les katibas rebelles ont en effet fait tache d'huile vers le Sud Algérois. De mars à mai 1957 le 3e R.P.C. va leur rendre la vie plus difficile.

La « bataille d'Alger » n'est pas un bon souvenir pour le régiment, je le constate. Comme le terroriste a toujours raison et le policier systématiquement tort, on retient la répression et non l'attentat terroriste. Pourtant, quoi de plus sauvage que les attentats à la bombe qui tuent indistinctement femmes, enfants, vieillards, chrétiens, musulmans ? Il faut en avoir ramassé les débris humains pour en parler. Une fois de plus c'est la tactique provocation-répression qu'emploie le F.L.N. Hors d'Algérie elle va lui réussir alors que sur le terrain il perdra en deux phases la bataille d'Alger : pendant l'hiver 1956-1957 puis à l'été de 1957.

Les mois d'avril et mai 1957 se passent donc dans l'Atlas blidéen. Le régiment retrouve le bled avec satisfaction. Notre compagnie d'appui évolue toujours en voltige, comme l'escadron qui laisse à Sidi-Ferruch ses jeeps armées de canons de 106 sans recul. La méthode Bigeard est simple, le seul problème est d'avoir le moyen de l'appliquer. Le moyen c'est le 3e R.P.C., la méthode c'est l'infiltration discrète de nuit et, bien sûr, à pied dans les zones rebelles, avec arrêt, en embuscade, en fin de nuit. Avec un régiment de six compagnies cela fait six zones d'embuscades à quatre embuscades par zone. Il arrive que, même discrètement menées, certaines infiltrations soient décelées. Mais pas toutes. Lorsqu'une bande adverse bouge et tombe dans une embuscade, le dispositif Bigeard se déclenche, les sections et compagnies les plus proches convergent vers l'accrochage. Souvent une des compagnies est regroupée pour être héliportée lorsque la bande est fixée, afin de lui barrer tout itinéraire de fuite. Si le dispositif d'embuscades n'a pas joué, on fouille le terrain, la fouille convergeant vers des embuscades qui restent en place. La nuit suivante on recommence.

Tout cela n'est pas très original peut-être. Il y faut pourtant un régiment dont toutes les unités soient parfaitement rodées. L'opération débute par un trajet en camion qui peut durer jusqu'à six heures et met à l'épreuve les nerfs des chefs de voiture, surtout s'il a lieu tous phares éteints, car il faut suivre la route sans en dévier. Il faut ensuite être capable de progresser à pied encore pendant cinq à six heures en collant à l'itinéraire, en s'éclairant et en étant à peu près à l'heure dite aux lieux d'embuscade fixés, en tous les cas avant l'aube. A noter qu'il n'y a pas ou presque pas de jeeps, même pour le colonel (les jeeps consomment des chauffeurs, donc des combattants). Les véhicules du train transporteront ainsi toujours le régiment entièrement en camion. Les embuscades en place, il faut veiller. Dans ces opérations le premier adversaire à vaincre, on l'aura deviné, c'est le sommeil. Très simple oui ! Le plus difficile est de maintenir les hommes en forme. C'est pour cela que, même pendant les périodes de repos, le sport et le tir demeurent les activités de base du régiment. Et puis il y a aussi l'essentiel : pendant la progression nocturne que j'ai décrite dans son principe, le P.C. du régiment, c'est-à-dire Bigeard, quelques officiers, les radios et une section de protection, suivent une unité, en général celle qui se dirige vers le point le plus haut de la zone. Avant l'aube un bref contact radio – toujours de chef à chef – est établi avec chaque commandant d'unité, le dispositif est en place.

Et les hélicoptères dans tout cela ? C'est aussi une des originalités de la méthode Bigeard. Pas de mise en place systématique des unités au petit matin avec des ballets d'hélicoptères que contemplent tous les guetteurs rebelles et dont les zones d'atterrissage permettent de situer les dispositifs de bouclage et de savoir par où en sortir. Les hélicoptères de transport sont maintenus en alerte et n'interviennent qu'après l'accrochage pour poser là où il faut l'unité qui empêchera la fuite de la bande décelée. On verra malheureusement souvent, ailleurs, d'interminables rotations d'hélicoptères mettant des dispositifs complets en place au petit matin, méthode coûteuse et peu efficace, évidemment moins harassante. Ajoutons qu'au 3e R.P.C. chacun porte son sac, depuis l'adjoint au chef de corps jusqu'au dernier pourvoyeur. On mesure la valeur de l'exemple, d'autant qu'il n'est pas rare qu'un officier ou un sous-officier termine une étape en portant deux sacs, le sien et celui d'un parachutiste épuisé. Le chef de corps, lui, a longtemps porté son sac. Depuis la blessure reçue à Bône, chacun comprend qu'il s'en soit exempté.

Au fond, que fait Bigeard ? Il m'en voudra peut-être de l'écrire, mais il applique les principes de base. Ceux que l'on apprend dans les écoles mais que tout le monde n'observe pas toujours. Analyser son terrain, étudier son adversaire, adapter son dispositif et ses moyens aux exigences du moment, le tout, évidemment, dans le cadre de la mission reçue. Le plus difficile, précisément, sera souvent aux niveaux élevés d'avoir une mission claire. En revanche, au niveau des capitaines du 3e R.P.C. les ordres reçus seront toujours sans ambiguïté.

La guerre est affaire de bon sens. En fait quel est le but qui doit être visé par les écoles : enseigner à raisonner sainement et sans faire d'impasse sur un élément majeur à prendre en compte avant de décider. Bigeard faisait tout cela intuitivement. A d'autres il faut l'enseigner. Certains s'en écartent, le plus souvent sciemment, par paresse intellectuelle ou physique, conformisme ou sous la pression des événements. Ainsi l'engagement d'une division mécanisée en Kabylie n'était-il pas une excellente solution. Elle fut adoptée parce qu'il fallait faire vite. Le mérite du général Beaufre est, dans ces circonstances, d'en avoir tiré le meilleur parti possible. Dans les massifs montagneux de l'Algérie les clés du succès étaient la surprise et la concentration rapide des unités pour fixer l'adversaire. Ensuite, rien ne pressait, on pouvait prendre son temps pour le détruire en économisant nos hommes au maximum. Toute manœuvre qui donnait trop tôt l'éveil à l'ennemi était vouée à l'échec. On le notera au passage, point de ces ratissages à grand spectacle, de ces fouilles de village où l'on lève rarement le rebelle mais où l'on retourne la population contre soi. En revanche, l'agent de liaison ou de ravitaillement que l'on intercepte à quatre heures du matin dans un fond d'oued est, lui, un vrai rebelle, sait d'où il vient et où il va.

L'opération qui restera dans l'histoire de la guerre d'Algérie comme illustrant le mieux la méthode Bigeard est celle qui fut présentée dans les écoles sous le nom d'Agounenda, petit village de l'Atlas blidéen à une trentaine de kilomètres au sud-est de Blida.

Elle a été maintes fois racontée et d'abord par Bigeard lui-même. Je la résume pour y ajouter deux commentaires.

Le 22 mai le 3e R.P.C. est au repos à Sidi-Ferruch. Il exécute les ordres. Ils tiennent en trois mots : sport-tir-cheveux, les symptômes de laisser-aller ne sont pas de mode au 3e R.P.C., les moustaches elles-mêmes survivent rarement.

Dans l'après-midi le régiment est mis en alerte. On ne sait encore pas en vue de quelle mission. Mais la mécanique est huilée, aussi les sacs sont garnis, les munitions distribuées, ainsi que les cartes, car l'on apprend, tout de même, que ce sera de nouveau l'Atlas blidéen. A 17 heures, sans avoir plus de détails (et c'est bien ainsi), départ vers Médéa où les capitaines sont réunis, reçoivent leurs ordres et les répercutent à leur tour. Tout cela prend à peu près le temps de consommer la ration du soir.

La nuit, scénario habituel, approche de la zone en camion puis infiltration à pied. Le trajet tous phares éteints sera cette fois meurtrier pour la compagnie d'appui, le camion qui me suit rate un virage et dévale une pente heureusement pas parmi les plus raides de l'Atlas. Bilan, néanmoins : un mort et trois blessés. On les évacue et la mission continue.

L'adversaire que nous poursuivons a tendu le 21 mai une forte embuscade à une unité du 5e bataillon de tirailleurs algériens, un capitaine et quinze de ses hommes ont été tués. Il s'agit donc d'une forte bande. Bigeard, cette fois, met d'emblée une unité en réserve héliportée, et ce sera la compagnie d'appui.

Le flair, appuyé sur une solide connaissance du terrain, a joué. La zone refuge des rebelles est bien celle que supposait Bigeard, et le 23 mai à 10 h 40 la compagnie du capitaine de Llamby en prend une partie en embuscade au fond d'un oued. On commençait à se lasser. En fait ce sont plus de deux cents fellaghas aux ordres de Si Lakdhar, chef rebelle bien connu de la zone, que la 3e compagnie a interceptés et contre lesquels le commando et la 2e compagnie vont assurer le bouclage sud. Il faut fermer les issues au nord, ce sera le rôle de la compagnie d'appui immédiatement héliportée. Dès notre poser nous accrochons les fellaghas qui veulent percer vers Agounenda. Ils sont ardents. On les fixe mais nous avons des pertes. Les fellaghas veulent absolument passer où nous sommes. La manœuvre est simple, il faut les arrêter. L'arrivée de la 4e compagnie puis celle de l'escadron à notre droite et à notre gauche permettent un resserrement du dispositif. La destruction des rebelles peut commencer. Au total 96 rebelles seront tués, 12 faits prisonniers, 5 tirailleurs pris dans l'embuscade du 21 mai seront libérés. Le 3e R.P.C. a 8 tués et 29 blessés.

J'aurai vécu cet accrochage à une cinquantaine de mètres en avant de Bigeard qui, dès le début, a senti où les fellaghas allaient essayer de passer. Il a rejoint le P.C. de la compagnie d'appui : Chabanne, deux radios et quatre ou cinq hommes. Il commandera le 3e R.P.C. avec le poste radio de notre compagnie qui fonctionne sur la fréquence régimentaire car il a abandonné son P.C. et s'est posé en hélicoptère Alouette. Chabanne n'a plus besoin du poste calé sur la fréquence du régiment, le colonel est à deux mètres. L'accrochage terminé je reviens vers le P.C. de Chabanne à partir de l'orée du maquis d'où les rebelles essayaient de s'extraire et je dis à mon capitaine : « On aurait eu deux 81 mm et une centaine de coups cela n'aurait pas été du luxe. » Bigeard m'entend. Il n'oubliera pas : dans les opérations suivantes deux mortiers de 81 mm et deux canons de 75 mm seront transportés avec les rames de camions qui sont rarement à plus de vingt minutes d'hélicoptère. Ainsi on ne diminue pas le nombre d'embuscades possible mais, si nécessaire, on regroupe servants et pièces pour les transporter là où la situation l'exige. A plusieurs reprises cette précaution s'avéra payante. Bigeard n'était pas sourd aux suggestions, loin de là, et, surtout, lui comme nous prenions conscience que désormais les bandes rebelles devenaient de plus en plus importantes et bien armées ; ainsi pas de fusils de chasse dans le bilan d'Agounenda, mais une centaine d'armes de guerre, dont plusieurs mitrailleuses. L'utilisation de quelques armes lourdes devenait nécessaire pour nous.

Retour à Sidi-Ferruch. On prépare le 14 juillet. 1957. La 10e division parachutiste emmenée par le général Massu défile à Paris, chaque régiment représenté par son colonel, son drapeau et une compagnie. Les désignations feront bien des jaloux. C'est à la même époque que Bigeard, aidé par un remarquable sous-officier photographe, Marc Flament, fait éditer deux ouvrages illustrés de photographies prises en opérations, *la Piste sans fin* et *Contre-guérilla,* qui seront suivis plus tard par *Aucune bête au monde*[1]. *La Piste sans fin* et *Aucune bête au monde* retracent en images l'épopée du 3e R.P.C. Chaque parachutiste du régiment les recevra. Tous les ont conservés. *Contre-guérilla* est plus technique. C'est au fond l'illustration de la méthode Bigeard. Bigeard fait des jaloux ? Certains n'ouvriront pas *Contre-guérilla.* Ceux qui le feront et s'en inspireront s'en porteront bien.

Au retour de Paris, le 20 juillet 1957, le régiment retourne à regret à Alger où le terrorisme avait pris de la vigueur (attentats sanglants dits des lampadaires et du casino de la Corniche). Entre le 20 juillet et la fin d'août la structure rebelle de la zone autonome d'Alger aura quasiment cessé d'exister. Nous « contrôlons » en effet, après l'avoir introduit dans son organisation, celui que le chef de zone Yacef Saadi tient pour l'un de ses principaux adjoints. Pendant cette période, et avec le concours des zouaves du capitaine Sirvent, Mourad et Ramel, l'un chef politique l'autre chef militaire de la zone d'Alger,

1. Lorsque Bigeard quittera le commandement du régiment il emmènera Flament avec lui. Le journaliste Paul Bonnecarrère me suggérera de le remplacer par Patrice Habans. J'en ferai la proposition au colonel Trinquier qui acceptera immédiatement. Je retrouverai Patrice l'hiver 90-91 en Arabie Saoudite lors de la guerre du Golfe. Il fera à nouveau d'excellentes photographies, celles que savent faire les photographes qui connaissent les soldats et partagent leurs risques. Ils sont d'ailleurs nombreux.

seront tués après s'être défendus plusieurs heures. Rien n'en venait à bout, l'un de mes sous-officiers, le sergent-chef Lepigeon, a alors l'idée originale qui les fera décamper de la pièce qui leur sert de repaire : tirer à la grenade à fusil antichar. Nous sommes, Lepigeon et moi, à trois mètres au même étage dans la maison d'en face. Je suis néanmoins immédiatement d'accord et l'on va chercher lesdites grenades. A la première, l'adjoint de Ramel est tué. Lui-même et Mourad tentent de sortir en se jetant sur nous avec des bombes préréglées. Ils sont immédiatement abattus. La réduction de terroristes en zone urbaine exige, on le voit, de l'imagination. Surtout si l'on veut aboutir au résultat avec le minimum de pertes.

Fin août notre 3e régiment de parachutistes coloniaux passe les consignes au 1er régiment étranger de parachutistes. A cette époque Yacef Saadi a été tellement abusé par nos infiltrations qu'il nous a même envoyé de l'argent et des armes. Il sera arrêté fin septembre avec ses quelques derniers fidèles.

Les derniers mois de l'année conduiront le 3e R.P.C. à nouveau en Kabylie, puis dans la zone de Miliana où, dans les égouts de la ville qui débouchent sous la citadelle, dans une zone des plus touffues qui soient, la compagnie d'appui abattra Si Abdelaziz, responsable local, avec son équipe de commandement. Mais le bilan est lourd. Pour 14 rebelles tués et 1 prisonnier, 7 parachutistes tués. Il est vrai que le caporal-chef Blavier est tué au moment où il s'apprête à lancer une grenade défensive; les éclats tuent avec lui le sergent-chef Besson.

En novembre et décembre premiers contacts avec le désert, d'abord à Colomb-Béchar, où l'on semble ignorer qu'il y a la guerre alors que les fellaghas grenouillent, posent des mines, et s'en retournent au Maroc. La compagnie y perdra le lieutenant Fleutiaux, grièvement blessé en sautant sur une mine [1].

Novembre 1957 : désertion de la compagnie de méharistes de Timimoun. Les cadres européens sont abattus. Le 8 novembre les déserteurs réussissent une embuscade contre un convoi de pétroliers. Comme le 3e R.P.C. est à Colomb-Béchar on fait appel à lui pour traiter le problème.

La recherche du renseignement est difficile dans cette zone

---

1. Nous resterons toujours en contact. Pendant ses années de remise en condition il apprendra l'arabe, deviendra un de nos meilleurs spécialistes du renseignement, sans perdre le goût de l'action. Il installera en particulier le premier détachement de casques blancs à Beyrouth.

où l'on vivait dans la quiétude alors que, l'avenir le démontrera, l'organisation politique du F.L.N. était en place, y compris à l'intérieur du poste militaire. Le 21 novembre enfin, succès pour le régiment, mauvais souvenir pour la compagnie d'appui, trois compagnies détruisent l'essentiel des déserteurs, nous tournerons en rond dans les Nord 2501, en réserve en vol. Nous reviendrons à Timimoun sans avoir sauté. Le reste des déserteurs sera détruit du 5 au 7 décembre.

A plusieurs reprises dans cette opération, les parachutistes seront non seulement héliportés mais aussi parachutés. En Algérie, dans les zones montagneuses et couvertes du Nord, le parachute ne serait d'aucune utilité. Les regroupements trop longs, les risques sévères de casse à l'arrivée au sol, tout s'oppose à son emploi. En revanche, dans le Grand Erg occidental, le terrain est dégagé, les regroupements sont rapides, les sauts sans risque d'avoir trop d'estropiés. Au sol et à pied, dans ce terrain inaccessible aux véhicules, les parachutistes vont plus vite que les méharistes. Une fois encore Bigeard aura su s'adapter au terrain.

Vient l'hiver 1957-1958. La ligne Morice, le barrage électrifié qui longera les frontières marocaine et tunisienne et devra permettre de détecter les passages des katibas de renfort mises sur pied au Maroc et en Tunisie, est en cours de construction. Notre 3e R.P.C. va prendre sa part de l'interception des fellaghas qui, instruits dans les camps de Tunisie, tentent de rejoindre les maquis en Algérie. La bataille des frontières sera gagnée, des centaines de jeunes soldats rebelles, les djounoud, et leurs guides plus anciens seront tués ou faits prisonniers. Le 3e R.P.C. agira entre Tébessa et Négrine. Outre des groupes moins importants, il détruira totalement trois bandes de plus de cent fellaghas chacune, l'une dans la région de l'oued Hallail, alors que Bigeard commande encore le régiment, les deux autres seront anéanties quand le 3e R.P.C. viendra de passer aux ordres du colonel Trinquier au début d'avril 1958.

Un mot de la première destruction de bande importante, la bataille de Djeurf, pour en narrer un épisode. La katiba adverse traquée depuis la nuit est détectée par la 1re compagnie, la compagnie d'appui est la plus proche et se précipite pour couper le repli des fellaghas en attendant l'engagement des autres unités. En moins d'une heure nous interceptons une bonne moitié des djounoud et récupérons, sans perte, une cinquantaine d'armes de guerre, tuons une trentaine d'adversaires et faisons une vingtaine de prisonniers. Le bouclage est hermétique. Plus de cinquante autres fellaghas sont tués ou faits prisonniers. Au soir il reste dans une grotte un groupe retranché avec une mitrailleuse allemande MG 42 que nous identifions car nous en connaissons bien la cadence. Difficile de s'en approcher et même de la traiter au 75 sans recul. Je dis au capitaine Chabanne : « Attendons la nuit et on s'approchera pour les avoir à la grenade. » Réponse : « Bruno [1] n'est pas d'accord. Si on a des blessés on ne pourra pas les évacuer par hélico dans ce terrain. On a le temps. On les aura demain. » On ne l'a pas assez dit, s'il fut parmi les chefs les plus exigeants, Bigeard fut aussi parmi les plus économes de nos soldats. Deux règles pour lui : d'une part, dans cette guerre, il faut durer et on a le temps; d'autre part les appuis sont faits pour être utilisés.

Alors que le colonel Trinquier remplace le colonel Bigeard, je succède au capitaine Chabanne dont je suis l'adjoint depuis plus d'un an. Le régiment est au sud des Nemencha, dans la région de Négrine. On retrouve le désert. En fait un désert assez découpé que les bandes adverses doivent traverser en une nuit sur près de quarante kilomètres avant d'atteindre les Nemencha où elles espèrent trouver refuge mais où les points d'eau sont rares. C'est là que les compagnies du 3e R.P.C. les attendront en embuscade et réussiront la destruction totale de deux bandes au complet, avec des pertes infimes. Toujours la même méthode : la bande bute dans une compagnie en embuscade, les autres convergent, on encercle et on détruit; les 75 sans recul sont d'une rare efficacité pour sortir les groupes installés dans des failles, les mortiers de 81 mm pour éclairer le terrain la nuit quand on n'a pas pu terminer le travail en une journée [2].

Je servirai plus d'un an sous les ordres du colonel Trinquier.

---

1. Bruno était l'indicatif radio du colonel Bigeard.

2. En 1991 j'ai décoré de la Légion d'honneur un de mes parachutistes, devenu adjudant-chef, et qui servait à l'époque un 75 sans recul. Alors que l'on traitait des failles une à une, je le vois s'affaisser en se tenant le cou. « Barberon je t'avais bien dit de ne pas être derrière la pièce. » Le 75 sans recul soulève en effet un nuage de pierrailles au départ du coup. On l'évacue et le lendemain je dis au médecin : « Alors comment va ce c... de Barberon ? » Réponse : « Il a une balle dans le cou mais il va bien. » Je suis heureux d'avoir pu réparer mon injustice du moment.

Malheureusement il quittera trop vite le régiment pour prendre le commandement du secteur d'El-Milia. Je me serai parfaitement entendu avec lui. Nous avions ensemble de longues conversations, sur les issues possibles du conflit qui s'enlisait, sur la guerre révolutionnaire, sur la conduite des opérations. Je quitterai le régiment peu de temps après lui, en novembre 1959. Il savait commander, ne rechignait pas lui non plus à installer son P.C. sur les plus hauts pitons, en bon paysan des Alpes qu'il était. Il avait conservé le style du régiment, savait faire preuve d'humour et se comporter en grand seigneur. Un jour où le régiment avait défilé devant le général Challe à Sidi-Ferruch, à la réception qui suivait, il débuta son allocution ainsi : « Mon général, ce régiment qui vient de défiler devant vous, et qui ne peut que vous avoir satisfait, c'est Bigeard qui l'a fait. »

C'est à mes côtés, dans la jeep que je pilotais, que Trinquier arriva le 13 mai 1958 vers 17 heures au gouvernement général de l'Algérie.

Le régiment était revenu de Négrine au début du mois et prenait quelque repos à Sidi-Ferruch après quatre mois dans les confins sahariens. On faisait aussi un bond de quatre mois dans les nouvelles du monde. En effet, en opération on se concentre sur la mission du jour, sur la meilleure façon d'intercepter l'adversaire, sur la vie des hommes, qui est dure et qu'il faut tenter d'améliorer. Les derniers soubresauts parlementaires de la IVe République troublaient peu notre sommeil. On les ignorait, d'ailleurs. Rentrés à Sidi-Ferruch on retrouvait une tout autre ambiance, la presse, les journalistes, souvent sympathiques, les échos des états-majors. C'est ainsi que dans la seconde semaine de mai on suivait à la radio les péripéties des événements d'Alger et de Paris. Un événement touchait surtout les troupes : la fusillade de trois soldats français faits prisonniers et emmenés en Tunisie par les fellaghas.

Le 13, en fin de matinée, Trinquier réunit ses capitaines. On prévoit d'importantes manifestations des Européens cet après-midi dans Alger et tout particulièrement sur le Forum. On nous demande d'être prêts le cas échéant à maintenir l'ordre. Les zones d'action sont distribuées. Je serai avec ma compagnie au sud du Forum, sur les rampes qui le dominent. La manifestation se déclenche à l'issue d'une cérémonie au monument aux morts. Les C.R.S. n'arrivent pas à contenir la foule qui envahit le gouvernement général. Trinquier me rejoint. « Je pense qu'il faut faire quelque chose, me dit-il, ils sont en train de tout casser. On y va. » Nous nous mettons en route. Ma compagnie pénètre dans le gouvernement général par l'entrée principale tandis que la 2e, commandée par Planet, pénètre par l'arrière. Après prise de contact avec des C.R.S. débordés, nous faisons peu à peu évacuer la foule. Je fais garder les archives secrètes dont le colonel Ducourneau m'indique l'emplacement. Vers 20 heures ou 21 heures le calme est revenu au gouvernement général. Les généraux Massu puis Salan y pénètrent. La suite du 13 mai 1958 va commencer. Elle est connue. Les premiers « Vive de Gaulle » se font entendre.

Le 4 juin après-midi, ma compagnie figure parmi les quatre unités qui rendent les honneurs au général de Gaulle et simultanément contiennent la foule sur le Forum. C'est le discours dont on n'a retenu que le « Je vous ai compris ». Le soir j'assure la sécurité du Général avec ma compagnie autour de la villa des Oliviers où il passe la nuit. Il sort vers minuit prendre le frais avec le colonel de Bonneval. Je me présente. Il s'enquiert aimablement de mon père, son ancien compagnon. Ce sera ma seule rencontre avec le général de Gaulle.

Le 13 mai, l'armée française a spontanément et simultanément stabilisé, contrôlé et orienté vers un appel au général de Gaulle un mouvement dont les origines se trouvaient hors d'elle et dont elle ignorait tout, à l'exception de quelques-uns de ses cadres dont, je le sais, le colonel Trinquier ne faisait pas partie.

La situation militaire n'était pas mauvaise. Elle était même en nette amélioration. Serge Bromberger dans *les Rebelles algériens* la dépeint ainsi : « A partir de la mi-février 1958, le corps des parachutistes a pratiquement verrouillé le barbelé. Les 6 000 recrues instruites dans les camps de Tunisie n'ont pas eu le temps de passer. Elles ont en vain tenté le franchissement dans les mois qui ont suivi, ne réussissant qu'à se faire tailler en pièces, ou à refluer en désordre en Tunisie. Leurs pertes ont été énormes et les nouveaux contingents, venant en sens contraire des willayas vers les centres d'instruction, ont été dispersés.

« D'autre part la zone autonome d'Alger n'a pu se reconstituer ; la willaya d'Oranie se meurt, celle de l'Algérois ne vaut guère mieux. Il ne leur reste plus qu'un bastion commun dans l'Ouarsenis et l'Atlas blidéen. »

Et plus loin :

« De surcroît, il y a 60 000 Algériens, harkis ou membres des groupes d'autodéfense, qui sont à nos côtés c'est-à-dire plus que n'en comporte le corps de bataille de l'A.L.N. »

La tableau tracé par Serge Bromberger est probablement un peu optimiste. Il faudra encore un an pour que soient constituées à côté des divisions parachutistes et des légionnaires d'autres forces mobiles, légères et ardentes, afin de monter les grandes opérations nécessaires non seulement en vue de détruire les katibas mais avant tout pour les lever. Car c'est bien là que réside pour nous la difficulté de la guerre révolutionnaire au stade atteint par le F.L.N. Trouver l'adversaire.

Situation militaire bonne, mais confusion politique à Paris; et agitation à Alger. Agitation fomentée par les ultras et prenant appui sur des jeunes gens qui d'après nous, les militaires, auraient pu avantageusement se trouver dans le djebel à courir après le fellagha. Au total une armée soucieuse d'ordre, de directives claires, scandalisée par les trahisons des quelques Français qui aidaient le F.L.N. autrement qu'en paroles, écœurée des pantalonnades parisiennes, consciente d'avoir redressé la situation militaire, choquée au plus profond d'elle-même par l'assassinat de trois des siens en Tunisie.

Le général de Gaulle perçoit très bien la situation. Citons encore ses *Mémoires d'espoir* :

« Au contraire l'armée croyait que la restauration de l'autorité nationale lui donnerait le temps et les moyens de vaincre et découragerait l'adversaire. Quant à la solution politique qui devrait couronner son succès, elle la concevait sommairement comme un nouveau ralliement de l'Algérie à la France, avec, en compensation, une grande œuvre de développement économique, social et scolaire que la Métropole aurait à entreprendre. Ce qu'elle voyait sur place, en effet, lui inspirait de la sympathie pour des populations souffrantes et misérables et de rudes griefs à l'égard d'une colonisation qui les laissait si dépourvues. Mais, par-dessus tout, quels que pussent être les calculs personnels de tel ou tel de ses chefs et les ferments de trouble qu'entretenait dans ses états-majors un lot restreint d'officiers chimériques et ambitieux, l'armée ressentait le besoin d'être commandée par l'État. C'est pourquoi, dans l'immédiat, elle se félicitait de me voir gouverner la France et me faisait confiance au sujet de l'Algérie. »

L'hiver 1958-1959 verra le début des grandes opérations conduites par le général Salan, puis plus directement par le général Challe, dans les réduits de l'Ouarsenis et des Grande et Petite Kabylie. Notre 3e R.P.C. travaille toujours dans le même style que Trinquier a su lui conserver. Ce sont cette fois des divisions rassemblées qui opèrent ensemble. Une fois une bande rebelle levée il lui est quasiment impossible de trouver un refuge. Si elle s'échappe de la zone de chasse d'un régiment, elle tombe dans celle d'un autre. A la fin de 1959 on peut dire qu'il n'y a pratiquement plus que quelques katibas organisées en Algérie. Et pourtant, certaines des erreurs commises en Indochine se répètent. Pour avoir servi en Indochine dans des forces dites de secteur et surtout les avoir côtoyées, car le groupe où j'étais affecté était provisoirement placé en artillerie de position, et pour m'être trouvé en Algérie dans un des meilleurs régiments d'intervention, je peux faire la différence. Je me rappelle avoir pris contact dans l'Ouarsenis avec une compagnie de secteur participant avec nous à une opération. J'étais alors en sous-effectif d'au moins cinquante parachutistes en raison de pertes, de permissions (il fallait bien en donner parfois...) et de retards dans la relève. Ma propre compagnie comptait quatre-vingts hommes. Un aspirant progressait en tête de cette compagnie de secteur. Je le questionne : « Où est votre capitaine, j'ai besoin de prendre contact avec lui. Quel est votre effectif ? » Réponse : « Je commande la compagnie. Nous sommes quatre-vingt-dix. » L'unité n'avait pas mauvaise allure, les jeunes sergents qui commandaient les sections avaient de l'allant mais, à l'évidence, ils manquaient d'expérience. Je me suis pris à penser, et j'en ai parlé à Trinquier, de l'unité que nous aurions pu former en fusionnant. Je suis sûr que les quatre cinquièmes des jeunes appelés de cette unité auraient sauté en parachute. Je suis sûr aussi qu'ils auraient terminé la campagne avec plus de bilan et moins de pertes. Toujours le problème de l'encadrement. Sera-t-il un jour résolu ? Si l'on doit à nouveau réduire les effectifs, profitons-en pour densifier l'encadrement de nos unités. Il y a eu progrès. Il reste encore à faire.

La compagnie d'appui du 3e R.P.C. était – elle est toujours – une splendide unité. Comme Trinquier parlant du 3e R.P.C. je dirai : « Elle a été formée par Chabanne. » Quand je l'ai quittée je crois pouvoir affirmer qu'elle avait parmi les plus beaux bilans du régiment avec le minimum de pertes et c'est là ma fierté. Compagnie professionnelle ? Certes non. Comme le reste du régiment, depuis le niveau des chefs de section jusqu'à celui des parachutistes du rang, engagés et appelés se côtoyaient. J'ai eu de magnifiques adjoints ou chefs de sections, les uns d'active, les autres du contingent, parmi lesquels certains, mais pas tous, choisiront ensuite la carrière militaire qui les aura séduits. Tiger, Chevrot, Latapie, Ploncard, Fleutiaux, Casanova qui sera tué en Kabylie, pour les officiers d'active ; Ball, Raguez, Delmas, de Hauteclocque, Balazuc pied-noir, polytechnicien et plein d'humour, pour les officiers de réserve.

Les sous-officiers faisaient la force des parachutistes. Plusieurs revenaient d'Indochine. Les plus anciens, Piochaud, Bachelier, Lepigeon, Drouin, Kordek, tué vers Djelfa, Besson, mort à Miliana, commandaient les sections ou en étaient les adjoints et formaient avec bienveillance les aspirants. Les hommes, eux, m'ont convaincu que les jeunes Français peuvent être de magnifiques combattants, ardents et endurants, qu'ils soient appelés ou engagés. Il suffit de les commander en payant d'exemple et en les respectant. Il faut aussi les instruire et les entraîner pour leur donner la compétence et la cohésion, gages de leur confiance en eux-mêmes. Rien de nouveau là encore. Montluc, Ardant du Picq, Lyautey et d'autres l'ont enseigné depuis longtemps.

Il n'est pas dans mon propos de faire le récit de toutes les opérations auxquelles a participé la compagnie d'appui du 3e régiment de parachutistes coloniaux après les succès acquis pendant la bataille des frontières. Je me limiterai à deux combats, celui de Tizi Tifra, en Kabylie, le 27 octobre 1958 et celui de Karicha, dans l'Ouarsenis, le 6 mars 1959.

Pourquoi ces deux combats ? Parce que l'un comme l'autre prêtent à enseignements, non pas au niveau stratégique certes ! mais au niveau de la compagnie, de l'unité élémentaire, comme disent les spécialistes.

Dans les zones touffues de Kabylie et de l'Ouarsenis, lorsque l'on était au contact de l'adversaire c'était en général à quelques dizaines de mètres. Il était alors difficile de profiter de l'appui apporté par les mitrailleuses et les fusils-mitrailleurs. Le combat tournait vite au corps à corps. Recherchant toujours un procédé propre à neutraliser l'adversaire avant de l'aborder, j'avais décidé de pouvoir regrouper rapidement l'ensemble des fusils lance-grenades de la compagnie, dix au total, pour les faire tirer simultanément et pratiquement « au sifflet ».

Ainsi à Tizi Tifra le 27 octobre 1958, avec deux compagnies du régiment nous avions encerclé une bande d'un peu moins de cent fellaghas. Les éclaireurs étaient au contact. Je décidais alors le regroupement des tireurs au lance-grenades, ce qui prit environ quinze minutes. Une fois le tir réglé avec quelques coups, cinquante grenades anti-personnels furent tirées sur les fellaghas que les voltigeurs abordèrent dès la fin du tir. La katiba fut réduite avec quelques blessés légers de notre côté, plus de trente fellaghas étaient tués, les autres faits prisonniers, une cinquantaine d'armes de guerre, dont plusieurs mitrailleuses et fusils-mitrailleurs, étaient récupérées. Une fois de plus la preuve était faite : le feu tue ou au moins neutralise, il économise les hommes.

Le 6 mars 1959 notre régiment était dans l'Ouarsenis. Deux compagnies du régiment venaient de « lever » une katiba non loin d'une maison forestière dite de Karicha. A condition de faire très vite, de monter pratiquement au pas de course une crête qui nous dominait de 400 mètres la compagnie d'appui pouvait intercepter les adversaires en fuite. Je lançais immédiatement la section la plus proche, celle du lieutenant Raguez, le suivant avec la section de commandement et rameutant les autres sections. Moins de trente minutes plus tard Raguez, qui livrait là son premier combat, avait récupéré plusieurs armes de guerre dont une mitrailleuse. Les autres sections prenaient ensuite part au bilan qui complétait celui du régiment. La rapidité de l'exécution de la section Raguez était le résultat d'une exceptionnelle condition physique. A la guerre il faut essayer d'avoir du coup d'œil mais cela ne sert à rien si l'on a pas une troupe entraînée et manœuvrière. Former une telle troupe prend du temps, pas mal d'efforts et beaucoup d'enthousiasme.

C'est donc à la fin de 1959, fin novembre exactement, que je quitterai le commandement de la compagnie d'appui du 3e R.P.C. Très sobrement, dans tous les sens du terme. Cela se passe en bord de mer à Bougie à la fin des opérations « Jumelles ». Quelques jours auparavant, avec mes officiers, mes sous-officiers et mes parachutistes j'ai écouté et fait écouter le discours de Constantine [1].

Tout cela nous paraît venir bien tard. Certes sur le terrain la

1. Par la voix du général de Gaulle, président de la République, la France

guerre est gagnée. Mais la guerre révolutionnaire ne se gagne pas seulement sur le terrain. Elle se gagne ou se perd ailleurs. Or en métropole l'opinion évolue, de plus en plus lassée, travaillée par une intelligentsia et un parti communiste pour qui une association entre États n'est même plus une formule compatible avec les idéologies à la mode. On est encore bien loin des revirements de 1961 mais on y va tout droit. L'Algérie doit être indépendante et marxiste pour l'extrême gauche française et une part des intellectuels. A l'inverse les espérances nées du 13 mai s'évanouiront vite. On le constate sur place : pour les activistes l'intégration chère à Soustelle, c'est le retour à l'Algérie de Papa.

Je rentre en métropole. Je me tiendrai au courant de la suite dans trois affectations successives : l'école des troupes aéroportées, l'école d'état-major et enfin l'état-major interarmées de Dakar. Amertume et conscience de l'inévitable m'animent comme beaucoup, comme à la fin de l'Indochine.

Conscience de l'inévitable quant à l'issue, pas quant à ses modalités. Je ne suis pas convaincu aujourd'hui encore que l'on ne pouvait pas éviter les drames ultimes, le putsch des généraux et l'O.A.S. Un langage plus direct vis-à-vis des cadres, émanant du Président de la République, chef des armées, et relayé à tous les niveaux à commencer par le niveau gouvernemental, aurait peut-être permis de les prévenir.

Toujours dans ses *Mémoires d'espoir* le général de Gaulle écrit, s'agissant des officiers :

« Pour d'autres enfin, et sans doute est-ce le plus grand nombre, du moment qu'à la tête du pays il y a un gouvernement qui en est un et qui gouverne, c'est à lui qu'il appartient de trancher ; l'armée, quoi que l'on puisse désirer dans ses rangs, n'ayant dès lors qu'à obéir. La conclusion que je tire c'est qu'en fin de compte c'est ce quelle fera. »

Le Général a raison, mais est-il suivi ? Une anecdote : le 5 juin 1958, sur sa demande et par l'entremise de deux journalistes, Michel Cler et Paul Bonnecarrère, je dîne au Saint-Georges avec l'influent chroniqueur américain Joseph Alsop. A côté de nous une table où se trouvent deux membres de la délégation qui suit le général de Gaulle. La conversation s'engage. Je leur fais part de mon scepticisme quant à l'intérêt présenté

---

offrait un plan de développement économique, qui n'était pas exclusif de réformes institutionnelles mais ne les précisait pas.

pour la France par l'Algérie française et l'intégration. Surtout si l'on se projetait dans le long terme en réfléchissant aux conséquences de l'inquiétante démographie locale. J'ajoute que je ne suis pas seul parmi les cadres à nourrir ces préoccupations. Alsop est surpris. Ce n'est pas ainsi qu'il imaginait les officiers parachutistes. Mes deux interlocuteurs, qui auront plus tard des responsabilités importantes, me coupent : « Vous tenez un discours de technocrate. La France doit être généreuse. » Je me tais puis je glisse à Alsop : « Peut-être réussirons-nous ce que vous n'avez pas réussi à Little Rock ? » Bien entendu, quelques mois après, le ton de mes deux contradicteurs aura changé. Au fond, ce 5 juin, j'avais oublié, ou plutôt je n'avais pas lu, l'éditorial du *Courrier de la colère* du 20 décembre 1957 : « Que les Algériens sachent surtout que l'abandon de la souveraineté française en Algérie est un acte illégitime, c'est-à-dire qu'il met ceux qui le commettent, et qui s'en rendent complice, hors la loi, et ceux qui s'y opposent, quel que soit le moyen employé, en état de légitime défense [1]. »

Aux yeux de ceux qui les ont recrutés, sur ordre, commandés, et d'ailleurs pour tous les militaires, l'aspect le plus dramatique de tous ces événements sera le sort des musulmans qui ont épousé la cause de la France et plus particulièrement celui des harkis. Certes l'O.A.S. porte une lourde responsabilité dans l'embarquement précipité des pieds-noirs et dans l'inorganisation totale qui a entouré l'évacuation des partisans musulmans. Mais la France n'aura su négocier et protéger ni l'évacuation des catholiques du Phat Diêm ni celle des harkis. Pour les militaires qui ont côtoyé les uns et les autres il restera toujours des remords bien ancrés.

Trêve de politique! Sur le plan militaire que reste-t-il des guerres d'Indochine et d'Algérie? Beaucoup. Certes l'armée aura longtemps à souffrir de leurs séquelles. Une partie des Français et de la classe politique rejettera sur elle la responsabilité d'événements dont les causes sont très largement à rechercher ailleurs et, s'agissant de l'Algérie, dans une politique passéiste menée par les gouvernements successifs de la IVe et même de la IIIe République. Bref! l'armée paiera les pots cassés. Au cours des années 60 il sera plus facile de porter l'uniforme à Dakar ou à Fort-de-France qu'à Paris.

1. *Le Courrier de la colère* était, sous la IVe République, une publication animée par M. Michel Debré, alors sénateur.

Il y aura aussi des éléments positifs. Les guerres dites coloniales auront condamné les badernes. Le style imprimé par les unités de choc essaimera dans l'armée française. Les bedaines et les tenues négligées brocardées par Bigeard (mais aussi par Vincent Monteil dans *les Officiers*) ne disparaîtront pas totalement mais se feront de plus en plus rares. L'armée française fera et fait toujours du sport. Elle marche, elle tire et elle manœuvre.

Certes les années qui suivront l'Algérie seront difficiles. Durant cette période la stratégie de la dissuasion s'impose, et de pseudo-théoriciens croient qu'elle suffit à tout ! Heureusement, de-ci de-là, certains pensent qu'il y a aussi hors d'Europe des zones où l'on pourrait bien avoir à agir dans l'avenir. Les unités qui un jour seront regroupées dans la force d'action rapide, la F.A.R., restent à peu près structurées. Dieu merci, car dès les années 60 le Gabon d'abord, le Congo ensuite, le Tchad à plusieurs reprises, et par la suite la Mauritanie, le Liban, et j'en passe, solliciteront nos unités d'intervention.

Des hommes comme Bigeard, Jeanpierre qui sera tué à la tête du 1er régiment étranger de parachutistes, et d'autres auront créé un style et une méthode de combat. Trinquier aura réfléchi à la guerre révolutionnaire. Il sera lu davantage aux États-Unis qu'en France. Ce qui ne veut pas dire qu'il sera écouté. Les campagnes de la décolonisation auront, sur le plan strictement professionnel, donné le jour à des formations dynamiques, disponibles, manœuvrières et ardentes, celles qui seront engagées dans les années 80 puis dans l'année 1990 de nouveau au Tchad et au Gabon, puis aux Comores et au Ruanda, encore au Liban, enfin et surtout en Arabie Saoudite, et de là en Irak.

V

1960-1983
DE L'ALGÉRIE AU COULOIR DES JANISSAIRES

« Le pouvoir se doit de répondre aux préoccupations de la fonction militaire sans que cette fonction militaire ait à se manifester. »

MICHEL DEBRÉ
Conférence au Cours supérieur interarmées, 1971.

« Le métier de soldat commande à ceux qui le choisissent des devoirs élevés. En regard, les responsables de l'État et le pays dont ils tiennent leur mission ont pour obligation d'assurer les conditions matérielles et morales nécessaires à l'accomplissement de leur tâche. »

FRANÇOIS MITTERRAND,
Valmy, 16 septembre 1989.

« Sur le plus haut sommet de l'Europe nous avons érigé le buste du plus grand homme de tous les temps. » Telle est l'inscription figurant sur le buste de Staline édifié à 5 600 mètres d'altitude au sommet de l'Elbrouz. Cette érection, effectuée du vivant de l'homme qu'elle veut honorer, symbolise le culte de la personnalité qui s'instaure, après la victoire de 1945, en Union soviétique. Ce culte s'accompagne, sous la direction de Staline et celle de Jdanov, d'une reprise en main des populations auxquelles certaines libertés avaient été accordées pendant la guerre. Tous les espoirs de libéralisation du régime s'effondrent et le système répressif est rétabli. Les intellectuels sont mis au pas. Les minorités religieuses recommencent à être persécutées. Tchetchènes, Kalmouks, Allemands de la Volga sont victimes de transferts partiels ou complets de populations ainsi que 400 000 Lituaniens, 150 000 Lettons et 40 000 Estoniens.

Immédiatement après la capitulation allemande, les démocraties occidentales avaient commencé à démobiliser leurs troupes, à l'exception des forces d'occupation et des unités engagées dans d'autres parties du monde. Alors qu'au moment de la capitulation allemande les effectifs des Alliés occidentaux étaient de 5 millions d'hommes en Europe, un an plus tard ils ne dépassaient pas 900 000.

L'Union soviétique par contre continua à maintenir ses forces au niveau de 1945, 4 millions d'hommes, et à faire tourner à plein régime ses industries d'armement. S'appuyant sur l'Armée rouge, partout en Europe où elle demeurait après la guerre, en Hongrie, Roumanie, Bulgarie, Pologne, Tchécoslovaquie, l'est de l'Allemagne, les communistes prennent une place de plus en plus importante dans les gouvernements. On est loin des dispositions de Yalta où Staline, Roosevelt et Churchill avaient déclaré que les peuples libérés pourraient choisir librement leurs institutions et leur gouvernement. En 1947, l'U.R.S.S. oblige la Tchécoslovaquie à renoncer au plan Marshall. En février 1948, les communistes s'y emparent de la totalité du pouvoir. C'est le « coup de Prague ». Deux ans auparavant, sir Winston Churchill, dans un discours prononcé aux États-Unis, avait, le premier, dénoncé l'expansionnisme soviétique, qu'il avait, auparavant, pressenti. Il déclare notamment dans un discours, resté célèbre : « De Stettin dans la Baltique à Trieste dans l'Adriatique, un rideau de fer est tombé sur le continent. Derrière cette ligne se trouvent toutes les capitales des anciens États de l'Europe centrale et de l'Est. Varsovie, Berlin, Prague, Vienne, Budapest, Belgrade, Bucarest et Sofia, toutes ces illustres villes, avec leurs populations, se trouvent dans ce que je dois appeler la sphère soviétique (...) Les partis communistes, qui étaient très faibles dans tous ces États de l'Est de l'Europe, ont obtenu une prééminence et un pouvoir qui dépassent de beaucoup leur importance et ils cherchent partout à exercer un contrôle totalitaire. Des gouvernements policiers s'installent, à peu près partout, au point qu'à l'exception de la Tchécoslovaquie il n'y a pas de vraie démocratie... » La démocratie à Prague survivra deux ans au discours de Churchill.

Les Occidentaux, à peine convalescents s'agissant des Européens de l'Ouest, réagissent. Les États-Unis prennent la tête de l'opération de « containment », de blocage, de l'expansion communiste (qui, soit dit en passant, a néanmoins encore à cette époque de beaux jours devant elle). Les Américains comprennent que leur effort doit initialement porter sur l'Europe. Sous la direction du président Truman, le général Marshall, secrétaire d'État, propose un plan de redressement des économies européennes. « Les semences des régimes totalitaires sont nourries par la misère et le dénuement », dit au Congrès le président Truman, le 12 mars 1947, et il engage les États-Unis à apporter une aide financière massive aux pays qui veulent rester libres.

Certes, les Américains, en lançant le plan Marshall, ne défendent pas seulement des principes mais aussi leurs intérêts. L'Europe occidentale est leur premier client. Les économies européenne et américaine sont liées. Reste que sans l'initiative américaine, d'autres contrées de l'Europe auraient pu basculer dans le communisme. La France risquait de ne pas y échapper. On imagine sans peine maintenant, devant le spectacle des pays de l'Est récemment débarrassés du marxisme, dans quel état serait aujourd'hui le nôtre si les communistes avaient pris le pouvoir sans partage, comme ils l'ont fait à Prague et ailleurs. Il suffit de lire le dernier tome des *Mémoires de guerre* du général de Gaulle pour comprendre qu'ils en avaient la volonté et que le risque n'était pas nul de les voir réussir.

D'ailleurs, à ce que l'on pourrait appeler la « doctrine Marshall » riposte celle de Jdanov formulée par un discours prononcé au Kremlin fin 1947. Jdanov prend acte de la division du monde en deux camps irréconciliables et dit clairement que partout où ils le peuvent, en France et en Italie notamment, les communistes doivent prendre le pouvoir.

Sur le terrain, en Europe occidentale, la situation bascule en 1948-1949. En juin 1948 en effet, Staline décide le blocage de tous les accès terrestres à Berlin. Il pense que Berlin tombera comme un fruit mûr et que l'ensemble de la cité, dont les contingents français, américains et britanniques auront été chassés, va devenir la capitale de la République démocratique allemande. Il sous-estime la capacité de réaction occidentale. Les Américains organisent un gigantesque pont aérien pour ravitailler la ville; et en mai 1949, l'U.R.S.S. doit reconnaître son échec et lever le blocus.

Depuis cette époque des stocks très importants étaient entreposés à Berlin pour faire face à un renouvellement éventuel de l'initiative soviétique de 1948. Ces stocks serviront pendant l'hiver 1990-1991 pour ravitailler... les populations soviétiques sous-alimentées en particulier celles de Leningrad pas encore redevenue Saint-Pétersbourg. L'Histoire fait quelquefois d'étranges pirouettes.

Ce bref rappel historique vise à situer le contexte dans lequel s'établira peu à peu la stratégie de défense de la France. Il serait incomplet et il y manquerait même l'essentiel s'il ne s'achevait pas par l'évocation de la constitution en 1949 de l'Alliance atlantique.

En 1948, cinq pays occidentaux, le Royaume-Uni, les Pays-Bas, la Belgique, le Luxembourg et la France ont signé à Bruxelles un traité aux termes duquel, au cas où l'une des parties serait l'objet d'une agression, les autres signataires « lui porteraient aide et assistance par tous les moyens en leur pouvoir, militaires ou autres ».

En septembre 1948, un organisme militaire fut créé dans le cadre du traité de Bruxelles et prit le nom d'Organisation de défense de l'Union occidentale. Le maréchal Montgomery fut nommé président du comité des commandants en chef. Les commandements des forces terrestres, aériennes et navales furent répartis entre la France et la Grande-Bretagne. Le maréchal Montgomery fixa son quartier général à Fontainebleau.

Deux mois auparavant, dès juillet 1948, des pourparlers s'étaient engagés entre les signataires du traité de Bruxelles, d'autres pays européens, les États-Unis et le Canada en vue de la constitution d'une alliance pour réagir contre l'impérialisme soviétique. Ces pourparlers aboutirent à la signature, à Washington, le 4 avril 1949, du pacte atlantique qui réunit les deux États d'Amérique du Nord, les signataires du traité de Bruxelles, plus l'Islande, le Danemark, la Norvège le Portugal et l'Italie.

Le pacte atlantique, il n'est pas inutile de le rappeler, est strictement défensif et s'appuie sur la charte des Nations unies auquel il fait constamment référence. Ainsi est-il dit dans l'article 3 que chaque pays signataire doit accroître sa capacité de résister à une « attaque armée » et dans l'article 5, le plus connu, qu'une attaque contre l'une des parties sera considérée comme dirigée contre toutes les autres.

On notera cependant que l'article 5 du traité de Washington contraint beaucoup moins ses signataires à une aide réciproque que le traité de Bruxelles puisqu'il laisse chacun des États juge en cas d'agression des actions qu'il estimera nécessaire d'entreprendre au profit de la victime.

Enfin le traité ne s'applique que dans une aire géographique limitée : les territoires métropolitains des États membres. Lors de la guerre du Golfe, il ne pouvait jouer que dans le seul cas où la Turquie aurait été, sur son sol, victime d'une agression.

Le traité est révisable au bout de dix ans. Ainsi le général de Gaulle tentera-t-il d'obtenir, sans succès, qu'il soit renégocié après son retour au pouvoir. Le traité stipule aussi que d'autres pays peuvent être admis dans l'Alliance s'ils sont « susceptibles de contribuer à la sécurité de la région de l'Atlantique Nord ». La Turquie et la Grèce puis la République fédérale d'Allemagne, enfin, plus récemment, l'Espagne porteront à seize le nombre actuel des pays de l'Alliance.

Au cours des mois qui suivront la signature du traité de Washington se mettront en place des organisations qui donnent à l'Alliance atlantique son caractère propre.

Non seulement l'Organisation établit des structures politiques, se dota d'un secrétaire général mais elle institutionnalisa aussi l'état-major militaire international travaillant selon les directives de l'ensemble des chefs d'état-major réunis dans un Comité militaire.

Enfin furent définies quatre zones relevant de hauts commandements intégrés, c'est-à-dire multinationaux, fonctionnant dès le temps de paix. Ces quatre zones sont l'Europe, l'Atlantique, et deux autres, dont on parle moins, la Manche et l'ensemble des États-Unis et du Canada.

Même si la France s'est retirée en 1966 des commandements intégrés de l'Alliance atlantique, et a demandé que ceux qui étaient établis en France à Rocquencourt et à Fontainebleau quittent notre pays, le fait que nous ayons été membre de l'Alliance a dominé – avec la décolonisation et ses suites – notre histoire militaire depuis 1945. La fin de la guerre d'Algérie va nous permettre de mieux prendre en compte le théâtre européen. L'amélioration de la mise au point de notre force nucléaire, décidée par le général de Gaulle, donnera aux conditions de notre engagement éventuel en Europe un caractère propre.

Si j'excepte une brève période, fin 1958, pendant laquelle il fut question d'envoyer le 3e régiment parachutiste d'infanterie de marine [1] renforcer la garnison de Berlin, quand Khrouchtchev exigea le transformation du secteur occidental de cette cité en ville libre neutralisée, je dois reconnaître que de 1952 à 1960, lorsque j'étais lieutenant, puis lorsque je vivais les premières années de grade de capitaine, les problèmes de l'Europe m'accaparaient peu. C'est seulement en 1960, comme stagiaire à l'école d'état-major, que je commençai à porter plus d'attention au théâtre européen et plus particulièrement centre-européen.

C'est aussi à l'école d'état-major, alors implantée à Paris à l'École militaire, que je vivrai les phases finales du drame algé-

---

1. C'était la nouvelle appellation du 3e régiment de parachutistes coloniaux.

rien. Difficile de réfléchir à la meilleure façon d'engager une brigade ou une division blindée en Bavière pendant que se déroulent en Algérie les événements de l'hiver 1960-1961. Il faut pourtant le faire. C'est l'époque où, en cas d'agression soviétique, les forces françaises devaient s'engager au sud de l'Allemagne au sein d'un groupe de corps d'armée alliés. Nous n'avions aucune arme nucléaire française pour dissuader l'agresseur d'utiliser ses armes nucléaires du champ de bataille. Nous dépendions donc totalement des armes nucléaires américaines du même type. En attendant d'en venir là, la tactique du moment consistait à rechercher l'imbrication avec l'adversaire pour lui rendre difficile l'emploi de ses propres armes. Enfin dans l'hypothèse où, après une attaque des forces du pacte de Varsovie, les Américains n'auraient pas eu recours au nucléaire (ce qui ne pouvait qu'entraîner la défaite des forces de l'Alliance, le rapport des forces classiques étant à l'époque de quatre contre un au moins en faveur de celles du pacte), la constitution de zones de résistance militaire était envisagée en cas d'invasion de la France. Pas très réjouissant, à vrai dire, mais on ne pouvait proposer autre chose. Heureusement dans le domaine des armes nucléaires stratégiques les Américains détenaient une large supériorité. Ce qui nous évita probablement la guerre.

Je passe donc l'hiver 1960-1961 à Paris. Cette période ne restera pas un des meilleurs souvenirs de ma carrière et de ma vie. Quatre ans auparavant je défilais le 14 juillet 1957 sur les Champs-Elysées derrière Massu et Bigeard. La foule applaudissait. Onze mois après ce défilé, c'est sur le thème de l'Algérie française que l'on passera de la IVe à la Ve République. Faire preuve de scepticisme, je l'ai dit plus haut, était jugé inconvenant. Mais en 1961-1962, les militaires étaient redevenus aux yeux de bien des Français ce qu'ils étaient dans les années noires de l'Indochine, des gens qui se battaient et étaient donc coupables de la prolongation d'une guerre à laquelle depuis quelques mois la majorité de nos compatriotes voulaient mettre fin, certains à n'importe quel prix. Cette guerre coûtait cher et entravait le redressement économique, c'est vrai. Cette guerre coûtait des morts et des blessés, moins pourtant que l'Indochine, c'est encore vrai. La guerre était pratiquement gagnée sur le terrain, c'était difficilement pardonnable. Rien ou presque ne fut fait pour expliquer aux Français que leur armée, l'armée de la République française, s'était battue huit années en Indochine parce que les institutions de la IVe République empêchaient les gouvernements, quelle que soit la qualité de ceux qui les composaient, de faire autre chose que transmettre cet oursin qu'était la guerre d'Indochine à leurs successeurs. S'agissant de l'Algérie, au contraire, jusqu'en 1959, les déclarations des responsables politiques (à l'exception des communistes, mais on sait d'où venaient leurs directives) se rejoignaient pour légitimer le combat que menaient nos troupes.

Le général de Gaulle voyait certes juste et loin en menant, par étapes, une politique qui allait nous enlever la charge de l'Algérie et de son inquiétante démographie. Son objectif, défini fin 1959 et début 1960, était de conduire à l'indépendance une Algérie conservant des liens privilégiés avec la France après une séparation, non pas à l'amiable c'était impossible, mais au moins sans drame. A qui imputer l'échec partiel de cette politique ? Certainement en grande partie aux ultras des deux bords, ceux du F.L.N. qui voyaient dans une Algérie marxisante la solution de leurs problèmes à venir ; aux civils et militaires qui ne comprenaient pas que l'on n'était plus dans la situation de la récente guerre mondiale, c'est-à-dire d'une occupation par l'ennemi qui ôtait sa légitimité au gouvernement de Vichy, et que la volonté d'un gouvernement démocratiquement investi, libre de ses décisions et qui gouvernait, devait être respectée. Mais de leur côté la classe politique et l'intelligentsia n'ont pas su parler un langage clair et franc à des hommes qui étaient, il faut le redire, l'armée de la République. Il manquait aussi dans notre organisation militaire un chef d'état-major à qui ses attributions auraient permis de tenir un discours sans ambiguïté aux armées. Un langage à la fois ferme et compréhensif pendant les deux dernières années de la guerre eût peut-être évité le putsch d'avril 1961 et l'O.A.S. Le général de Gaulle lui-même aurait probablement dû tenir, fin 1960 ou début 1961, le discours sans détour de Strasbourg prononcé le 23 novembre 1962, devant un large rassemblement d'officiers, discours dont j'extrais deux phrases :

« Chacun peut s'expliquer, et moi tout le premier, que dans l'esprit et le cœur de beaucoup se soit fait jour l'espoir, voire l'illusion, qu'à force de le vouloir on puisse faire que, dans le domaine ethnique et psychologique, les choses soient ce que l'on désire et le contraire de ce qu'elles sont. »

Et, plus loin :

« L'État et la nation ont choisi leur chemin, le devoir militaire est tracé une fois pour toutes. »

On est loin du *Courrier de la colère* de décembre 1957 [1].

En 1962 l'hostilité des Français vis-à-vis de leur armée est beaucoup plus forte qu'à la fin de la guerre d'Indochine qui, elle, avait tout de même suscité quelques remords. Elle durera plus de dix ans et s'étendra largement au-delà des milieux antimilitaristes classiques avant de se réduire à nouveau à ces groupes. Mais il y faudra du temps. Certes les généraux putschistes de 1961 portent une lourde responsabilité dans la prolongation de ce climat catastrophique. Mais il s'était instauré avant leur démarche. Peu de voix se sont élevées en 1960 et 1961 afin d'expliquer aux Français ce qu'avaient été les quatorze années de guerre de décolonisation déjà vécues et de leur dire clairement que l'on ferait tout, quelle que soit l'issue de la guerre, pour que les séquelles ne soient pas celles que l'on avait connues en Indochine, que les Français vivant en Algérie seraient protégés et que les harkis ne subiraient pas le sort des catholiques du Phat Diêm. Après l'avoir dit, il eût fallu, bien sûr, le faire.

Il faudra un cinéaste de talent et de cœur, Pierre Schoendoerffer, qui dépeint, avec une grande sobriété, dans son film *la 317e Section*, ce que fut la fin de l'Indochine au niveau d'une section banale, pour que l'opinion commence, timidement, à prendre conscience de ce qu'avait vécu son armée.

L'école d'état-major terminée la direction des troupes de marine décide de m'affecter outre-mer et plus précisément à Dakar au 3e bureau de l'état-major du général commandant nos forces dans l'ex-Afrique occidentale française.

De Dakar dépendaient auparavant trois brigades : la première recouvrait le Sénégal et la Mauritanie, la deuxième la Guinée et le Soudan, enfin la troisième, (que mon père avait jadis commandée) la Côte-d'Ivoire, la Haute-Volta, le Niger, le Togo et le Dahomey. Les choses avaient évolué et évolueront durant mon séjour. La Guinée avait avec Sékou Touré choisi dès 1958 les lendemains chantants de l'afro-marxisme ; elle allait être suivie en 1960 par le Soudan qui se séparait du Sénégal et gardait seul le nom de Mali. Guinéens et Maliens

---

1. Voir ci-dessus page 103.

allaient faire l'agréable expérience de la « coopération » avec les Soviétiques. On en a peu parlé mais à cette époque on a pu observer les premiers « boat people » qui d'ailleurs allaient à pied : les Maliens et surtout les Guinéens qui cherchaient refuge et de quoi subsister au Sénégal.

Dans l'immédiat l'attitude des deux pays, Guinée et Mali, qui composaient l'ex-deuxième brigade eut pour résultat de couper en deux l'ancienne A.O.F. Seules subsistaient les zones d'outre-mer n° 1 et n° 3. La zone d'outre-mer n° 3 allait bientôt dépendre directement de Paris, le président ivoirien Houphouët-Boigny s'agaçant de constater que « son » général français dépendait de celui de Dakar. L'état-major dans lequel je servais, considérablement réduit, en remplaçait plusieurs autres, et devenait celui de la zone d'outre-mer n° 1.

Dakar est un de mes meilleurs souvenirs, en particulier à cause de mes contacts amicaux et réguliers avec les cadres des armées sénégalaise et mauritanienne. J'eus l'occasion de refaire, en avion léger d'observation, les itinéraires suivis par mon père durant ses cinq années de méhariste. Je volais aussi bien vers le nord où il avait été le premier à atteindre Bir Moghrein avant son rendez-vous avec Psichari aux confins sud du Rio de Oro que vers le sud et le centre autour de Kaédi, Boutilimit et Tidjikdja. Je poussais même au-delà de Néma.

Au cours de ces missions, à quelques dizaines de kilomètres à l'est d'Akjoujt je survolais le puits d'Agueit el-Rachba où le 6 mars 1908 fut détruit un fort parti maure mais où le capitaine Repoux commandant le poste d'Akjoujt fut tué. Mon père commandait le groupe nomade qui évoluait dans la zone et participa au combat. Lui-même fut blessé et prit le commandement après la mort de Repoux.

Une anecdote fait suite à ce combat et je crois qu'elle mérite d'être racontée car elle donne une idée de ce qu'étaient les transmissions en 1908, ainsi que la vie des hommes qui menèrent la conquête de la Mauritanie, conquête nécessaire pour protéger les Noirs riverains du Sénégal des raids des pillards et marchands d'esclaves des régions d'Atar et de Smara. Elle rend compte aussi de ce que devait être parfois l'angoisse des familles. Rentré en France en novembre 1908 mon père fut fait chevalier de la Légion d'honneur. Le père du capitaine Repoux tint à lui offrir sa croix en lui disant à peu près ceci : « Nous vous devons bien cela, d'abord parce que vous avez ramené le corps de notre fils d'Akjoujt à Saint-Louis, mais surtout parce que pendant environ deux mois nous avons espéré votre mort. » En effet la nouvelle parvenue à Saint-Louis puis en France faisait part d'un « engagement victorieux » mais où « l'un des deux officiers français avait été tué ».

Même en 1963 il y aurait eu beaucoup à dire sur les conditions dans lesquelles vivaient nos hommes dans la brousse africaine. Je pense en particulier aux médecins et gendarmes souvent isolés. Pour les anciens qui avaient encore connu l'inconfort des années 20 à 40, il y avait quelques progrès ; à leurs yeux donc les jeunes n'avaient aucune raison de se plaindre. Les anciens oubliaient que les jeunes comparaient. C'est ainsi que rentrant de mission dans le nord de la Mauritanie j'ai fait remarquer au général commandant la zone d'outre-mer n° 1, qui évoquait ses jeunes et rudes années, que, de son temps, à côté de nos postes n'existaient pas les résidences confortables des personnels de la ligne de chemin de fer Zouerate-Port-Étienne alors en construction ; inévitablement les militaires étaient enclins aux comparaisons. Il y aurait aussi quelque peu à dire des médecins africains, formés dans nos facultés, et qui laissaient, et je crois laissent toujours, à nos médecins militaires la tâche de s'occuper des populations rurales pour ouvrir des cabinets à Dakar ou Abidjan quand ce n'était pas en France.

Je tenterai plus tard, lorsque mes responsabilités me le permettront, de faire améliorer les conditions de vie des militaires de tous grades afin qu'elles évoluent comme dans le reste de la société. Mais il m'arrivera aussi parfois, même dans le Golfe en 1990-1991, d'avoir à tempérer les exigences. Commander ce n'est pas toujours faire plaisir, m'arrivera-t-il de dire, en particulier lorsque j'estimais que telle ou telle revendication n'était pas légitime.

Au total séjour à Dakar très agréable mais, fin 1963, l'échéance du retour approche. J'arrive en même temps à un stade de la carrière où il faut réfléchir à l'avenir, trente-quatre ans, six ans de grade de capitaine. Les campagnes m'ont valu des heures exaltantes, souvent difficiles, parfois amères. Dans leur envergure passée, celle de l'Indochine et de l'Algérie, elles sont terminées. Heureusement pour notre pays. Certes quelques soubresauts de la post-décolonisation commencent à se produire, au Gabon, au Congo, et l'on fait des plans pour le cas où le Mali ou la Guinée s'en prendraient au Sénégal, avec qui nous avons conclu des accords de défense. Tout cela est de dimension relativement réduite. Que faire à mon retour en France ?

Pour un officier à ce stade de la carrière deux voies s'ouvrent, s'il consent à se remettre à l'étude : l'École supérieure de guerre ou le brevet technique. A vrai dire le hasard aura encore sa part dans ma décision. A la fin de l'été 1963 deux de mes camarades parachutistes, les capitaines Ducret et Datin, me demandent de faire accélérer leurs dossiers de candidature pour le brevet technique, qui ont pris quelque retard. Je m'en acquitte, bien sûr ; en même temps je me dis que si des officiers aussi estimables et qui ont remarquablement fait campagne agissent ainsi, il ne doit pas être déshonorant de choisir la voie du brevet technique. Je déposerai donc une année plus tard la demande qui convient.

Rentré en France pendant l'été 1964 je m'attelle à une remise à jour dans les disciplines scientifiques, ce que je pensais bien, quelques années auparavant, ne jamais avoir à faire. Il me faut en effet aborder dans de bonnes conditions l'année scolaire pendant laquelle, avec environ quatre-vingts camarades de toutes les armes, je vais tenter d'obtenir le certificat de mathématiques, physique, chimie (M.P.C.), qui existe encore à l'époque.

Depuis quelque temps déjà, sous l'impulsion de l'ingénieur général Sabatier l'armée de terre a entrepris de donner chaque année une formation technique de niveau supérieur à un peu moins d'une centaine d'officiers désignés en fonction de différents critères. Après la première année de test (celle où il faut passer le certificat dit M.P.C. sinon l'expérience s'arrête), ces officiers sont orientés soit vers le diplôme technique soit vers le brevet technique qui leur donnera accès également à l'École de guerre.

La formation de ces officiers était indispensable, les polytechniciens choisissant de plus en plus rarement la carrière des armes, sauf dans le corps des ingénieurs de l'armement qui répond à un besoin différent.

Grâce à cette initiative l'armée de terre « produit » chaque année une quarantaine d'officiers brevetés techniques et autant de diplômés. Brevets et diplômes sont acquis entre trente-cinq et quarante ans. Même si l'on tient compte de ceux qui quittent la carrière des armes relativement jeunes, on peut donc affirmer, le rythme de croisière étant désormais bien établi, qu'il y a en permanence en service dans l'armée de terre sept à huit cents brevetés techniques et près de mille diplômés. Les plus doués d'entre eux sont ingénieurs des Ponts et Chaussées, de l'École supérieure d'électricité, des Télécommunications, d'autres, dont je fus, ont suivi des enseignements un peu moins prestigieux.

La dette de l'armée de terre vis-à-vis de l'ingénieur général Sabatier est immense; celle des diplômés et brevetés ne l'est pas moins. Aucun de ceux qui l'ont connu n'oubliera son intelligence supérieure, son dévouement, l'aide qu'il nous a apportée, son humour enfin.

Il m'est arrivé de sourire quelquefois, ces dernières années, en lisant dans la presse des articles consacrés à deux ou trois officiers proches du grade de général ou qui venaient d'être nommés. Lorsqu'ils étaient brevetés techniques et pouvaient ainsi faire état de titres universitaires ou d'un diplôme d'ingénieur, les journalistes croyaient voir en eux des oiseaux rares. La vérité est différente. Ces oiseaux sont loin d'être rares : grâce à la prévoyance de ses gestionnaires l'armée de terre s'est dotée d'un solide corps de techniciens de haut niveau.

Il convient d'ajouter que, chaque année, à côté des brevetés spécifiquement techniques, des officiers sont orientés vers l'étude de langues étrangères autres que l'anglais et l'allemand plus répandus, telles que le chinois, le russe, l'arabe et j'en passe; ils séjournent dans des universités étrangères et constituent ainsi le vivier de nos futurs attachés de défense.

Après quatre années d'études j'obtiens en 1968 le brevet technique. Pendant la seconde année j'avais suivi les cours de l'École supérieure de l'armement dirigée à l'époque par l'ingénieur général Naslin. J'y ai fait connaissance avec les ingénieurs de l'armement, peuplade dont j'ignorais tout auparavant; je m'y ferai des amis et m'initierai à leur approche de la conduite des programmes d'armement. Cela me sera, beaucoup plus tard, d'une très grande utilité lorsque c'est avec eux qu'il faudra définir et conduire les programmes d'équipement de nos forces. J'apprendrai aussi, auprès d'ouvriers professionnels très indulgents, à tourner et à fraiser. Pas inutile non plus.

En quatrième et dernière année j'effectue un stage en entreprise dans ce qui était encore Nord-Aviation. Affecté au département des essais de la division des engins tactiques j'assisterai à la mise au point du remarquable trio de missiles que sont le Milan, le HOT et le Roland, et à celle du Pluton.

Il a été dit parfois, bien entendu par ceux qui n'ont jamais rien compris à l'importance des armes nucléaires à courte portée dont pourtant Russes et Américains étaient déjà largement dotés, que le Pluton avait été décidé par le général de Gaulle pour que l'armée de terre ait la satisfaction de posséder, comme les deux autres armées, son propre système d'arme nucléaire. Imaginer un seul instant que le Général, dont certaines décisions furent d'une bien plus grande importance, ait pu prendre celle de produire un système d'armes, même relativement peu coûteux, uniquement pour « satisfaire » une armée est lui faire injure. Si le général de Gaulle a décidé du Pluton c'est qu'il avait, lui, parfaitement compris l'importance des systèmes sol-sol à courte portée.

A cette époque, en 1967, la mise au point des missiles antichars Milan et HOT fut retardée de quelques mois pour une cause apparemment bénigne : la résistance insuffisante du fil de guidage (rappelons qu'il s'agit de missiles auxquels les signaux nécessaires au guidage sont transmis par fil, jusqu'à l'impact). Plus tard, en 1989, j'ai souvent rappelé cet épisode aux ingénieurs chargés de la mise au point du missile antiaérien Mistral qui prenait quelque retard. Je tenais à les rassurer car personne ne se souvient plus aujourd'hui des ennuis de jeunesse du Milan et du HOT, et parce que j'ai appris là que la mise au point des missiles légers, à qui on demande des performances élevées, est souvent plus difficile que celle des gros lanceurs.

Je vivrai les événements de 1968 à Paris. Crise de société, peut-être, crise relationnelle probablement aussi dans ses origines universitaires. J'avais été frappé trois ans auparavant par le peu de contacts existant entre professeurs, assistants et étudiants dans notre Université. Toujours est-il que cette crise ne peut manquer d'avoir dans quelques années des répercussions dans les armées. Ce sera le cas au début des années 1970.

Le brevet terminé, le 3e régiment parachutiste d'infanterie de marine (3e R.P.I.Ma) m'accueille de nouveau à l'été de 1968. Il est installé à Carcassonne. Les casernements sont vétustes, les restaurations tardent. En revanche un terrain de manœuvre assez proche dans les Corbières permet une instruction de qualité.

A la fin de l'été le président du Congo Massamba-Debat a quelques difficultés intérieures. Après le renversement de l'abbé Fulbert Youlou en 1963, il avait orienté son pays vers une option socialiste. Marien Ngouabi et ses partisans considèrent en 1968 que le Congo a besoin de structures plus radicales. La France estime devoir, si nécessaire, évacuer Massamba-Debat et ses proches. Une opération combinée air-terre est prévue pour contrôler l'aérodrome de Brazzaville le temps de procéder à l'évacuation. Une compagnie du 3e R.P.I.Ma aux ordres du capitaine Bornand doit sauter sur la piste pour couvrir l'opération face à un casernement tenu par des militaires cubains, tenir l'aérodrome, et embarquer aussitôt après Massamba-Debat et ses amis. Désigné comme adjoint terre du lieutenant-colonel Flachard de l'armée de l'air commandant de l'opération, je le retrouve à Paris à l'état-major des armées pour les mises au point définitives. Pendant ce temps le capitaine Bornand et ses parachutistes volent vers Fort-Lamy où je dois les retrouver le lendemain.

L'opération Brazzaville n'aura finalement pas lieu. Son annulation me sera notifiée alors que rentré de Paris je me pose à Carcassonne dans la perspective d'aller prendre quelques heures plus tard un avion à Toulouse pour rejoindre Fort-Lamy. Je resterai donc à Carcassonne. En revanche, le capitaine Bornand et sa compagnie vont être dirigés sur Bardaï dans le nord du Tchad. Une tribu de la région, les Toubous, commence à s'agiter avec le soutien du colonel Kadhafi. Il convient de renforcer le nord du Tchad. Partie équipée pour une mission de quelques jours en zone équatoriale, la 3e compagnie du 3e R.P.I.Ma va passer quatre mois en plein Sahara. Elle s'y adaptera comme savent le faire les unités parachutistes.

Lorsque j'avais quitté le 3e R.P.I. Ma fin 1959 il était composé de personnels du contingent et de professionnels. Dix ans plus tard tous nos parachutistes du rang étaient des appelés. Ils étaient d'excellents soldats. Ils n'ont pas eu à se battre au Tibesti mais ils l'auraient fait avec autant de détermination que leurs anciens en Algérie. Le régiment avait un encadrement de qualité. L'instruction de base des personnels et l'entraînement des compagnies pouvaient donc être conduits comme le nécessite la formation d'une bonne infanterie. Avec évidemment un peu plus de difficultés, il en sera de même lorsque la durée du service passera à un an. Les jeunes appelés n'étaient alors affectés dans les unités de combat qu'après deux mois passés dans un groupement d'instruction qui avait également la responsabilité de la formation des caporaux et caporaux-chefs, des spécialistes et de la préparation des sous-officiers aux divers examens qui jalonnent leur carrière.

Ce système, toujours en vigueur avec quelques modifications, est bon. Il permet de disposer d'unités de combat dont les cadres se consacrent à la formation collective et qui peuvent être engagées sans délai dans une opération. Le 3e R.P.I.Ma était, et il est toujours, un régiment susceptible d'intervenir immédiatement en Europe et hors d'Europe. Il faut donc dans un tel contexte que les hommes rejoignant les unités de combat aient acquis une bonne formation de base. L'entraînement et l'amalgame font le reste.

Ce que je dis des formations parachutistes était d'ailleurs valable à l'époque de toutes les forces françaises et le restera jusqu'à aujourd'hui. 1968 ce n'est pas seulement l'année des échauffourées du boulevard Saint-Michel, c'est aussi, et surtout, celle de l'invasion de la Tchécoslovaquie par les forces du pacte de Varsovie. Le 20 août l'armée soviétique mettra fin au printemps de Prague et à la tentative d'Alexandre Dubcek d'instaurer le socialisme à visage humain. Le groupement des forces soviétiques stationné en Allemagne de l'Est est comme le disait le général de Gaulle à « deux étapes du tour de France cycliste [1] » de Strasbourg. Il est en mesure d'entrer en campagne en quarante-huit heures. La France a souscrit à Bruxelles et à Washington des engagements internationaux complétés à Paris par le traité de l'Élysée, qui lui font un devoir d'être prête à s'engager en quelques jours aux côtés de ses alliés. L'armée française doit donc pouvoir être portée au-delà de nos frontières en quelques jours. Ces circonstances interdisent d'affecter les jeunes appelés directement dans les unités de combat. Ce serait criminel. Les groupements d'instruction sont indispensables.

Lorsque les Soviétiques auront exécuté les dispositions négociées à Vienne et adoptées à Paris en novembre 1990, lorsque le centre de gravité de leurs forces sera reporté au-delà de la Pologne, lorsque leurs effectifs auront été diminués de telle

1. Discours de Rennes du 27 juillet 1947.

façon que 4 millions de soldats ne soient pas prêts à entrer instantanément en campagne, lorsque les contrôles réciproques de ces dispositions seront en cours d'application, alors les risques courus ne seront plus les mêmes. Ils ne le sont déjà plus tout à fait, mais il convient d'aller jusqu'au bout de l'exécution des dispositions arrêtées à Vienne.

Les forces soviétiques constitueront toujours un risque potentiel important. Cependant leurs délais d'entrée en action ne se compteront plus en jours mais en semaines voire en mois. C'est capital. Les conditions dans lesquelles sera conduite l'instruction initiale de nos personnels appelés et engagés n'auront plus à répondre aux mêmes contraintes et tous les groupements d'instruction ne seront plus nécessaires. Le resteront néanmoins ceux qui assurent la formation initiale des hommes affectés aux unités ayant vocation à intervenir hors d'Europe dans des délais qui se chiffrent parfois en heures.

A l'été de 1970 je quitterai définitivement le 3e R.P.I.Ma. Avec regret, même si c'est pour entrer à l'École de guerre. Ce n'est jamais de gaieté de cœur que je laisserai les Corbières et la montagne Noire, le parfum du thym et du romarin, les randonnées en montagne, les nuits à la belle étoile.

L'Ecole de guerre ? La guerre de 1870 avait montré aussi bien pendant la manœuvre de concentration des forces que lors de la conduite des combats et enfin dans le domaine de la logistique, que l'armée française ne disposait pas d'un corps d'officiers d'état-major à la mesure des exigences de la guerre moderne. La création et la direction d'une nouvelle école furent confiées en 1875 au général Lewal. L'Ecole supérieure de guerre était née. Le général de Gaulle jugeant de l'action des officiers issus de l'École de guerre pendant la guerre de 1914-1918 écrira : « Au total l'École de guerre dotera le commandement d'auxiliaires [les officiers d'état-major] rompus à leur tâche et favorisera chez les grands chefs cette formation supérieure sans laquelle on n'embrasse point les hautes parties de l'art. »

Cette phrase de *la France et son armée* résume les deux missions essentielles de l'École de guerre : former pour l'armée de terre les officiers destinés à servir dans les états-majors des grandes unités, division, corps d'armée, armée, région militaire ; préparer les meilleurs à l'exercice du commandement de ces grandes unités.

La Seconde Guerre mondiale ayant montré toute l'importance présentée par la coordination au combat des éléments des trois armées : terre, air, marine, les officiers admis dans les écoles de guerre de chacune de ces armées sont réunis au sein du Cours supérieur interarmées (le C.S.I.) pour se préparer à la conduite des opérations dites « combinées ».

On ne dira jamais assez de bien du C.S.I. Lorsque j'ai quitté en 1991 le poste de chef d'état-major des armées, des études étaient lancées pour développer encore le caractère interarmées de notre enseignement militaire supérieur. C'est une heureuse orientation. On a cependant le temps de mûrir cette réforme, la guerre du Golfe ayant démontré qu'après tout les officiers d'état-major français n'étaient pas les plus mal préparés à la mise au point et à la conduite d'opérations combinées. Ainsi ne faudrait-il pas que dans les écoles de chaque armée on n'ait plus suffisamment de temps à consacrer à l'étude de la combinaison des armes. Dans l'armée de terre en particulier la combinaison de la manœuvre, des feux et des actions en général, de l'infanterie, des blindés de l'artillerie, du génie et des hélicoptères, de jour et de nuit, est devenue de plus en plus délicate et requiert de bons chefs d'orchestre.

Mais en 1970, quand j'entre à l'École de guerre, il faut avant toutes choses appréhender le « concept » de défense de la France. La guerre d'Algérie est terminée depuis huit ans et peu à peu la dissuasion nucléaire anticités s'est imposée comme l'élément central de notre défense.

En 1970, toutefois, la présentation de notre concept de défense manque encore d'assise et de simplicité. Des ouvrages complets sont consacrés à la théorie de la dissuasion. Mais il manque l'argumentation permettant de l'expliquer en termes simples pour susciter l'adhésion des Français à une dissuasion nationale.

Pourtant, cette même année 1970, il faut au général de Gaulle moins d'une page de ses *Mémoires d'espoir* pour expliquer que le nucléaire a changé la nature des rapports entre les nations et que la défense des intérêts supérieurs du pays comme sa liberté d'action reposent sur des forces atomiques nationales. Rapportant une conversation de 1959 avec le président Eisenhower qui s'inquiète de la décision française de se doter d'armes atomiques, le général de Gaulle se cite lui-même : « Si la Russie vous attaque, nous sommes vos alliés, vous les nôtres.

Mais dans cette hypothèse de conflit et, au demeurant, dans toute autre, nous voulons tenir dans nos mains notre destin, lequel dépendrait surtout du fait que nous serions, ou non, victimes des engins nucléaires. Il nous faut donc avoir de quoi dissuader tout agresseur éventuel de nous frapper chez nous, ce qui exige que nous soyons en mesure de le frapper chez lui et qu'il sache que nous le ferions sans attendre aucune permission du dehors. »

Tout est dit et peu à peu chacun s'accordera sur la nécessité de forces nucléaires stratégiques et sur la complémentarité des trois éléments de la triade, le vecteur aérien, le missile sol-sol et le sous-marin.

Les choses se compliquent lorsque l'on en vient à examiner les moyens nécessaires en complément des forces nucléaires stratégiques. Faut-il des moyens nucléaires antiforces ? Quels moyens classiques sont encore nécessaires ?

Les partisans du « tout ou rien » (du tout-nucléaire s'entend) soutiennent à l'époque que la France ne doit en aucun cas s'occuper des pays qui l'entourent. L'adversaire potentiel, c'est-à-dire les Soviétiques, doit être convaincu que l'Hexagone est intouchable, l'Hexagone et lui seul. Du coup nous ne garderions que les fusées enterrées en silos sur le plateau d'Albion, les sous-marins et les avions véhiculant des armes nucléaires et quelques milliers d'hommes pour les garder et jouer les sonnettes aux frontières.

La thèse qui prévaudra est celle des tenants d'une « sanctuarisation » complétée par des capacités d'interventions extérieures en Europe et hors d'Europe. Elle suppose le développement de forces adaptées et ce sont la dimension et l'équipement de ces forces adaptées qui vont poser problème pendant les vingt années qui vont suivre et au-delà. En effet le budget de 1971 est tombé aux environs de 3,3 pour cent du produit intérieur brut marchand (le P.I.Bm), ce qui ne permet pas de faire face simultanément au développement des forces nucléaires et à la modernisation nécessaire des autres forces.

La stratégie de dissuasion-intervention fera l'objet d'un Livre blanc qui paraîtra en 1972 sous la présidence de M. Georges Pompidou. On peut y lire notamment :

« Notre volonté de consacrer une part notable de notre effort militaire à une capacité d'intervention, notre acceptation formelle d'agir, le cas échéant, dans le cadre d'une alliance sont les manifestations les plus nettes du constant état d'esprit qui anime notre défense... »

Plus loin sont définis les objectifs de notre politique de défense qui n'ont guère changé depuis. Les têtes de chapitre en sont la sécurité du territoire national et de ses habitants, la participation à la sécurité en Europe et autour de l'Europe, particulièrement en Méditerranée, la protection des territoires lointains qui, de par le monde, manifestent leur appartenance à la souveraineté française et enfin la nécessité de faire face aux engagements que nous avons pris à l'égard des États de l'Afrique francophone.

Lors de la préparation des différentes lois de programmation la présentation de ces objectifs variera dans la forme; mais l'essentiel demeurera.

Lorsque le général de Gaulle écrivit en 1966 aux autres chefs d'État membres de l'Alliance atlantique pour leur signifier sa décision de retirer la participation française des organisations militaires intégrées, il précisa d'ailleurs clairement que la France s'estimait toujours liée par les obligations du traité de Washington et que les dispositions nécessaires seraient prises pour que les forces françaises, notamment celles stationnées en Allemagne, puissent s'engager aux côtés de celles de nos alliés.

Le général de Gaulle rejetait donc toute idée de « tout ou rien » et de repli sur l'Hexagone et le seul Hexagone.

Il ne suffisait pas d'écrire que nous serions aux côtés de nos alliés. Il fallait s'en donner les moyens. Le Livre blanc les définit aussi. Il est clair qu'ils sont à examiner dans le contexte de l'époque : guerre froide se modérant parfois avec les accords passés entre les deux Grands pour limiter l'accroissement de leurs arsenaux nucléaires, ce qui ne veut pas dire réduction; mais guerre froide s'envenimant aussi chaque fois que l'U.R.S.S. poussait ses pions dans le cadre de sa stratégie indirecte. En Angola, par exemple, on assiste au débarquement de contingents cubains; ils seront en Éthiopie un peu plus tard.

S'agissant de l'Europe le Livre blanc est clair : « Partie du continent européen, elle [la France] entend participer à sa mesure à la défense de l'Europe en cas de crise localisée comme de menace globale. »

Cette participation repose essentiellement sur deux forces : la Ire armée et la force aérienne tactique, et le Livre blanc annonce que ces deux forces recevront, aux environs de 1975, de l'armement nucléaire « tactique ».

La mise en place d'unités dotées de moyens nucléaires tactiques a été et est toujours controversée. Le Livre blanc de 1972 en définit pourtant très clairement les raisons :

« L'existence de ces unités, parce qu'elles mettent en œuvre des charges nucléaires plus encore qu'en raison de leur puissance de destruction, donne à la bataille un caractère nouveau. Si notre manœuvre sur le terrain doit compter avec la dispersion que nous impose la possession de l'arme nucléaire tactique par l'adversaire, nous l'obligeons lui aussi à une manœuvre similaire qui réduit l'importance de notre infériorité numérique et nous garantit les délais dont le gouvernement a besoin. En outre la décision même de l'emploi de l'arme nucléaire tactique contre un adversaire qui ne pourrait plus être contenu autrement donne au gouvernement la possibilité de signifier à cet adversaire que, si sa pression militaire se confirmait, le recours à l'arme nucléaire stratégique serait inéluctable. On voit ainsi la place éminente que tient l'armement atomique tactique dans ce qu'on a appelé plus haut la manœuvre dissuasive du Gouvernement. »

Il n'est pas inutile de rappeler qu'à l'époque Soviétiques et Américains disposent de milliers d'armes nucléaires tactiques pouvant être mises en œuvre par avions, missiles, roquettes ou canons. Côté russe est mis en service le SCUD qui fera parler de lui dans la guerre du Golfe. Ainsi la mise en place d'armes nucléaires tactiques dans nos forces a deux buts en cas d'agression donc d'échec de la dissuasion, d'une part dissuader l'adversaire de faire usage de ses propres armes tactiques, et ceci exige un nombre d'armes suffisant ; d'autre part frapper brutalement ses forces si elles persistent dans leur agression. C'est ce que l'on nommera ultérieurement l' « ultime avertissement » et qui donne bien un caractère « préstratégique » aux armes nucléaires tactiques.

Avant la mise en place de ces armes à la fin des années 70, nos forces en cas d'engagement dépendaient de ce que les textes appelaient l' « appui atomique américain », qui s'exerçait dans le cadre de la stratégie de riposte graduée que nous estimions discutable. Ajoutons qu'à aucun moment les responsables politiques et militaires allemands n'ont contesté, bien au contraire, l'existence d'armes nucléaires tactiques dans les forces alliées, ils en avaient d'ailleurs, sous double clé, dans leurs propres forces. Ils savaient que seules ces forces compensaient la considérable supériorité soviétique en matériels conventionnels (chars, canons, avions). En revanche, lors de la mise en place des armes françaises, ils s'inquiétèrent de notre indépendance de décision d'emploi comme d'ailleurs nos autres alliés.

Dire actuellement, comme cela se fait souvent, que le Hadès, compte tenu de sa portée, ne peut tirer que sur le territoire de la R.F.A. et en prendre argument pour soutenir qu'il faut le supprimer, voilà qui est proprement absurde. Le Hadès est un système mobile comme la plupart des systèmes sol-sol soviétiques. Lorsque les Soviétiques seront tous rentrés chez eux et tant qu'ils resteront dans leurs casernes, les Hadès, quel qu'en soit le nombre, resteront dans leurs hangars. Mais si les Soviétiques, ou les Russes, changeant d'attitude, portaient à nouveau leurs forces vers les frontières occidentales de la Pologne ils le feraient certainement en y joignant les SCUD et leurs successeurs plus modernes. On serait, comme le disent les professeurs de mathématiques, ramené au problème précédent ; il y aurait alors tout intérêt à faire accompagner tout déplacement vers l'est de forces classiques par un mouvement simultané d'armes sol-sol préstratégiques.

Lorsque les Soviétiques auront ramené leurs stocks de lanceurs sol-sol mobiles tactiques à un niveau comparable au nôtre, la question se posera en termes différents, le problème aujourd'hui est d'abord de savoir où sont les armes tactiques soviétiques, et qui les contrôle ! C'est un problème qui devrait agiter beaucoup plus les milieux spécialisés que nos quelques Pluton et Hadès.

Les réflexions stratégiques et les études tactiques n'étaient pas seules à occuper les jeunes officiers supérieurs stagiaires des Ecoles de guerre. La réduction exagérée et trop rapide des budgets de la Défense entre 1962 et 1970 avait des conséquences graves sur l'état d'esprit des personnels. Certes la déflation des effectifs dégageait des ressources, investies pour l'essentiel, et c'était normal, dans la constitution des forces stratégiques. Mais la part du budget que les techniciens appellent le titre III et qui est consacrée principalement à la rémunération et à l'entraînement des personnels diminuait trop vite, et simultanément celle consacrée à la modernisation des forces classiques dans le titre V, qui concerne, lui, l'équipement, était trop faible. Alors que la France entrait dans la deuxième décennie des « trente glorieuses », les personnels constataient que leurs matériels supportaient de moins en moins bien la comparaison avec ceux de nos alliés mais surtout avec ceux de notre adversaire potentiel, et que les moyens nécessaires à l'instruction, l'entraînement et la vie de tous les jours des forces étaient insuffisants. Ajoutons à cela que la situation matérielle des cadres d'active se dégradait sans discontinuer.

Dans une France où il y avait moins de cinq cent mille chômeurs, cela se traduisait par la chute qualitative et quantitative des candidatures pour les écoles militaires, le départ de beaucoup de cadres de qualité vers le secteur civil, le niveau très bas des candidats à l'engagement dans les formations professionnelles. Ne parlons pas des appelés ; recevant un prêt insuffisant, logés pour la plupart dans de mauvaises conditions, constatant la pauvreté des moyens d'instruction, ils ne pouvaient avoir un moral élevé. Dire qu'il y avait menace de crise n'était pas exagéré et la presse s'en faisait largement l'écho.

Il était tout à fait naturel que les officiers des trois armées qui se côtoyaient à l'École militaire débattent de ces problèmes et s'en ouvrent de façon très directe, parfois sans grands ménagements, aux autorités civiles et militaires qui fréquemment venaient participer à l'enseignement aux Ecoles de guerre et au Cours supérieur interarmées. Avons-nous à l'époque ainsi aidé le général Maurin, chef d'état-major des armées, dans la lutte qu'il menait pour l'amélioration de la condition militaire ? Je pense que oui.

Le gouvernement prit conscience de l'urgence qu'il y avait à régler le problème. M. Michel Debré, ministre des Armées, au cours d'une conférence au C.S.I. fut très net : « Le pouvoir se doit de répondre aux préoccupations de la fonction militaire sans que cette fonction militaire ait à se manifester. »

Il faut bien dire que la presse ne l'avait pas ménagé. Ainsi Laurent Amyot dans *l'Express* du 8 novembre 1971 écrivait : « En termes de bridge, cela s'appelle une impasse. Ni les chiffres, ni la conviction, ni parfois l'humour de M. Michel Debré, ministre d'État chargé de la Défense nationale, présentant son budget, mardi, devant le Parlement, n'ont pu masquer la réalité : la France ne se donne pas les moyens de la politique de défense qu'elle a choisie. »

Il faudra malheureusement du temps pour que soient prises les décisions qui permettront de redresser la situation tant dans le domaine de la condition des militaires appelés et professionnels que dans celui des équipements. Au total les manifestations de Kaiserslautern et de Draguignan auront plus d'impact que les centaines de rapports sur le moral faits à l'époque. Ceux-ci n'étaient absolument pas édulcorés, bien au contraire, quoi qu'on en ait dit, par les chefs d'état-major. J'ai eu l'occasion de les lire des années plus tard et je peux en témoigner.

La crise conduira en 1975 à la nomination du général Bigeard au poste de secrétaire d'État à la Défense aux côtés du ministre M. Yvon Bourges, à une réforme des statuts des militaires de carrière et, car il y faut les moyens, à une amélioration continue des budgets de la Défense jusqu'en 1983, année où la part du P.I.Bm consacrée à la défense dépassera 3,8 pour cent. Notons au passage pour les lecteurs peu habitués à jongler avec le produit intérieur brut marchand qu'un dixième de point ou 0,1 pour cent de ce P.I.Bm, représente en francs 1991 un peu moins de 6 milliards.

Pour ma part, sorti de l'École supérieure de guerre à la fin de 1972, j'avais été affecté dans nos départements d'Amérique comme chef d'état-major du général commandant supérieur. Entouré d'une équipe réduite mais de qualité, je passerai à Fort-de-France trente mois non seulement professionnellement passionnants mais aussi fort agréables. J'apprécierai l'accueil chaleureux des Antillais, la beauté des paysages, des côtes et des fonds marins. Les problèmes qui se posent dans ces trois départements sont connus. Surpopulation aux Antilles dont une bonne part se déplace vers la métropole, mais que remplace une immigration clandestine venant des îles voisines indépendantes, au très bas niveau de vie. En Guyane, difficultés de mise en valeur d'autant que le centre de lancement de Kourou est en 1974 au creux de la vague et accueille volontiers le 3e régiment étranger d'infanterie que la politique marxiste du nouveau gouvernement malgache amène à transférer de Diego-Suarez vers la Guyane. Tout aura bien changé quinze ans plus tard lorsque mes inspections me conduiront à nouveau dans ce département. Lui aussi doit désormais faire face à une immigration clandestine provenant d'Amérique du Sud et des Caraïbes. S'y ajoute la nécessité d'héberger des réfugiés politiques du Surinam. Au total la population de Guyane aura doublé en quinze ans, dans la mesure où l'on peut l'évaluer de façon fiable.

Revenu de Fort-de-France à l'été de 1975, je reçois le

commandement du 8ᵉ régiment parachutiste d'infanterie de marine, le 8ᵉ R.P.I.Ma, stationné à Castres.

Le commandement du 8ᵉ R.P.I.Ma m'est passé par le colonel Dominique, un camarade de toujours qui en Algérie a démontré son talent et son courage à la tête du commando Guillaume. Le général Caillaud commande la brigade dont fait partie le régiment. C'est un légionnaire qui s'est illustré sur tous les champs de bataille. Je l'ai connu sur les pistes de la captivité. J'ai plaisir à me trouver sous ses ordres.

Pendant les deux années que je passerai à la tête du régiment la France n'aura pas de crise grave à gérer. Nous ne fûmes pourtant pas loin d'être engagés, dans le nord du Tchad, lors de la prise en otage de Mme Claustre et de l'assassinat du chef de bataillon Galopin. L'opération était prête. Le 8ᵉ R.P.I.Ma et le 2ᵉ régiment étranger parachutistes que commandait mon ami Brette en constituaient les éléments terrestres essentiels. La perspective de cet engagement nous captivait mes capitaines et moi. Cependant, étudiant les cartes du Tibesti, je me demandais bien comment nous allions récupérer la prisonnière et surtout la récupérer vivante. Avec le recul du temps je me dis qu'il fut alors sage de chercher une autre voie pour libérer Mme Claustre même si je regrette encore de n'avoir pas participé comme chef de corps à une opération d'une certaine envergure.

Le 8ᵉ R.P.I.Ma est un régiment dont la professionnalisation a été décidée en 1970.

En effet au début des années 70 des indices de crise ont surgi dans divers pays avec lesquels nous avons des accords de défense ou de coopération. Il s'agissait à l'époque de nouveau du Tchad et quelque temps après de la Mauritanie. Le gouvernement a estimé alors devoir créer des unités professionnelles afin d'éviter les problèmes que pose toujours l'envoi hors d'Europe de personnels du contingent.

Les premiers régiments mis sur pied seront le 3ᵉ régiment d'infanterie de marine de Vannes et le 8ᵉ R.P.I.Ma. La professionnalisation du 8ᵉ R.P.I.Ma commencée cinq ans plus tôt, n'est pas achevée en 1975, il manque encore une centaine d'engagés, et lorsque deux ans après je transmettrai le commandement au colonel Cann, le plein des effectifs sera à peine obtenu. Cela mérite quelques commentaires car le débat concernant la réalisation des effectifs de nos armées se fait de plus en plus vif entre les tenants d'une armée entièrement professionnalisée et ceux qui défendent l'idée d'une armée associant personnels engagés et appelés comme le fait actuellement la nôtre (une armée fondée exclusivement sur le contingent serait, de toute évidence, une solution d'une inefficacité totale).

Résumons la situation en 1975 : on l'a déjà dit la France compte environ cinq cent mille chômeurs, les engagés volontaires sont mal payés et l'on commence seulement à entreprendre les travaux nécessaires pour leur assurer un logement décent et à se préoccuper de celui de leurs familles. Enfin et surtout les « aventures » outre-mer, motivation essentielle des jeunes gens qui s'engagent, sont alors rares ; un engagé du 8e R.P.I.Ma a, en 1975, au maximum la possibilité de faire un séjour de quatre mois hors d'Europe durant un contrat de trois ans. Quantitativement, mais aussi qualitativement, le recrutement est à la mesure de ce que l'on offre aux candidats dans le contexte du moment.

A la veille de quitter le commandement du 8e R.P.I.Ma à l'été de 1977 je participerai à un colloque sur la condition militaire où l'on me demandera de présenter le régiment. J'extrais quelques phrases de mon exposé :

« Au total qui s'engage ? Vous vous en doutez, ce n'est pas le jeune bourgeois du XVIe arrondissement, mais cela ne date pas d'aujourd'hui et le chevalier de Guibert critiquait déjà au XVIIIe siècle " une bourgeoisie regardant l'état de soldat comme un opprobre ". Nous n'en sommes plus au temps où un intendant contemporain du même Guibert osait dire : " Il y aurait de la cruauté à soumettre à la milice ceux qu'un peu d'aisance et une instruction relevée, un état honnête, ont tiré de la classe des hommes qui fournit constamment le soldat. " Reconnaissons néanmoins qu'il faut une solide motivation pour s'engager en 1977 car ce n'est pas dévoiler un secret de dire que celui qui " se débrouille " arrive à subsister actuellement avec des subsides de l'État supérieurs à ce que gagne un première classe parachutiste ayant plus d'un an de service. »

Je terminerai cependant et avec la plus grande sincérité en disant :

« Demain je quitterai le commandement du 8e R.P.I.Ma. Je peux vous dire, et c'est je crois le fond du problème, que s'il m'avait fallu, durant ces deux années, conduire au feu mes parachutistes, j'aurais eu en mes hommes la même confiance que le capitaine Tourret commandant le 8e à Diên Biên Phu, bataille où le régiment aura laissé plus de deux cents tués en se battant jusqu'au bout. »

Pourquoi cette conviction ? Parce qu'une fois encore l'encadrement fait preuve d'une compétence et d'un dévouement exceptionnels.

Lorsque je prendrai quatre années plus tard, en 1981, le commandement de la 11e division parachutiste la situation aura considérablement évolué. La crise ayant fait subir ses effets, le nombre des chômeurs a augmenté, le recrutement est meilleur car une véritable sélection est devenue possible, les conditions générales de vie des engagés se sont améliorées et, surtout, les crises se développant, les départs hors d'Europe se font plus fréquents. Le 3e R.P.I.Ma également professionnalisé puis le 8e R.P.I.Ma se succéderont dans le sud du Liban alors que le 2e régiment étranger de parachutistes se couvrira de gloire à Kolwezi.

Cette situation perdurera tout au long de la décennie 80 et pour les mêmes raisons. On constatait cependant un essoufflement dans les dernières années malgré les opérations du Golfe. En fait, il n'est pas possible d'augmenter sensiblement le nombre des professionnels recrutés chaque année en maintenant les conditions qui leur sont actuellement offertes. L'armée britannique rémunère ses soldats du rang beaucoup mieux que nous et malgré cela elle était, en 1990, en sous-effectif faute de candidatures valables. Il est vrai que les perspectives d'y servir hors d'Europe étaient rares avant la guerre du Golfe.

Il est à mon avis tout à fait clair que la mise sur pied d'une armée composée entièrement de professionnels, même avec des effectifs moins élevés, exige une augmentation sensible des rémunérations. Il faudrait les porter à peu près au niveau de celles des gendarmes.

La motivation des candidats est également favorisée par la possibilité de servir fréquemment hors d'Europe, fréquence qui diminuerait évidemment si le nombre d'engagés augmentait tandis que le nombre et l'intensité des crises se réduirait.

On aura compris que je ne suis pas partisan, et je l'ai souvent écrit dans le passé, d'une armée entièrement professionnalisée dont les conditions de constitution reposent largement sur un taux de chômage élevé dans le pays et des crises répétées à l'extérieur.

En revanche, dans le système mixte qui régit actuellement la mise sur pied de nos armées, il est nécessaire d'augmenter assez sensiblement, surtout dans les unités logistiques, le nombre des personnels disponibles pour une intervention immédiate hors d'Europe. J'y reviendrai dans les enseignements de la guerre du Golfe. On peut y parvenir de deux façons dont la combinaison me paraît souhaitable : en augmentant le nombre des engagés et en instaurant un service long chez les appelés, qui, en échange de certains avantages financiers, leur imposerait d'être disponibles pour intervenir instantanément « urbi et orbi ». J'entends par là en Europe et hors d'Europe.

Enfin quatre autres raisons me paraissent essentielles pour conserver le système actuel.

La première est d'ordre moral et bien connue, l'égalité devant les risques que peut exiger la défense de la Patrie. On entend souvent dire qu'un Français sur trois ne fait pas de service militaire. On oublie d'ajouter que même en 1915, parce que inapte physiquement, un Français sur six n'en faisait pas non plus. Il y a donc actuellement un Français valide sur six qui échappe au service, non pas sur de prétendues recommandations mais parce que pour s'adapter aux besoins on a durci les normes physiques. La diminution, regrettable, des classes d'âge et le passage au service à dix mois devraient malgré la réduction des effectifs faire décroître le pourcentage d'exemptés. Le favoritisme se fait beaucoup plus sentir au niveau des affectations, la forme la plus élaborée en étant le service national en entreprise à l'étranger qui permet à nombre d'élèves sortant des grandes écoles d'échapper au service militaire. La constitution d'une armée de professionnels reviendrait, comme avant la guerre de 1870, à confier aux moins favorisés la défense de ceux qui le sont beaucoup plus. Ce serait un retour déguisé aux dispositions de la loi de 1855 qui officialisa l'exonération à prix d'argent. Si toutefois la professionnalisation était décidée, il faudrait alors que l'armée devienne un véritable creuset de promotion sociale comme c'est le cas aux États-Unis. Mais cela coûte très cher, les Américains le savent.

A noter que malgré les efforts faits pour cette promotion sociale, plusieurs journaux américains, pendant la crise du Golfe, ont fait remarquer que le taux de Noirs était dans l'armée de terre des États-Unis exactement le double de ce qu'il était dans le pays...

La seconde raison pour conserver le système actuel est liée aux évolutions de la situation en Europe. Je l'ai écrit plus haut, face aux risques essentiels on devrait disposer dans l'avenir de signaux d'alerte et donc de délais pour la montée en puissance des forces plus importants qu'actuellement, se comptant en semaines voire en mois et non plus en jours. Il ne sera plus nécessaire que la totalité de nos forces puisse intervenir en quelques jours. Le complément par la mobilisation pourra être envisagé avec plus de réalisme qu'aujourd'hui. Encore faut-il pour cela disposer d'une ressource que seul le service militaire peut fournir.

Il faut bien en parler aussi, l'armée professionnelle est beaucoup plus coûteuse, en coûts directs mais aussi indirects car il faut se préoccuper des familles des engagés et du reclassement de ceux-ci ; on ne doit pas non plus sous-estimer les répercussions sur les pensions.

Enfin malgré les critiques portées contre l'exécution du service, souvent par des personnes qui l'ont fait il y a longtemps et rarement dans des unités combattantes (les anciens plantons de ministère, placés grâce à des relations familiales, sont souvent les plus sévères), mais aussi, et c'est un comble, par d'autres qui ne l'ont pas fait, malgré ces critiques le service militaire reste encore la meilleure structure de brassage des Français, d'intégration des enfants d'immigrés et surtout de développement de l'esprit de défense.

Le temps de commandement des chefs de corps – deux ans – est court, trop court pour ceux qui l'effectuent. Le passer à trois ans comme le préconisent certains voudrait aussi dire que le tiers des officiers supérieurs qui ont la chance de commander ne le pourrait pas. Il faut y réfléchir quand on propose, un peu vite, cette réforme. Toujours est-il qu'en 1977, après deux années à la tête du 8e R.P.I.Ma et dans cette merveilleuse garnison de Castres, un peu à l'écart, ce qui en accroît le charme, je passe le commandement au colonel Cann et je rejoins à Paris le Centre des hautes études militaires, le C.H.E.M., et l'Institut des hautes études de défense nationale (l'I.H.E.D.N.).

Ces deux institutions sont alors dirigées par le général Marty qui sait communiquer aux uns et aux autres son élévation de pensée, et les faire profiter de sa maîtrise des problèmes stratégiques sans pour autant s'éloigner du concret lorsqu'il s'agit d'études opérationnelles ou de réflexions sur la constitution et l'équipement des forces dans l'avenir.

Alors que commence cette année « scolaire » 1977-1978, les rapports entre l'Armée et la Nation se sont progressivement améliorés. Commençant à prendre conscience du développement continu des forces armées soviétiques et de celles des autres pays du pacte de Varsovie, nos concitoyens se prennent à regarder la défense d'un œil plus favorable. A quelques très rares exceptions près, c'est le cas de nos camarades civils de l'I.H.E.D.N. Dans l'Université elle-même, grâce à l'impulsion donnée par plusieurs universitaires, les professeurs Dabezies, Martel, Pedroncini et bien d'autres, s'ouvrent des enseignements de défense sanctionnés par des diplômes d'études approfondies. Même si l'inflation va en grignoter une part tous les ans, la loi de programmation permet de lancer les programmes dont certains, dix ans plus tard, constitueront l'armature de nos forces dans le Golfe : systèmes de transmission Syracuse et Rita, amélioration du char AMX 30 pour en faire un AMX 30 B2, char léger AMX 10 RC, système antiaérien Roland et canon de 155 à grande cadence de tir, Mirage 2000, etc. Simultanément le développement de nos forces nucléaires est poursuivi. Dans l'armée de terre la réforme bien préparée et pertinente du général Lagarde se met en place. Celle de l'administration des corps de troupe donne dans le même temp plus de responsabilité et plus de moyens aux chefs de corps. Seule la logistique, et c'est une insuffisance de taille, ne bénéficie pas de l'effort nécessaire, en particulier dans le domaine des stocks de rechanges et de munitions. On espère alors que la loi suivante permettra de remédier à ces faiblesses qui enlèvent sa cohérence à l'ensemble du système. La démonstration est faite qu'il faut plus de dix ans pour sortir des impasses.

Ce redressement amorcé en 1976 était-il nécessaire et urgent ? Une fois encore, pour en apprécier la nécessité, il faut se placer dans les circonstances de l'époque. Brejnev est au pouvoir en U.R.S.S., les conversations SALT qui visent, répétons-le, la limitation de l'accroissement et non la réduction des armes nucléaires stratégiques piétinent. Le développement des missiles soviétiques mobiles sol-sol dits « SS 20 » débute et les spécialistes alertent les gouvernements sur l'importance de cette nouvelle menace. Mais l'augmentation du potentiel militaire soviétique ne se limite pas au nucléaire. Les matériels classiques sont en constante croissance numérique et en modernisation continue, le char T 72 va entrer en service, le chasseur bombardier Mig 29 est en développement. La marine soviétique est de son côté de plus en plus présente sur tous les océans. Enfin l'U.R.S.S. lance fréquemment des satellites de communications, d'observation et d'écoute.

L'Union soviétique ne se limite d'ailleurs pas à développer des forces très largement supérieures à ce qui lui serait strictement nécessaire pour sa défense. Elle mène une active politique de soutien aux pays qui évoluent dans son orbite : Viêt-nam, Cuba, Angola, Éthiopie, Irak, Syrie, pour n'en citer que quelques-uns.

Les thèmes d'études ne manquent pas, par conséquent, à l'I.H.E.D.N. comme au C.H.E.M. Nos amis civils ne sont pas quotidiennement confrontés comme le sont les diplomates et les militaires avec les sujets concernant la politique étrangère et la défense de notre pays. Ils en prennent conscience. Ainsi ne soulignera-t-on jamais assez le rôle positif de l'I.H.E.D.N., créé par l'amiral Castex, et qui vient de fêter son cinquantenaire, pour le maintien de l'esprit de défense en France et même l'émergence d'une pensée européenne en matière de défense.

A l'issue de cette année parisienne, le général Lagarde m'affecte à l'état-major de la Ire armée à Strasbourg comme chef d'état-major. Je dois en effet être nommé général début 1979. Même si le commandement d'une brigade parachutiste m'attirait beaucoup, je remercie encore aujourd'hui le général Lagarde de cette affectation. D'autant que, tenant parole, il me fera confier en 1981 le commandement de la 11e division parachutiste. Je me souviendrai de cette décision et m'en inspirerai fréquemment lors d'affectations que j'aurai à décider plus tard.

Pour la première fois de sa vie, l'Alsacien que je suis se trouve habiter Strasbourg. J'y passerai trois années. Je servirai trois commandants successifs de la Ire armée, le général Biard qui m'accueille, le général Vanbremeersch, qui au bout d'un an sera promu chef d'état-major des armées, et enfin le général de Barry que je quitterai en 1981 pour rejoindre la 11e D.P. à Toulouse.

L'état-major de la Ire armée travaille dans le concret. A l'École de guerre dix ans auparavant on débattait des concepts. A Strasbourg on applique. On applique les dispositions qui s'inscrivent dans l'esprit du mémorandum de 1966 et de l'instruction Ailleret-Lemnitzer qui a été signée un an après.

Le premier de ces deux très importants documents est à l'origine du second. En mars 1966, le général de Gaulle, président de la République, a écrit aux autres chefs de gouvernement de l'Alliance atlantique pour leur annoncer le retrait des participations françaises aux organisations militaires intégrées de l'Alliance. Il tient cependant à préciser dans le mémorandum qu'il leur adresse :

« Il y aura lieu d'examiner les liaisons qui seraient à établir entre le commandement français et les commandements O.T.A.N., ainsi que de déterminer les conditions dans lesquelles les forces françaises, notamment en Allemagne, participeraient en temps de guerre, si l'article 5 du traité de Washington était appelé à jouer, à des actions militaires communes, tant en ce qui concerne le commandement qu'en ce qui concerne les opérations proprement dites. »

L'instruction établie conjointement par le général Ailleret, chef d'état-major des armées françaises, et le général américain Lemnitzer, commandant en chef des forces de l'Alliance en Europe, définit les modalités d'exécution des dispositions prises conformément aux mémorandum de 1966.

Par la suite, en 1974, le général français Valentin commandant la I^e^ armée et le général allemand Ferber qui commandait le théâtre Centre-Europe ont établi un accord allant plus dans le détail afin de lancer les études concernant les procédures à suivre et les éventuels plans d'engagement de nos forces aux côtés de nos alliés en cas d'agression soviétique. Ces études débouchent à la fin des années 70 sur des documents concrets, en particulier l'accord de portée générale Biard-Schulze qui fixe les procédures dans de multiples domaines : appui aérien, alerte chimique, transmissions... il y a plus de vingt rubriques. De même que les schémas d'engagement, ils sont régulièrement mis à jour pour tenir compte des exercices joués en commun, en particulier de ceux qui mettent en œuvre les quartiers généraux et les transmissions.

L'état-major de la Ire armée est souvent visité. Les commissions de la Défense de l'Assemblée nationale et du Sénat y sont fréquemment reçues. La disproportion des forces classiques entre celles de l'Alliance atlantique et celles du pacte de Varsovie est à chaque fois mise en évidence. Le rapport des forces est en effet globalement de l'ordre de un à trois, de un à cinq pour les chars et l'artillerie. Pour l'Alliance, seules les forces nucléaires tactiques permettent de rétablir l'équilibre et donc de maintenir au niveau du théâtre une dissuasion crédible. Les responsables alliés savent qu'au bout de quelques jours, en cas d'attaque soviétique, le passage au nucléaire serait inévitable.

Il faut se replacer dans le contexte de la fin des années 70 et du début des années 80 pour comprendre les préoccupations des états-majors qui observent, comme c'est leur rôle, l'évolution du potentiel militaire mais aussi les manifestations de l'impérialisme soviétique. Cent mille soldats de l'Armée rouge se battent en Afghanistan. Plus près de nous en Europe, en 1981, le général Jaruzelski brise les mouvements revendicatifs après avoir pris le pouvoir, très probablement, l'histoire le confirmera, pour éviter une intervention des chars russes sur le modèle de celle qui mit fin au printemps de Prague.

Les trois années passées à l'état-major de la Ire armée m'auront fait mieux connaître notre corps de bataille et surtout elles m'auront permis d'établir des relations avec les officiers des états-majors alliés. Elles m'ont donné l'occasion de parcourir l'ensemble de la zone qui, de la mer du Nord aux frontières suisse et autrichienne, constituent le théâtre Centre-Europe. Dans les dix années qui suivront l'expérience ainsi acquise me sera extrêmement précieuse.

A l'été de 1981 je reçois le commandement de la 11e division parachutiste. Je retrouve les parachutistes, cette fois à leur tête.

C'est, on s'en doute, avec fierté et satisfaction que je visite tous les régiments de la division et aussi les installations et formations territoriales de la région Midi-Pyrénées sur lesquelles j'exerce également mon autorité comme l'a voulu la réforme du général Lagarde.

Je suis à peine installé dans mon bureau de Toulouse qu'éclate l'affaire de Foix : un vol d'armes individuelles perpétré dans un centre mobilisateur de l'Ariège. La presse s'en empare. Selon son orientation elle y voit la préparation de manœuvres tortueuses fomentéees tantôt par l'extrême droite, et tantôt par l'extrême gauche. Le fait que les armes volées soient inutilisables (comme sur toutes les armes stockées, il manque une pièce essentielle détenue à part) ne semble rassurer personne. Les auteurs seront arrêtés quelques semaines après. Il s'agissait d'une action commise par des malfrats locaux qui bénéficiaient de la complicité d'un ancien soldat du centre mobilisateur. Les armes seront retrouvées. Les auteurs avoueront qu'ils n'ont pu les négocier parce que précisément elles étaient incomplètes.

Cette affaire me vaut la première inspection du nouveau ministre de la Défense, M. Charles Hernu, que je rencontre ainsi pour la première fois et assez longuement. Il fait rapidement le tour de la question qui l'amène et m'entretient de ses projets concernant la création d'une force d'action rapide et d'un détachement féminin de parachutistes.

Je reverrai souvent M. Hernu à Toulouse et bien entendu à Paris. J'estime que les Armées et la France lui doivent beaucoup. C'est à Vienne en 1990, lors du séminaire des chefs d'état-major qui s'inscrit dans le cadre des mesures de sécurité et de coopération s'établissant entre l'Ouest et l'Est de l'Europe, que j'apprendrai sa mort. J'en serai très affecté.

Charles Hernu est de ceux qui auront convaincu la gauche française que la défense était nécessaire, et qu'il fallait la centrer autour des forces nucléaires, mais aussi que l'armée française était profondément républicaine, attachée à la défense de la patrie et refusait toute récupération de politique intérieure. Investi ensuite de responsabilités gouvernementales, il dénoncera constamment le surarmement soviétique et saura conserver un service militaire de douze mois, indispensable dès lors que les forces du pacte de Varsovie pourraient en quatre jours monter en puissance et franchir le rideau de fer. Enfin il maintiendra la discipline dans l'armée, limitant les innovations au développement des commissions consultatives dont beaucoup d'ailleurs existaient déjà.

Comme les autres, les parachutistes ont parfois besoin d'être secoués. Non pas pour les rendre plus dynamiques mais pour les obliger à tourner leurs yeux vers l'Est et pas seulement vers le Sud. Certes c'est dans le Sud que tel ou tel agité peut poser des problèmes immédiats mais au début des années 80 c'est à l'Est que se situe la menace principale. Qu'on le veuille ou non c'est bien un déferlement de chars au travers de la grande plaine de l'Europe du Nord qui pourrait mettre en cause nos intérêts vitaux. C'est une conviction qu'il faut faire passer dans les esprits et je m'y emploie. A la 11e division parachutiste seront donc montés non seulement les manœuvres interarmées visant la préparation d'éventuelles actions outre-mer mais aussi des exercices où la division sera engagée en avant de la Ire armée, en vue de gagner du temps et du terrain pour permettre à celle-ci d'aborder l'adversaire dans de bonnes conditions.

L'hiver 1981-1982 se passe dans le calme. Les régiments de

la division alternent pour fournir le détachement français qui depuis 1978 contribue avec d'autres pays à constituer la Force internationale des Nations unies au Liban baptisée la F.I.N.U.L. Cette force est toujours présente sur place au moment où j'écris. Au fil des ans, du fait de l'une ou de l'autre partie, par balle ou par mine, des soldats de la force trouvent la mort. On peut légitimement se demander pourquoi. En effet, dans un premier temps, la F.I.N.U.L. a été parfaitement inapte à empêcher les forces palestiniennes de s'implanter dans la zone qu'elle avait, en principe, mission de contrôler pour en assurer la neutralité. Elle a été ensuite incapable, en 1982, d'empêcher les Israéliens de traverser son dispositif pour parvenir aux portes de Beyrouth. En revanche, pour m'être rendu sur place à plusieurs reprises, j'ai tout de même pu constater que dans les zones de stationnnement de la F.I.N.U.L. les malheureux civils libanais trouvaient un calme relatif alors que dans le reste du pays militaires et milices s'affrontaient sans arrêt. Dans ce domaine la F.I.N.U.L. a un rôle positif.

Au total la F.I.N.U.L. dure. On finit par l'oublier. On en reparle seulement quand un incident conduit à la mort l'un de ses membres. Peut être dure-t-elle, au fond, parce que certains pays, habitués à mettre leurs forces au service des Nations unies pour jouer un rôle d'interposition (à condition de ne pas avoir de risque important à courir), trouvent là un moyen commode de pourvoir à l'entretien de celles-ci. En tous les cas la F.I.N.U.L. n'a jamais pu ou voulu remplir sa mission initiale : imposer et contrôler une zone neutre et donc vide de combattants des deux parties le long de la frontière séparant le Liban d'Israël.

En 1982 le développement d'importantes enclaves de forces palestiniennes dans la zone dite neutre donne prétexte à Israël pour intervenir. Des blindés israéliens arrivent aux portes de Beyrouth. Avec l'accord des belligérants le gouvernement français décide l'envoi à Beyrouth d'un groupement de la 11ᵉ division parachutiste aux ordres du général Granger. L'évacuation des forces palestiniennes de Beyrouth se déroule dans l'ordre. Alors que nos bâtiments rentrent vers Toulon se produisent des exactions dans les camps de Sabra et de Chatila. Nos forces font demi-tour. Elles constitueront le premier contingent mis en place dans le cadre de la force multinationale de sécurité à Beyrouth (la F.M.S.B.). Pendant le séjour de cette force un groupe naval français croisera en permanence au large du Liban.

D'abord bien accueillie cette force multinationale s'attirera peu à peu l'hostilité des diverses factions qui ont chacune leur zone d'influence au Liban et leurs antennes à Beyrouth. Progressivement la situation se dégrade et notre contingent est, comme celui des Américains, l'objet de plusieurs attentats dont l'un très meurtrier, celui du Drakkar. En mars 1984 nos forces sont retirées. J'aurai à cette date changé de fonction mais je me réjouirai de ce retrait. Sans moyens d'action suffisants pour s'imposer aux belligérants de tous bords et aux armées des États limitrophes qui les soutiennent, les soldats de la F.M.S.B. sont devenus des cibles faciles, ils sont contraints à vivre retranchés dans leurs installations. Leur présence est donc désormais sans objet.

Au moment où un peu partout dans le monde, et notamment en Europe, des frontières sont mises en cause et des minorités menacées, les expériences vécues au Liban doivent être méditées.

Ou bien les factions en présence cherchent en quelque sorte une garantie ou une caution internationale pour cesser de s'étriper, et quelques observateurs suffisent. Ce fut le cas en Namibie. Ou bien s'impose le devoir d'ingérence pour protéger des populations civiles et faire respecter le droit. Il faut alors engager des forces à la mesure des risques, ne pas mettre en œuvre trop tard des moyens trop faibles, donner enfin aux militaires une mission claire avant de les mettre en place.

Le commandement d'une division ne se prolongeant pas au-delà de deux ans, je m'inquiète début 1983 de mon prochain point de chute. Le général Delaunay, chef d'état-major de l'armée de terre, m'écrit pour m'indiquer qu'il souhaite que je sois nommé major général de l'armée de terre aux côtés de son remplaçant prévu, le général Imbot.

La démission du général Delaunay accélère un peu le déroulement des événements. Les derniers jours d'avril 1983 j'irai dire au revoir à mes parachutistes et le lundi 2 mai j'emménagerai boulevard Saint-Germain, dans le couloir dit des généraux. Je ne le quitterai plus. Le chef d'état-major des armées et le chef d'état-major de l'armée de terre y ont, en effet, leurs bureaux comme leurs collaborateurs directs. J'ai appris par la suite que ce couloir avait été baptisé par quelques facétieux « couloir des Janissaires ». Certes il s'agissait de troupes d'élite du Sultan. Était-ce parce que, comme eux, on complotait dans le couloir contre les occupants des bureaux ? Je n'ai jamais pu avoir d'explication.

VI

1983-1990
LE COULOIR DES JANISSAIRES

« Il n'est pas de plus grande victoire que d'obtenir les fruits de la guerre sans faire la guerre. »

SUN TSU.

Au mois de juillet 1985 je passe quelques jours de permission à Marseille. Au Tchad l'opération « Manta » est terminée et la France n'a laissé sur place que quelques dizaines de coopérants.

Comme à l'habitude, je fais l'emplette des journaux du matin et je vois en première page la photographie d'un couple. Ils seraient suisses mais les autorités de Nouvelle-Zélande pensent qu'ils pourraient avoir quelque responsabilité dans la pose d'une mine sous la coque d'un bateau dénommé *Rainbow-Warrior*. Le navire a été coulé et un photographe portugais a trouvé la mort.

Le visage du jeune homme qui figure sur la photographie ne m'est pas inconnu. J'ai eu, en effet, deux fois le chef de bataillon Mafart sous mes ordres. Au 3e régiment parachutiste d'infanterie de marine comme sous-officier et au 8e où il est arrivé comme lieutenant quelques années plus tard, sorti d'ailleurs dans les tout premiers de l'École militaire interarmes.

Je comprends immédiatement que cette affaire va avoir des développements. Ils ne toucheront évidemment pas directement l'armée de terre dont le rôle se limite à fournir des personnels à la Direction générale de la sécurité extérieure (la D.G.S.E.). En revanche ils vont nous concerner, le général Imbot et moi-même, puisqu'il sera nommé le 25 septembre 1985 à la tête de la D.G.S.E. et qu'à la même date je lui succéderai à la tête de l'armée de terre après avoir été pendant deux années et demie son collaborateur direct comme major général.

Sans entrer dans les détails des attributions [1] des uns et des

---

1. Les lecteurs pourront lire, en annexe, le décret du 8 février 1982 qui fixe les attributions du chef d'état-major des armées, des chefs d'état-major de l'armée de terre, de la marine et de l'armée de l'air, du comité des chefs d'état-major et des conseils supérieurs.

autres, on peut dire que les chefs d'état-major commandent, inspectent les forces et proposent au ministre les décisions les plus importantes. Les majors généraux gardent la maison et assurent chacun la coordination des travaux de leurs états-majors respectifs.

J'ai pris les fonctions de major général en mai 1983, alors que l'armée de terre traversait une crise, dont la presse s'était fait l'écho et qui avait entraîné la démission du général Delaunay. Non sans raisons plusieurs généraux de rang élevé considéraient que la réforme Lagarde venait à peine de s'achever, que beaucoup d'argent, d'énergie et de temps lui avaient été consacrés et que, par conséquent, une pause était nécessaire avant de lancer une nouvelle réorganisation. La réforme Lagarde avait, en particulier, réduit considérablement les effectifs des services qui avaient donc besoin d'un répit pour retrouver leurs assises.

La réforme Lagarde, je l'ai dit, était pertinente. Elle privilégiait l'autorité des responsables opérationnels et le maintien des personnels dans les unités de combat. Cependant sur deux points importants elle ne prenait pas suffisamment en compte les conditions d'engagement de nos forces aux côtés de nos alliés en cas d'agression soviétique. Il s'agissait d'une part de la relative faiblesse du dispositif de l'Alliance dans la plaine de l'Europe du Nord et d'autre part de la nécessité, mise en évidence quelques années plus tôt par la 1re armée, de disposer d'une force capable de gagner du temps et du terrain avant l'engagement des divisions blindées.

Cela mérite quelques explications et un retour à la situation géopolitique d'il y a dix ans. C'est à cette époque qu'en Europe et en France on s'aperçoit enfin des dimensions réelles des forces du pacte de Varsovie; non seulement du nombre de chars, d'avions, d'hélicoptères, de navires, de systèmes nucléaires et chimiques, mais aussi de la qualité de cet ensemble, hommes et matériels confondus. Longtemps l'opinion occidentale s'était bercée de l'illusion que la qualité des matériels produits à l'Ouest compensait leur infériorité numérique. Les résultats de la guerre du Golfe sont excessivement trompeurs à cet égard et il ne faudrait pas s'imaginer un instant que les forces du pacte de Varsovie de 1983 auraient eu le comportement des forces irakiennes. (Les Soviétiques n'avaient d'ailleurs pas équipé les Irakiens avec leurs matériels les plus modernes, dans un certain nombre de secteurs clés, commandement et transmissions en particulier.) En avril 1985, alors que les Occidentaux prennent de plus en plus conscience de leur vulnérabilité, l'hebdomadaire *le Point* publie une grande enquête sur le sujet. Le général allemand Franz Joseph Schultze, récent commandant en chef du secteur Centre-Europe, lui accorde une interview et insiste sur la qualité des équipements soviétiques mais aussi de l'entraînement des forces du Pacte de Varsovie : « Une grande partie de notre avantage technologique ne s'est jamais traduite autrement que sur les papiers des chercheurs. Les Soviétiques ont déployé, eux, des systèmes de technologie avancée à un rythme bien supérieur à celui des pays de l'O.T.A.N. : des tanks, des véhicules pour l'infanterie, des hélicoptères. Le char soviétique le plus moderne n'est pas aussi bon que le Leopard 2. Mais il n'en est pas loin. Et l'Armée rouge en a beaucoup plus. Les armées du pacte de Varsovie ont deux fois plus de missiles antichars de la troisième génération que les armées de l'O.T.A.N. » (Il s'agissait alors de la génération la plus moderne. On passe actuellement à la quatrième, celle des missiles « tire et oublie ».)

Le général Schultze poursuit en mettant l'accent sur la modernisation de l'aviation de combat et de la marine des forces soviétiques et insiste sur leurs dotations considérables en armes nucléaires à courte portée et en projectiles chimiques.

Au passif de l'Alliance atlantique s'ajoutent à ce déséquilibre des moyens de combat (qui n'est compensé que par le pouvoir égalitaire des moyens nucléaires de théâtre) les trois vulnérabilités majeures qu'impose la géographie. Un simple coup d'œil sur une mappemonde les fait apparaître. Il y a six mille kilomètres d'océan entre l'Amérique du Nord et l'Europe. En cas d'affrontement l'issue de la bataille de l'Atlantique Nord serait capitale comme d'ailleurs dans les précédents conflits mondiaux. La manœuvre des forces entre les trois grands théâtres d'opérations européens Nord, Centre et Sud serait très difficile pour les Occidentaux alors que les Soviétiques, qui bénéficient de l'avantage que donne une position centrale, n'auraient aucune difficulté à faire choix de leurs directions d'effort stratégique. Enfin, au centre, les Occidentaux manquent de profondeur. Les six armées soviétiques qui sont cantonnées en Allemagne de l'Est et en Tchécoslovaquie ont à peine plus de mille kilomètres à franchir pour atteindre l'Atlantique. A l'évidence le théâtre Centre-Europe constitue un seul espace de bataille et la querelle sur la participation française à la bataille dite de l'avant n'avait aucun sens, compte tenu de la géographie et des capacités des armements modernes. Le Président de la République française lui a d'ailleurs fait un sort, en 1986, dans ses « Réflexions sur la politique étrangère de la France » en qualifiant ce débat de « dispute théologique ».

Dans ce contexte, la France s'était engagée, à Bruxelles comme à Washington, et dans l'esprit du traité de l'Élysée, à combattre aux côtés de ses alliés en cas d'agression de l'un d'entre eux. La géographie nous conduisait évidemment à nous intéresser plus particulièrement à la défense de l'Allemagne de l'Ouest face à laquelle d'ailleurs étaient stationnées les meilleures forces soviétiques.

Les divers protocoles et plans établis dans le prolongement de l'instruction Ailleret-Lemnitzer [1] prévoyaient l'engagement des corps français dans la zone où les forces du centre de l'Europe se trouveraient en difficulté. Or l'organisation comme la disposition de nos forces les prédisposaient à un engagement au centre et au sud du théâtre, face au saillant de Thuringe et à la Tchécoslovaquie, alors que la plaine de l'Europe du Nord qui traverse l'Allemagne du Nord et se poursuit aux Pays-Bas et en Belgique est plus favorable à une offensive blindée. Il convenait donc de revoir notre articulation pour pouvoir concentrer au moins les deux tiers de nos forces dans cette zone tout en conservant la capacité de se couvrir sur une autre direction. L'amélioration de la mise sur pied du 3e corps d'armée et la répartition des six divisions blindées à raison de deux par corps d'armée répondait à ce souci.

Simultanément les dispositions avaient été prises en 1983 pour créer la force d'action rapide (la F.A.R.) l'année suivante. Les critiques acerbes comme les louanges exagérées ne manquèrent pas. L'état-major de la F.A.R. démontrera son utilité lors de la crise du Golfe. S'agissant des unités, les régiments des deux divisions légères blindées comme la division parachutiste avaient conduit depuis plusieurs années l'essentiel de nos interventions hors d'Europe. Quant au rattachement de la division alpine à la F.A.R., il était, lui, plus discutable comme d'ailleurs l'opportunité même de conserver cette grande unité, compte

1. Voir ci-dessus page 137.

tenu de la situation actuelle aux frontières de la France. Il ne faut cependant pas oublier qu'en raison de son stationnement en montagne et de son style d'activités cette division attire parmi les meilleurs des jeunes Français. Si on le peut, il faut maintenir la 27e division alpine, en poursuivant les efforts entrepris pour qu'elle soit équipée et entraînée en vue d'un combat sur tous les terrains.

La seule grande unité réellement nouvelle de la F.A.R., créée en 1984, est la division aéromobile (la D.A.M). Elle réunit des régiments d'hélicoptères prélevés sur les corps d'armée. Elle présente l'avantage de pouvoir être engagée groupée ou dissociée par régiments. La création d'un état-major de division permet aussi d'affûter la doctrine d'emploi des hélicoptères de combat, antichars et antihélicoptères. Il reste que la D.A.M. ne pourra répondre vraiment à ce que l'on attend d'elle que lorsqu'elle sera équipée du futur hélicoptère de combat franco-allemand, le Tigre, rival amélioré de l'Apache américain dont la supériorité évidente sur notre Gazelle fut amplement démontrée dans la guerre du Golfe et l'aurait été encore plus si les Irakiens avaient été plus combatifs.

Évidemment les doléances ne manquèrent pas pour dire que l'on créait avec la F.A.R. une quatrième structure de corps d'armée alors que la loi de programmation amputait l'armée de terre de près de vingt mille hommes. Elles étaient fondées. Il fallait donc trouver des solutions; l'une aboutira,l'autre sera un demi-échec.

Les lois de programmation militaire, depuis qu'il en existe, ne prennent en compte que les effectifs d'active. Sur ce point elles se présentent donc plus en termes budgétaires qu'en termes d'emploi. C'est regrettable. L'armée de terre, comme d'ailleurs l'armée de l'air et la gendarmerie, double ses effectifs à la mobilisation. La marine est également complétée mais dans une moindre proportion. L'essentiel des personnels mobilisés est consacré à la mise sur pied des formations de défense opérationnelle du territoire (la D.O.T), mais une part importante est néanmoins affectée au complément des formations de la Ire armée et de la F.A.R.

On mesure l'importance d'une préparation sérieuse de la mobilisation. Afin de pallier les déficits inévitablement créés dans les formations du corps de bataille et de la F.A.R. par la diminution des effectifs, il fut alors décidé que les corps seraient systématiquement complétés par les appelés qui avaient achevé depuis moins d'un an leur service militaire et qui étaient donc encore instruits et entraînés. Ils prendraient ainsi, pour rejoindre éventuellement leurs corps, l'itinéraire de leurs permissions, ils retrouveraient leurs cadres, ils serviraient des matériels bien connus. Ce système, devenu désormais classique, fut un succès.

La deuxième idée qui vient à l'esprit, lorsqu'il faut réaliser des économies de personnels, est la concentration des installations ; il est tout à fait clair que si l'on avait eu à installer nos forces à partir de rien après la dernière guerre mondiale, la quasi-totalité de l'armée de terre serait dans le quart nord-est de la France et en Allemagne, les installations logistiques lourdes et les écoles étant implantées sur le reste du territoire. Il est tout aussi évident que nous aurions trois ports de guerre et non quatre [1]. Mais on doit toujours prendre en compte l'héritage. Ainsi aucune loi de programmation n'a pu et ne pourra aller au bout des démarches qui donneraient au système le plus d'efficacité au moindre coût de fonctionnement. Prenons un exemple simple : en 1983, l'état-major de l'armée de terre a proposé au ministre de doter chaque division blindée de deux régiments de chars à soixante-quinze chars au lieu de trois à cinquante. L'avantage était clair : on économisait une formation de commandement, un casernement au coût d'entretien important, des services, pour chacune des six divisions blindées. La réforme fut adoptée pour deux divisions d'Allemagne. En France, les obstacles à renverser pour fermer quatre casernements apparaissant insurmontables (l'un des régiments de la troisième division d'Allemagne était stationné en France), le ministre renonça à suivre le projet de l'armée de terre.

Il ne s'agit là que d'un exemple. Les cas de dispersions coûteuses sont multiples. Ainsi le service de santé dispose de deux écoles, l'une à Bordeaux, l'autre à Lyon. La fusion de ces écoles serait génératrice d'économies mais les pressions locales sont plus fortes que les arguments des ministres successifs de la Défense.

Toute implantation des armées ou des industries de défense, d'État ou privées, coûte des frais généraux. Toute concentration réduit ces frais généraux. C'est l'objet du plan « Orion »

1. Cherbourg, Brest, Lorient et Toulon.

mis sur pied par le général Forray. A plusieurs reprises, intervenant devant les commissions de la Défense du Parlement, j'ai souligné qu'il y avait là une possibilité de meilleur emploi des ressources. J'étais écouté dans un silence approbateur mais réservé. Seul M. François Fillon, alors président de la commission de la Défense nationale, dit un jour à ses collègues, je cite de mémoire : « Vous ne pouvez demander au général Schmitt de réaliser des économies de fonctionnement et en même temps lui refuser le seul moyen efficace d'en faire. » Les ministres tenteront l'un après l'autre d'améliorer les choses, M. Hernu le premier, dans la décennie 80, mais il est des citadelles non pas difficiles à prendre, mais à évacuer !

Ajoutons à cela que la dispersion ne fait que compliquer le problème de l'encadrement des formations. Le saupoudrage des implantations nécessite pour leur fonctionnement des officiers et des sous-officiers qui font défaut dans les régiments. Or l'armée de terre française souffre toujours d'être quantitativement la moins bien encadrée dans le monde occidental.

Pour en revenir aux lois de programmation, elles devraient fixer les organisations et les effectifs des armées pour le temps de guerre, c'est-à-dire après mobilisation, et ensuite, mais ensuite seulement, les effectifs d'active avec leur répartition par armée et par grade, en appelés et en professionnels.

Une telle démarche est d'autant plus nécessaire que les équipements, eux, doivent être prévus, c'est évident, en prenant en compte les effectifs du temps de guerre. A quoi cela servirait-il de mobiliser des hommes et des femmes que l'on ne pourrait équiper ?

Au demeurant, les structures et les effectifs ne sont pas tout. Il fallait simultanément poursuivre le plan d'équipement, tâche difficile s'il en est. Essayer de mener à bien une loi de programmation c'est pousser le rocher de Sisyphe. L'année 1983 fut dans ce domaine une année de transition. La période correspondant à la loi précédente s'achevait en 1982. Il fut décidé que la loi suivante couvrirait la période 1984-1988.

Les conditions d'établissement étaient difficiles. Les menaces augmentaient mais la crise économique mondiale faisait sentir ses effets. Il faut donc pour en juger se replacer dans l'ambiance du moment que résume en octobre 1983 la première phrase de l'avant-propos du ministre :

« Dans un environnement international caractérisé par la

multiplicité des menaces, dans une situation de crise économique mondiale aggravant les tensions, la France doit disposer des moyens qui lui permettent d'assurer sa sécurité, de conserver son indépendance dans la liberté et de respecter ses engagements internationaux. »

En bref, les menaces en Europe sont sérieuses et des crises hors d'Europe nous impliquent au Liban et au Tchad. Néanmoins les ressources diminuent. Non seulement il manque quelques milliards dans la loi, mais en outre des engagements de dépense seront bloqués en cours d'exécution, entraînant des annulations et des étalements de programmes.

Les commentateurs, lorsqu'ils critiquent militaires, ingénieurs et industriels responsables de l'équipement de nos armées se plaisent à mettre en évidence la dérive des coûts, responsable de tous les maux. Ils n'ont pas complètement tort. Mais il faut aller plus loin et savoir pourquoi les coûts dérivent.

Le seul développement d'un programme s'étale sur dix ans en moyenne. Il est donc inévitable que durant une telle période les armées aient à modifier une ou plusieurs caractéristiques militaires. Ainsi l'armée de l'air passera-t-elle probablement d'un Rafale monoplace à un Rafale biplace. Cela ne se fera pas sans coût supplémentaire. Mais il serait grave de persister dans une formule si elle ne s'avère pas satisfaisante.

Les causes les plus importantes de la dérive des coûts sont cependant ailleurs. Elles résident dans le monopole des industriels, privés ou non, et surtout dans le non-respect des lois.

Outre la quasi-impossibilité de faire jouer la concurrence, le monopole a deux conséquences : d'une part les états-majors, malgré leurs efforts et les colères des chefs d'états-majors, n'ont pas les moyens de contrôler le bien-fondé des coûts affichés des programmes, d'autre part ce sont nos armées qui subissent les aléas des marchés extérieurs de notre industrie. Ainsi en 1987-1988 le coût de développement et de production du char Leclerc augmenta brusquement au moment où se vida le carnet des commandes étrangères du groupement industriel d'État chargé de fournir l'essentiel des armements terrestres (le G.I.A.T.). Tout se passa comme si Renault, vendant moins de voitures à l'étranger, décidait d'augmenter les prix de vente dans l'Hexagone. Le résultat serait immédiat. Mais en matière de chars c'est différent, il y a un constructeur et un client captif qui est donc tenu de payer le prix exigé. Aux États-Unis un tel

INDOCHINE

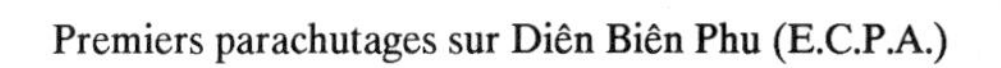

Premiers parachutages sur Diên Biên Phu (E.C.P.A.)

Le terrain dans la cuvette de Diên Biên Phu (E.C.P.A.)

Sortie de tranchée pendant une contre-attaque (E.C.P.A.)

Camp de prisonniers des officiers subalternes, dit Camp n°1 (D.R.)

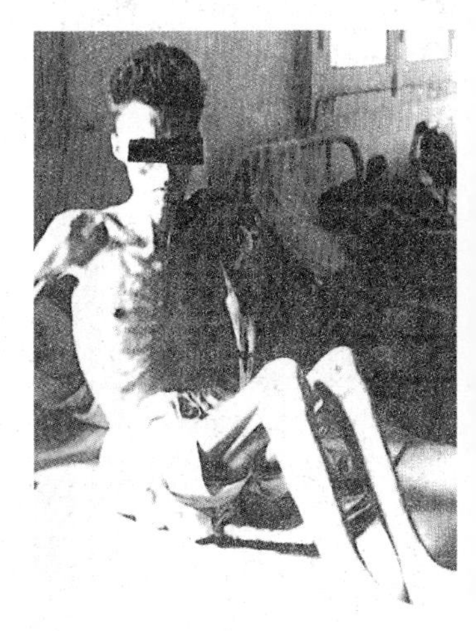

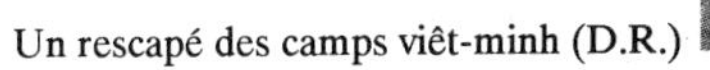

Un rescapé des camps viêt-minh (D.R.)

ALGERIE

Kabylie hiver 1958-1959. Préparation d’une opération (D.R.).

Nord de Colomb-Béchar fin 57. Bigeard revient aux mortiers (D.R.).

Encerclement des fellaghas par hélicoptères, juillet 1958, région de Djelfa (D.R.).

Ouarsenis, 1959, décompte des prisonniers du lieutenant Raguez (D.R.).

Ouarsenis, 1959, P.C. de compagnie avant l'accrochage (D.R.).

14 juillet 1957, sur les Champs-Elysées derrière Bigeard (Photo Flament).

Juillet 1958, après l'opération de Djelfa, hommage rendu au sergent-chef Kordek héros d'Indochine et d'Algérie (D.R.).

GUERRE DU GOLFE

Le centre opérationnel des armées pendant la guerre du Golfe (photo E.C.P.A.).

Entre Paris et le camp du roi Khaled avec M. Chevènement et le général Germanos (E.C.P.A.).

Inspection de Michel Rocard, 15 février 1991, avec M. Bernière et le général Roquejeoffre (D.R.).

16 février 1991, préparation de l'attaque terrestre avec les généraux Roquejeoffre (à droite), Solanet (au milieu) et Janvier (à gauche) (Photo Habans/Sygma).

Août 1990, avec l'amiral Louzeau au départ du Clemenceau (photo Marcel Garnier).

16 février ; cette sacrée falaise, comment l'aborder ? (photo P. Habans/ Sygma).

As Salman, 5 mars 1991, devant les troupes victorieuses (photo P. Habans / Sygma).

6 mars 1991, Koweït City, visite aux démineurs français entourés des généraux Solanet (à droite) et Mounier-Vinard (Photo P. Habans / Sygma).

As Salman, le 5 mars 1991, le général Janvier rend compte de sa chevauchée (Photo P. Habans/Sygma).

Retour triomphal des premiers régiments à Toulon, avec M. Joxe devant le drapeau du 1er RPI MA (photo E.C.P.A.)

Fin 1990 avec Colin Powell (D.R.).

5 mars 1991, remise du képi blanc des légionnaires français au général Schwarzkopf (photo P. Habans/ Sygma).

14 juillet 1987 après-midi, présentation de la division aéromobile (photo E.C.P.A.).

Début 1991, réunion des chefs d'état-major de l'UEO, autour du Secrétaire Général M. Van Eckelen (E.C.P.A.).

1988, après un tête-à-tête avec le général von Sandrardt commandant en chef Centre-Europe (D.R.).

Adieu aux armes, le 23 avril 1991 (Photo Le Segretain/Sygma).

client s'appelle une *cash cow* : une vache à lait qui paye comptant.

Mais la cause essentielle de la dérive des coûts est le non-respect des lois. Lorsque les ressources des armées diminuent, les commandes sont le plus souvent étalées, parfois même supprimées. Or sur la foi d'une loi elles ont été passées et les industriels se sont équipés en personnels et approvisionnés en conséquence. Ils ne peuvent licencier dans des délais très courts. Souvent les statuts du personnel l'interdisent. Les coûts unitaires augmentent. Lorsque l'on décide de réduire d'une année sur l'autre une commande d'un tiers, l'économie est rarement équivalente. Elle est à peine de dix pour cent.

Tout cela, évidemment, ne veut pas dire que les évolutions de la situation internationale, les accalmies et les tensions, ne doivent pas conduire à des corrections des lois de programmation. Simplement il faut savoir vers quelles difficultés on s'engage lorsque l'on en décide. Les politiques d'équipements, et plus encore celles qui régissent les personnels, engagent le long terme, largement au-delà de dix ans, et ne peuvent s'appréhender en usant seulement de la règle de trois.

Revenons à 1985, quand je prends mes fonctions de chef d'état-major de l'armée de terre. Grâce aux efforts budgétaires consentis à la fin des années 70 et au début des années 80, l'équipement de l'armée de terre commence à rattraper les retards accumulés. Mais il reste beaucoup à faire. Il en est ainsi dans les trois armées, s'agissant des matériels classiques. On paye toujours les impasses de la période 1965-1975. Qu'en conclure ? Que lorsque l'on pense avoir dix années de paix devant soi, mais pas plus, il ne faut pas relâcher exagérément les efforts de défense comme cela fut fait jusqu'en 1972. Il faut beaucoup plus de dix ans pour combler les handicaps. J'ajoute que les matériels sont devenus d'une telle sophistication que même le passage à une économie de crise internationale et donc une augmentation substantielle et brutale des budgets ne permettrait plus de récupérer les retards en quelques mois. On ne tourne plus les obus comme en 1914. La fabrication des matériels modernes et même des munitions demande du temps.

Lorsque, le 25 septembre 1985, je succède au général Imbot, la loi de programmation est sur les rails. Les modifications de structures ne sont pas encore achevées, mais inlassablement le général Imbot avait parcouru la France, l'Allemagne et l'outre-mer pour en expliquer le bien fondé. A ses côtés, malgré les difficultés, les dérives de coût, etc., je m'étais efforcé de tenir les délais dans les réorganisations et l'équipement des forces.

Nommé chef d'état-major, il me faut pourvoir à mon propre remplacement. Je fais appel au général Billard. Son commandement de la 9e division d'infanterie de marine sera ainsi écourté mais il a contribué à concevoir la nouvelle organisation. Je n'aurai que peu de dossiers à lui transmettre. Il les connaît tous. Son intelligence et sa puissance de travail feront le reste.

Je resterai deux années en poste. En septembre 1985, M. Quilès a remplacé comme ministre M. Hernu dont il poursuit l'ouvrage. Lui-même, en mai 1986, sera remplacé par M. André Giraud qui met en chantier une nouvelle loi pour la période 1987-1991, mais heureusement sans toucher aux structures qui sont loin d'être encore stabilisées. La nouvelle loi portera uniquement sur les équipements.

Il serait très long de décrire toutes les activités extérieures de nos armées de 1983 à 1987. Quelques coups de phare me paraissent cependant opportuns.

En 1983 et 1984 le Liban continue, on l'a vu, à mobiliser l'attention. Mais à l'été 1983 c'est aussi au Tchad que nos forces vont être sérieusement impliquées. Soutenus par la Libye, qui engage directement ses forces, les partisans de Goukouni Oueddeï prennent le contrôle du nord du Tchad : le Tibesti, le Borkou et l'Ennedi. La France soutient le président tchadien en place, Hissène Habré, et sous les commandements successifs des généraux Poli et Bechu des groupements terrestres appuyés par des éléments aériens reçoivent mission d'interdire les accès à Moussoro, Ati et Abéché, premières localités importantes au sud du désert. Ce sera l'opération « Manta » qui dissuadera les Libyens de poursuivre leur entreprise. En 1984 il est temporairement admis que chacun restera sur ses positions, et la France retire l'essentiel de ses forces, ne laissant que des conseillers auprès des forces tchadiennes.

En 1986 le colonel Kadhafi, le dictateur libyen, s'agite à nouveau au nord du Tchad. En particulier les incursions de ses avions de combat se font fréquentes. Fidèle à ses principes, la France décide de dissuader toute action aérienne ou terrestre qui menacerait N'Djamena, la capitale tchadienne, ou Abéché qui commande les accès du sud-est du pays. Notre effort est cette fois mis sur la défense aérienne combinant avions et missiles sol-air, protégés comme il se doit par des éléments terrestres. Il s'agit du dispositif « Épervier » orchestré par le général Saulnier, chef d'état-major des armées. L'armée de terre y apporte sa contribution. Ce dispositif, toujours en place à l'heure où j'écris, aura permis aux forces d'Hissène Habré d'abord de se reconstituer puis, sous la direction d'Hassan Djamous, d'assurer en 1987 la reconquête du nord du Tchad en détruisant les forces libyennes à Fada et le 22 mars à Ouadi-Doum, enfin en libérant Faya-Largeau. Djamous effectuera même un raid en territoire libyen contre la base de Maten es-Sara. Notons au passage que la crédibilité de notre défense aérienne a été démontrée. Alors que le général Menu commande « Épervier » en 1987 un avion hostile approche de N'Djamena. Identifié comme un Tupolev libyen il est abattu par un missile Hawk du 402e régiment sol-air. Après cela les avions libyens se tiendront éloignés des bases de N'Djamena et d'Abéché.

On a voulu tirer de multiples enseignements de la campagne d'Hassan Djamous. Il y en a peu. Les Libyens se sont battus, en particulier à Ouadi-Doum, mais ils étaient peu ou mal entraînés. Impressionnés par les raids des jeeps armées des Tchadiens, ils n'ont pas su utiliser leurs blindés et leur artillerie ; ils ont encore moins su en combiner l'emploi avec leur armée de l'air. Pourtant une utilisation pertinente de leurs seuls affûts quadruples de calibre 23,4 aurait pu causer des pertes très sévères à la cavalerie tchadienne.

Pendant que l'affaire tchadienne se dénoue pour un temps, la navigation commerciale devient de plus en plus difficile dans le golfe Arabo-Persique. La France décide de prendre sa part dans les forces navales qui vont protéger les navires marchands dans cette zone.

Alors que l'un de nos porte-avions, le *Clemenceau*, tient compagnie à un porte-avions américain à l'ouvert du détroit d'Ormuz, des unités plus légères tiennent tête aux vedettes iraniennes tandis que des bâtiments antimines balaient les eaux du Golfe et de ses abords. Notons que si plusieurs navires de l'Union de Europe occidentale (l'U.E.O.) participent à la mission, l'Union en tant que telle n'exerce aucune coordination. Les opérations de la guerre du Golfe en 1990 et 1991 marqueront un net progrès dans ce domaine.

L'un des rôles des chefs d'état-major est d'établir des contacts étroits avec leurs homologues étrangers. Dans mes fonctions de chef d'état-major de l'armée de terre et par la suite comme chef d'état-major de armées j'aurai ainsi l'occasion de beaucoup recevoir et de me déplacer. En 1985 je suivrai en hélicoptère la frontière séparant la Libye de la Tunisie qui craint son bouillant voisin. Je visiterai aussi l'Arabie Saoudite, ce qui me sera cinq ans plus tard d'une grande utilité pendant la guerre du Golfe. J'aurai noué des contacts mais surtout pu jeter un coup d'œil d'ensemble sur le terrain. En 1986, au Pakistan, je rencontrerai le général Beg, qui sera plus tard chef d'état-major et qui commande à cette époque dans la région de Peshawar. En haut de la passe de Khyber je l'écoute me dire en contemplant l'Afghanistan : « Les Russes partiront lorsqu'ils seront certains que Najibullah pourra se maintenir... » En Chine en 1986 les généraux chinois n'auront de cesse de m'avoir convaincu que l'U.R.S.S. encercle la Chine et poursuit, je cite, « sa démarche impérialiste en Afghanistan et au Cambodge avec la complicité du Viêt-nam ».

L'essentiel de mes relations s'établira avec l'inspecteur de l'armée de terre allemande, le général von Sandrart. Point de voyages officiels entre nous mais des rencontres fréquentes en France et en Allemagne. Il en sera de même quelque temps après lorsque mes fonctions de chef d'état-major des armées me conduiront à avoir de fréquents contacts avec l'amiral Wellershof, inspecteur général des forces armées allemandes. C'est chez le général von Sandrart, en tout petit comité, nous étions quatre, que le 16 mars 1986 nous avons arrêté définitivement les caractéristiques militaires essentielles de l'hélicoptère de combat franco-allemand. Avec lui également et en compagnie de quelques autres chefs d'état-major européens alliés, qu'il recevait à Lübeck en mars 1987, j'ai suivi en hélicoptère les barbelés qui isolaient le no man's land entre les Allemagnes. Pensait-il que deux années plus tard, devenu commandant des forces Centre-Europe, il verrait cette barrière s'effondrer ? Je ne le crois pas, je suis même sûr du contraire.

Le 24 septembre 1987, à Ingolstadt, nous présenterons ensemble l'exercice « Kecker Spatz » au chancelier Kohl et au président Mitterrand. La F.A.R., que commande cette année-là le général Lardry et dont certaines unités viennent du sud-est de la France, s'est portée en quarante-huit heures en Bavière à cent kilomètres de la frontière tchèque. C'est un exercice riche d'enseignements. La F.A.R. démontre ses capacités mais aussi ses limites. C'est bien un harpon pour la Ire armée, il ne faut pas lui demander plus. L'AMX 10 RC, char léger à roues qui fera merveille sur le reg irakien en 1991, patine un peu hors des pistes sur les terrains gras de la Bavière. Mais au total l'exercice est un succès. A noter que dans le cadre des accords de Stockholm des observateurs des pays du pacte de Varsovie assistent à cet exercice, des journalistes aussi. Lors d'une conférence de presse que nous tenons en commun, le général von Sandrart et moi, un journaliste tchèque souligne le caractère « agressif d'une telle démonstration à proximité des frontières de Tchécoslovaquie ». Je n'ai évidemment aucune peine à le rassurer en lui rappelant que les dispositions du traité de Washington sont strictement défensives mais j'ajoute que je ne suis pas du tout certain qu'il en soit de même de la planification établie dans le cadre du pacte de Varsovie. Trois ans plus tard un officier général soviétique me confiera que lorsqu'il commandait une division blindée dans le saillant de Thuringe, vers le début des années 80, son objectif était bien Bayreuth après percée au travers de la trouée de Hof.

Le général von Sandrart, nommé commandant en chef du théâtre Centre-Europe, fera ses adieux à l'armée de terre allemande à Ingolstadt. Mes adieux à l'armée de terre française ne vont pas tarder. En effet, le 10 novembre 1987, le Président de la République m'informera de sa décision de me confier le poste de chef d'état-major des armées au départ du général d'armée aérienne Saulnier qui atteint la limite d'âge de son grade le 15 novembre 1987.

J'aurai donc servi aux côtés du ministre M. André Giraud comme chef d'état-major de l'armée de terre, puis comme chef d'état-major des armées, pendant les deux années de la « cohabitation » entre le Président Mitterrand et le gouvernement Chirac.

En 1986 la situation internationale n'a pas encore évolué comme elle le fera trois ans plus tard. M. André Giraud fera mettre en chantier une loi programme relative à l'équipement militaire qui marquera un redressement de notre effort de défense, elle sera votée un an plus tard par la totalité des députés, moins les communistes. Rappelons deux passages essentiels de cette loi : « Le rapport des forces sur notre continent demeure caractérisé par un important déséquilibre en effectifs et en matériels au profit du pacte de Varsovie; la persistance de surcapacités nucléaires soviétiques, à tous les niveaux; une menace chimique considérable, face à laquelle nos alliés ne maintiennent qu'une capacité dissuasive minimale. Ces différents moyens sont maintenus à l'Est dans un état de préparation conforme à une doctrine opérationnelle qui privilégie l'offensive et l'effet de surprise. »

« Les tendances les plus récentes conduisent à une situation particulièrement préoccupante dans certaines zones géographiques notamment au Moyen-Orient... »

M. Giraud réunira fréquemment le comité des chefs d'état-major [1], en l'élargissant aux spécialistes concernés, pour arrêter les meilleures décisions possible en matière de choix de systèmes d'armes. Mais dans le domaine, tout aussi important, de la politique des personnels, force est de regretter que les dispositions étudiées relatives à l'amélioration de la condition militaire soient venues trop tard et surtout qu'elles n'aient pas reçu toute la publicité nécessaire. La campagne orchestrée autour de l'envoi de quelques lettres anonymes de gendarmes, qui n'a pas servi l'image des armées, aurait peut-être ainsi été évitée.

Fin 1987, M. Giraud et moi-même recevrons ensemble le Président de la République sur le porte-avions *Clemenceau* à Djibouti. Cela fait plusieurs mois que notre marine est présente à hauteur du détroit d'Ormuz, mission qui se terminera avec la fin de la guerre Iran-Irak. Je quitterai Djibouti directement pour N'Djamena et passerai la nuit de Noël à Faya-Largeau avec les légionnaires qui en déminent les abords. Les crises hors d'Europe, où nous sommes impliqués, diminuent alors un peu d'intensité. Les observateurs en déduisent immédiatement que la marche vers la paix mondiale est entreprise. Malheureusement il ne s'agit que d'une accalmie. A la lutte par champions interposés qui a opposé Russes et Occidentaux depuis des années vont se substituer d'autres causes de tension.

Sur le plan intérieur l'élection présidentielle domine le premier trimestre 1988. Elle ne devrait concerner les militaires qu'à titre personnel, en tant que citoyens. Malheureusement la détérioration de la situation en Nouvelle-Calédonie fait qu'il en est autrement. Sciemment montée au moment de cette élection la prise en otage de vingt-quatre gendarmes, après l'assassinat de quatre d'entre eux sur l'île d'Ouvéa, conduit le gouvernement à confier l'opération de récupération des otages au général Vidal, commandant supérieur de nos forces en Nouvelle-Calédonie, et à renforcer les gendarmes, normalement respon-

1. Son rôle est indiqué en annexe.

sables du maintien de l'ordre, par des forces des autres armées. Ce qui a été appelé l'« affaire d'Ouvéa » n'a eu, à mon avis, aucune incidence sur le vote des Français. En revanche, la récupération des otages n'a pu être conduite avec le minimum de sérénité dont il aurait fallu pouvoir disposer. Néanmoins au prix de deux tués, deux parachutistes du 11e choc, tous les otages seront récupérés vivants. Il est rare qu'une opération de vive force face à des preneurs d'otages qui, ne l'oublions pas, avaient commis délibérément quatre assassinats soit conduite aussi efficacement dans un terrain aussi difficilement pénétrable. Cette caractéristique du terrain explique le nombre des morts chez les ravisseurs. Ces ravisseurs auraient d'ailleurs pu se rendre et ne pas ouvrir le feu les premiers. Lors de l'assaut le premier blessé fut un officier des commandos de la marine.

Ouvéa aura fait couler beaucoup d'encre. Cette encre n'est pas encore sèche. Je considère les rapports que j'ai rédigés sur cette affaire comme toujours confidentiels à l'instant où j'écris. Je n'en dirai donc pas davantage. Je remercierai cependant M. Jean d'Ormesson qui, interrogé par Mme Anne Sinclair sur cette affaire, eut cette réponse lapidaire : « La vie d'un Canaque vaut celle d'un Européen. La vie d'un preneur d'otages ne vaut pas celle d'un gendarme. »

Mais il faut revenir à l'Europe.

Le 22 janvier 1988 dans la cour de l'Hôtel national des Invalides a été célébré le vingt-cinquième anniversaire de la signature du traité de l'Élysée. C'est l'occasion d'un resserrement des liens entre la France et la République fédérale d'Allemagne. Les relations militaires, déjà excellentes, sont renforcées et un conseil de défense franco-allemand est institué. Il siégera tous les six mois dans l'un ou l'autre des deux pays.

C'est pendant l'année 1988 qu'un ton nouveau s'établira d'abord dans les relations de l'U.R.S.S. avec les États-Unis puis de l'U.R.S.S. avec l'Europe. A l'époque ce sont encore deux Grands qui discutent ensemble, en particulier de la réduction des arsenaux nucléaires. La destruction des missiles à portée intermédiaire, les SS 20 et les Pershing II, est décidée par Reagan et Gorbatchev. Elle fut fort controversée. Peut-être aurait-il fallu d'ailleurs commencer par réduire les armes sol-sol à très courte portée.

Cette même année 1988 l'initiative est prise d'ouvrir, en mars 1989, à Vienne, les négociations à vingt-trois, entre membres de l'Alliance atlantique et pays du Pacte de Varsovie, en vue de parvenir à un équilibre des armements classiques en Europe de l'Atlantique à l'Oural et de contrôler le désarmement devant conduire à cet équilibre. D'autres négociations se tiendront simultanément aussi à Vienne, à trente-cinq cette fois, les neutres et les non-alignés se joignant aux vingt-trois pour mettre au point de nouvelles mesures de sécurité et de confiance, dans le droit fil des accords de Stockholm.

L'enjeu comme la complexité des problèmes à résoudre auraient pu conduire à des négociations assez longues, même s'il ne s'agissait que d'une première phase. En fait elles furent rondement menées; en novembre 1990 les chefs d'État des nations concernées ont pu se réunir à Paris et approuver les premières dispositions. Au moment où j'écris il restait à les faire ratifier par les parlements et surtout à mettre en place d'efficaces systèmes de contrôle. En fait il y avait, en 1989 et 1990, de part et d'autre, une sincère volonté d'aboutir en dépit de certains combats d'arrière-garde et d'indiscutables contournements de l'esprit des négociations de la part de l'état-major soviétique. Les bouleversements politiques intervenus en Europe durant ces deux années 1989 et 1990 eurent aussi leur part dans l'accélération. Les conversations à vingt-trois débutèrent comme un face-à-face de l'Alliance atlantique avec le pacte de Varsovie. Elles se terminèrent à vingt-deux, la R.D.A. n'existait plus; de son côté le pacte de Varsovie se délitait.

L'année 1989 aura été marquée par la visite à Paris de M. Gorbatchev accompagné du maréchal Akromeyev, ancien chef d'état-major des armées soviétiques devenu son conseiller stratégique, et du général Moïseev, nouveau chef d'état-major. Avec le général Moïseev je signerai des accords marquant une reprise des relations entre les forces soviétiques et les nôtres. Moïseev m'apparaît comme un homme jeune, sympathique, n'usant jamais de la langue de bois de ses prédécesseurs. Il est resté très marqué par l'invasion de son pays par l'Allemagne. Sept membres de sa famille ont été tués dans l'Armée rouge durant la Seconde Guerre mondiale. Il est confronté à des problèmes considérables pour loger les forces qu'il a dû ramener d'Extrême-Orient et qu'il va devoir rapatrier de Tchécoslovaquie, d'Allemagne et de Pologne. Il m'en parlera à trois reprises, à Paris en juillet 1989, l'année suivante à Moscou et entre-temps à Vienne lors d'un séminaire sur les doctrines militaires.

Ce séminaire, où siègent encore côte à côte les chefs d'état-major des armées de la R.F.A. et de la R.D.A., n'apporte, comme on pouvait s'y attendre, aucune révélation. Les doctrines sont évidemment toutes présentées comme défensives... L'important est que ce séminaire se soit tenu. Les conversations bilatérales hors réunions plénières avec les représentants des pays du pacte de Varsovie sont pleines d'intérêt. La presse internationale est massivement présente. Elle constate les craquements du pacte de Varsovie et s'inquiète du devenir de l'Alliance atlantique. Pour ma part je coupe court aux questions en faisant remarquer qu'il n'y a aucune raison pour que le divorce des uns entraîne celui des autres.

L'année 1990 sera riche en événements essentiels pour l'avenir de l'Europe. Au terme d'un processus démocratique, l'unification allemande était proclamée le 3 octobre. Préalablement avait été signé à Moscou par la France, la Grande-Bretagne, les États-Unis, l'Union soviétique, la R.F.A. et la R.D.A. un traité définitif concernant l'Allemagne. Ainsi s'est trouvé atteint l'objectif politique inscrit dans les accords de Paris en 1954, et mettant fin au régime d'occupation en République fédérale. L'Allemagne unie a recouvré sa pleine souveraineté et a choisi de demeurer dans l'Alliance atlantique.

La situation nouvelle créée par la réunification conduisait à poser la question des troupes étrangères stationnées en Allemagne, en particulier à l'horizon de 1995, année où la totalité des troupes soviétiques devrait avoir évacué l'est de l'Allemagne. Parmi ces troupes figurent évidemment les troupes françaises dont le retour en France a commencé, au moins en partie, au moment où j'écris. La perspective de ce retour a été l'objet de quelques incompréhensions. Militairement il est parfaitement justifié. Que les forces françaises soient stationnées dans le Palatinat ou en Champagne, les délais d'intervention ne poseront plus aucun problème dès lors que les forces soviétiques auront évacué l'Allemagne et la Pologne. S'agissant de l'aspect politique, il pourrait trouver une issue heureuse dans le contexte d'une union politique européenne telle que la lettre commune du chancelier Kohl et du président Mitterrand du 6 décembre 1990 en définit les contours en matière de sécurité et de défense. Dans cette lettre d'une extrême importance, le chancelier et le président s'expriment ainsi :

« L'union politique devrait inclure une véritable politique de sécurité commune qui mènerait à terme à une défense commune. »

« Nous sommes convaincus que l'Alliance atlantique tout entière sera renforcée par l'accroissement du rôle et de la responsabilité des Européens et par la constitution en son sein d'un pilier européen. »

Reste que nos partenaires européens n'étaient pas tous convaincus de la nécessité de jeter les fondations de ce pilier. Son édification s'annonçait difficile. Si Allemands et Français le veulent, il peut cependant s'ériger à partir d'un « noyau dur » franco-allemand.

A la fin de l'année 1990, alors que se poursuit au Moyen-Orient le renforcement des forces coalisées, j'effectue un voyage en Tchécoslovaquie. Le 2 décembre mes hôtes me font visiter le champ de bataille d'Austerlitz. Quelques années auparavant, je n'aurais pas osé y songer. Le ministre de la Défense très récemment nommé m'expose les problèmes de l'industrie de défense tchécoslovaque aux capacités largement surdimensionnées. Trois cents chars de bataille T 72 sortaient, il y a peu, tous les ans des usines tchécoslovaques. Plus du triple de la production française. Comment assurer une reconversion ? Au cours de cette visite le char T 72 m'est présenté dans tous ses détails. Je me dis alors qu'avec près de mille chars de ce type la garde irakienne va nous donner du fil à retordre.

L'année 1990 se termine mais depuis le mois d'août la France est engagée dans le conflit déclenché par Saddam Hussein.

Les pages qui vont suivre lui seront consacrées. C'est au ministre soviétique des Affaires étrangères, M. Chevardnadze, que je demanderai de me fournir la transition, en citant une phrase qu'il a prononcée lors de l'ouverture des négociations de Vienne le 6 mars 1989 : « L'évolution de la situation dans quelques régions limitrophes de l'Europe conduit à réfléchir à une nouvelle dimension de sa sécurité. Au Moyen-Orient et dans l'Asie du Sud-Ouest, c'est-à-dire à proximité de l'Europe, des arsenaux puissants ont été crées. (...) Cette nouvelle situation émerge alors que se développe une tendance au désarmement en Europe. La conclusion est évidente : le processus en Europe et ce qui se passe au Moyen-Orient doivent être abordés simultanément. »

Quel avertissement prémonitoire !

VII

POURQUOI LA GUERRE DU GOLFE ?

« Plus que jamais, savoir qui contrôle quoi dans le golfe Persique et au Moyen-Orient est la clef qui permet de savoir qui contrôle quoi dans le monde. »

RICHARD NIXON, 1980,
La Vraie Guerre.

Quand la guerre du Golfe a-t-elle commencé ? Le 2 août 1990 lorsque les forces irakiennes entrèrent au Koweït ? ou le jeudi 17 janvier 1991 lorsque les forces aériennes de la coalition anti-irakienne se mirent à pilonner les installations militaires ou paramilitaires irakiennes en Irak et au Koweït ?

La réponse qui s'impose est la suivante : la guerre a commencé le 2 août 1990 lorsque l'Irak a agressé le Koweït. Il ne faudrait pas qu'on finisse par l'oublier au fil du temps et des manipulations de l'information qui trouvent leurs terrains d'élection dans les pays où n'existe que peu de liberté d'expression et même dans les autres lorsqu'un véritable impérialisme culturel conduit à une présentation orientée a priori des grandes questions internationales. Les exemples ne manquent pas de ce genre de démarche. Ainsi en a-t-il été aux États-Unis à la fin des années 60 lorsque l'aviation américaine attaqua les bases et les forces nord-vietnamiennes qui occupaient une partie importante du Cambodge depuis plusieurs années. Il a fallu dix ans pour que la presse américaine découvre qui était l'agresseur. C'est seulement à la fin des années 70 que l'on a pu lire dans le *New York Times* : « Les États-Unis n'ont pas brutalisé le Cambodge avec leurs bombardements ; au contraire, nous savons aujourd'hui que nous avons bombardé un agresseur qui, maintenant que nous sommes partis, ravage ce pays. »

Ce n'est probablement pas de sitôt que les contestations de frontières s'arrêteront. Dans la seule zone du Moyen-Orient, l'éclatement de l'Empire ottoman, la création de l'État d'Israël, la fin des protectorats français et britannique ont créé des États dont les frontières sont discutées et souvent discutables, sans parler des territoires qui sont, eux, occupés. Même si des zones demeurent contestées en Afrique : rives du fleuve Sénégal, zone sarahoui, bande d'Aouzou, les dirigeants africains ont, dans l'ensemble, pris la sage décision de respecter les frontières issues de la colonisation. Ceux du Moyen-Orient seraient probablement bien avisés de s'en inspirer même s'il est clair que certaines populations, les Kurdes en particulier, mais aussi les Arméniens, en resteront divisées et que la vigilance des nations devra garantir leurs droits. Reste évidemment la question d'Israël et des Palestiniens, probablement encore pour longtemps au premier plan de l'actualité.

L'émirat du Koweït fait-il partie de l'Irak ? Peut-être pas plus que le Kurdistan ou pas moins. Toujours est-il que cette petite étendue de désert, rigoureusement plate, deux fois grande comme le département des Landes, peuplée en 1990 de deux millions d'habitants environ, dont moins de la moitié étaient des Koweïtiens, après avoir été placée sous protectorat britannique en 1914 est devenue indépendante en 1961. Le Koweït fait partie des Nations unies et l'observateur un peu curieux notera que son emblème national vert, blanc, rouge et noir figure au Petit Larousse à la page des drapeaux.

C'est donc un État indépendant et internationalement reconnu qui, le 2 août 1990, est agressé par l'Irak, dont l'indépendance ne remonte d'ailleurs pas beaucoup plus loin. L'Irak est un pays d'un peu moins de dix-huit millions d'habitants, un peu plus vaste que les deux tiers de la France, mais qui s'est doté d'une armée classique aux équipements nombreux et souvent modernes, un pays qui cache à peine ses ambitions nucléaires.

Agression d'un État appartenant aux Nations unies par un autre : est-ce une première ? Certainement pas. Pendant les quarante années d'opposition entre les blocs, les agressions répondant à ce critère n'ont pas manqué, à commencer par celle de l'Iran par l'Irak en 1980. Mais en 1980 l'opposition Est-Ouest perdurait. Si l'Irak était principalement soutenu par l'Union soviétique, l'Iran avait en 1979 perdu la sympathie de l'Occident en raison de ses prises d'otages, de son soutien au terrorisme international et de son islamisme radical et sanguinaire.

Après l'invasion du Koweït par l'Irak en 1990 il est probable que, même dans un contexte de guerre froide, les Américains seraient intervenus militairement. Ils ne l'auraient pas fait aussi facilement. Surtout ils n'auraient eu ni un tel soutien international, ni des alliés aussi nombreux que divers. N'a-t-on pas trouvé côte à côte dans le camp des coalisés des Syriens, des Grecs, des Australiens, des Argentins et même des Hongrois et des Tchécoslovaques.

Saddam Hussein a donc cru pouvoir livrer la dernière guerre périphérique et infranucléaire de l'époque de la guerre froide alors qu'allait lui être imposée, par sa faute, la première des guerres de l'après-guerre froide.

La guerre du Golfe débute donc le 2 août 1990. Le seigneur de La Palice nous dirait qu'elle a eu lieu parce que l'on n'a pas su l'éviter. Cette évidence est le premier constat que l'on doit faire afin de ne pas avoir, un jour, à recommencer là ou ailleurs. La guerre du Golfe, comme d'autres avant elle, est le résultat d'erreurs d'appréciation de la situation tant de Saddam Hussein que de la part des Occidentaux et des pays arabes modérés.

Saddam Hussein a su conquérir le pouvoir et le conserver en versant le sang de beaucoup de ses compatriotes. Il s'est montré habile à demeurer un dictateur-tyran. En revanche il n'a pas fait preuve de clairvoyance en matière stratégique peut-être précisément parce qu'il était un dictateur-tyran ce qui le coupait et de son peuple et de la scène internationale. On a beaucoup dit, surtout dans les dernières phases de la guerre du Golfe, qu'isolé dans l'un de ses bunkers il ne savait de la situation réelle de ses forces que ce qu'osaient lui dire ses généraux les plus téméraires; et c'est probablement vrai. Dans les derniers mois de la Seconde Guerre mondiale Hitler, paraît-il, donnait des ordres d'engagement à des forces qui n'existaient plus... et personne dans son entourage ne prenait le risque de lui dire qu'elles n'existaient plus. Saddam Hussein, au moins sur le moment, semble s'en tirer mieux, en particulier grâce à l'opinion mondiale qui fin février 1991 a exigé que l'on s'en tienne à libérer le Koweït en exécution de la résolution 678 des Nations unies. Au cours des mois suivants, quand on assista à la tragédie kurde et aux massacres de chiites, le président Bush aurait pu répondre à ceux qui regrettaient que l'offensive terrestre alliée se soit arrêtée au bout de cent heures : « Que ne me l'avez-vous dit fin février ? »

L'agression contre le Koweït en 1990 est la seconde grave erreur de calcul de Saddam Hussein. La première datait de

1980. Cette année-là, devant le spectacle d'un Iran en pleine crise intérieure et dont l'armée avait perdu la majorité de ses cadres assassinés ou émigrés, il avait cru pouvoir régler à son profit, et rapidement, le contentieux frontalier relatif au Chatt al-Arab et au Khuzistan que les accords d'Alger n'avaient pas réglé d'une façon satisfaisante, à son goût.

La promenade militaire qu'il escomptait se traduit alors par un affrontement meurtrier qui va durer huit ans. Intégrisme religieux et réflexe patriotique aidant, l'Iran met Saddam Hussein en sérieuse difficulté. L'Union soviétique, les Occidentaux et plusieurs pays arabes, dont le Koweït et l'Arabie Saoudite, soutiennent l'Irak et en 1988 un cessez-le-feu intervient. L'aide du Koweït et de l'Arabie Saoudite a été surtout financière, l'Union soviétique et les Occidentaux ont fourni armes et munitions. Les Occidentaux ont aussi assuré la liberté de circulation vers les ports pétroliers du Golfe. Ainsi, en 1987, six pays avaient des bâtiments de guerre dans le golfe Arabo-Persique. Un ou deux porte-avions américains et un porte-avions français évoluaient dans le golfe d'Oman, hésitant d'ailleurs à s'aventurer à l'ouest du détroit d'Ormuz. Il n'est pas non plus inutile de rappeler qu'à cette époque vingt-cinq pays au moins contribuaient à l'armement de l'Irak ; au premier rang d'entre eux l'U.R.S.S., mais ensuite on trouve la Chine, la France, tout le monde le sait, mais aussi, et c'est moins connu, l'Autriche, la Suisse et le Portugal.

Venons-en à 1990, à la nouvelle guerre du Golfe. Un peu plus de souplesse de la part du Koweït dans les négociations relatives au différend qui l'opposait à l'Irak aurait peut-être pu éviter cette seconde guerre. Rappelons que ce différend portait sur trois points, le pétrole de la zone de Rumaylah que l'Irak accusait le Koweït de lui soutirer, la dette irakienne et enfin les îles de Boubiyan et de Warba. Toujours est-il que le 2 août 1990, alors que les négociations sont en cours et que les gouvernements saoudien et égyptien y participent, les forces armées irakiennes envahissent la totalité du Koweït sans se limiter aux territoires contestés et poussent même sept divisions à la frontière sud de ce pays, menaçant ainsi directement les gisements pétroliers de l'Arabie Saoudite.

Il est désormais indiscutable que, sitôt la guerre contre l'Iran terminée, Saddam Hussein s'engageait dans le développement et la modernisation de ses armements classiques et chimiques et qu'il déployait le maximum d'efforts pour se doter de l'arme nucléaire. Non seulement il s'approvisionnait à l'étranger mais progressivement, grâce à des fournisseurs de machines-outils, dont on parle peu, il s'équipait d'une industrie d'armement performante en mesure de satisfaire à ses besoins en chars, en artillerie et en munitions. Il devenait de moins en moins tributaire de l'étranger. Ainsi l'Irak prenait-il la stature d'une puissance militaire déstabilisante dans la zone ; puissance de loin supérieure à celle de l'Iran et à celle de tous ses voisins arabes pourtant bien équipés pour certains, la Syrie notamment.

L'Irak était-il la quatrième puissance militaire du monde et les États-Unis ont-ils profité de l'invasion du Koweït pour abattre cette puissance qui déstabilisait une zone où ils estimaient avoir des intérêts essentiels ? A la seconde question certains répondent : oui. Les mêmes et d'autres affirment que les États-Unis, relayés par leurs alliés, ont bâti le mythe de l'Irak quatrième puissance militaire du monde. Cela mérite que l'on s'y attarde.

En 1990, les cinq membres permanents du Conseil de sécurité de l'O.N.U., les États-Unis, la Grande-Bretagne, la Chine, l'U.R.S.S. et la France sont des puissances nucléaires ayant forgé leur crédibilité par des essais. Il en est de même de l'Inde qui à ce moment-là ne paraît cependant pas avoir développé de force stratégique cohérente. Enfin chacun, en 1990, s'accorde à penser qu'Israël dispose également de moyens nucléaires.

Mais, ce que l'on pourrait appeler la « culture de la dissuasion nucléaire » est partagée précisément par les pays couverts par cette dissuasion, en fait les pays de l'hémisphère Nord. La dissuasion nucléaire, sauf dans le cas d'Israël, ne couvre pas, encore qu'il ne s'agisse aucunement d'une loi écrite, les autres régions de la planète. En fait la dissuasion nucléaire couvre la zone des pays de l'Alliance atlantique, l'U.R.S.S. et la Chine. C'est-à-dire qu'elle s'exerce là où l'existence même de ces pays est en jeu. Au Proche-Orient en 1990 seul, Israël, serait en mesure, pour défendre son existence, d'entrer dans une logique de dissuasion nucléaire et de menace d'emploi, ce que d'ailleurs il se garde bien d'afficher.

Le Proche et le Moyen-Orient dans leur ensemble ne sont donc pas, selon ce concept non écrit, couverts par la dissuasion nucléaire. Les rapports de force classiques reprennent alors tout leur sens. Avec ses cinq mille cinq cents chars et sept cents avions de combat, l'Irak en 1990 se situait bien sur le plan des matériels classiques au quatrième rang dans le monde. Remarquons au passage que la France dispose de mille trois cents chars et de quatre cent cinquante avions de combat, chiffres que certains Français trouvent excessifs. Ce sont parfois les mêmes qui voudraient nous voir intervenir, seuls au besoin, chaque fois qu'une cause doit être défendue dans le monde.

Au potentiel de chars et d'avions de combat de l'Irak il fallait ajouter les moyens chimiques (bombes, obus et probablement missiles) dont disposaient les Irakiens. Ils en avaient fait l'usage en deux occasions au moins, contre l'Iran et contre les Kurdes. La capacité chimique était donc bien aux mains de l'Irak. Restaient ce que nous les militaires appelons les multiplicateurs de force : organisation du commandement, capacité de renseignement, entraînement et moral des hommes. On estimait, dans les états-majors occidentaux, qu'après huit années de guerre contre l'Iran l'Irak avait atteint dans ces domaines un niveau convenable. Nous avons probablement surestimé chez les Irakiens ces aspects difficilement mesurables qui conditionnent la qualité d'une armée.

En fait ce qui importait au début de 1990 n'était pas que l'Irak soit ou non la quatrième armée classique du monde. Le fait important était qu'il disposait d'une puissance militaire dominante par rapport à ses voisins. La zone du Golfe était déséquilibrée, les forces irakiennes dominaient largement les forces syriennes, saoudiennes et jordaniennes et bien entendu celles des Émirats.

En quoi alors l'agression contre le Koweït est-elle la seconde erreur de calcul de Saddam Hussein ?

Dans son impatience à régler son différend avec le Koweït il a largement sous-estimé les conséquences de la nouvelle détente et l'importance attachée par les États-Unis à la zone du Golfe.

Au moment où le rideau de fer se levait et où se poursuivaient les négociations sur la maîtrise des armements en Europe, l'agression du Koweït par l'Irak, c'est-à-dire d'un État reconnu par un autre, constituait un défi à l'ensemble de la communauté internationale. Saddam Hussein croyait peut-être encore livrer une de ces guerres « subnucléaires » s'inscrivant dans l'ancienne stratégie indirecte de l'Union soviétique. En la décidant il n'a pas compris qu'il allait se livrer à la première agression condamnée par l'ensemble des nations et en particulier par les cinq membres permanents du Conseil de sécurité.

Surtout Saddam Hussein ne mesurait pas toute l'importance attachée par les États-Unis à la zone du golfe Arabo-Persique. Je ne sais s'il avait lu *la Vraie Guerre*, ouvrage publié en 1979 aux États-Unis sous la plume de Richard Nixon. Si oui il l'avait mal lu. Il aurait eu tout avantage à méditer le chapitre IV intitulé « La jugulaire du pétrole » et en particulier sa conclusion : « Par-dessus tout, les dirigeants d'Arabie Saoudite, d'Oman, du Koweït et d'autres États clefs doivent avoir l'assurance, sans équivoque, que s'ils sont menacés par des forces révolutionnaires, tant à l'intérieur qu'à l'extérieur, les États-Unis les épauleront fortement afin qu'ils ne subissent pas le même sort que le shah. Il sera non seulement nécessaire d'être préparé mais de montrer que l'on est préparé. Les Américains ne doivent pas seulement avoir la volonté d'employer la force s'il le faut mais démontrer qu'ils le feront. Ils doivent aussi posséder les forces nécessaires. Ils courront peut-être des risques en défendant leurs intérêts dans le golfe Persique. Ils en courraient de bien plus graves s'ils ne défendaient pas ces intérêts. »

Ce n'est pas une coïncidence si, quelques mois après la parution aux États-Unis de *la Vraie Guerre,* était créé le haut commandement central américain, le « Central Command » ou Centcom. Installé en Floride, ce haut commandement se voyait confier pour zone de responsabilité ce que les Américains appellent l'« Asie du Sud-Ouest » et que nous appelons Moyen-Orient.

Que fait le Centcom dès sa création ? Ce que fait tout état-major : des plans pour répondre à diverses éventualités, en particulier des plans d'acheminement de forces car, dans toute opération mais surtout dans une opération à longue distance, la logistique conditionne la tactique. Le général Schwarzkopf sera nommé à la tête du Centcom en novembre 1988. Cette année-là ce commandement a déjà huit ans d'existence.

Il est vrai qu'au cours des années précédentes les Occidentaux et les Américains eux-mêmes n'ont pas toujours présenté une image de détermination et de cohésion. En 1979 la prise d'otages de Téhéran et la façon de la gérer soulignèrent la faiblesse de la politique étrangère du président Carter. Ensuite le manque de cohésion et de détermination des Occidentaux pour faire face à la crise du Liban en 1982-1983 figure certainement parmi les éléments ayant conduit Saddam Hussein à risquer son coup de poker. Enfin il comptait probablement aussi exploiter l'image positive que lui avait donnée son succès face à l'Iran, succès acquis, on l'a vu, avec le soutien de beaucoup des futurs coalisés de 1990-1991.

Les États-Unis ont-ils saisi l'occasion de l'invasion du Koweït pour abattre la puissance militaire irakienne qui déstabilisait la zone et menaçait Israël ? La réponse est probablement oui, mais elle doit être nuancée. Ce ne sont pas les États-Unis qui ont agressé le Koweït, et c'est bien l'Irak qui, par deux fois au moins, n'a pas saisi les perches qui lui étaient tendues pour éviter sa punition en se retirant du Koweït. S'il avait opéré ce repli en janvier 1991 avant l'attaque aérienne ou même en février avant l'attaque terrestre, il aurait sauvé son armée et, satisfaisant aux conditions édictées par les Nations unies, placé les coalisés, Américains en tête, dans l'impossibilité de lui infliger la défaite militaire qu'il a subie. A supposer que la volonté américaine était par avance d'abattre la puissance militaire de l'Irak, il faut bien constater que Saddam Hussein a bien facilité la tâche du président Bush.

En fait une autre question se pose : parfaitement au courant en juillet 1990 du déploiement des forces irakiennes aux abords du Koweït (ils l'étaient et en informaient leurs alliés), les États-Unis ont-ils sciemment évité les démarches dissuasives afin d'avoir le meilleur prétexte pour abattre la puissance militaire irakienne ?

Les avis sont partagés. Je pense que la réponse est non, car les dangers étaient considérables. On l'a vu d'ailleurs. Laissant l'Irak pénétrer au Koweït, les États-Unis prenaient le risque de voir les forces irakiennes poursuivre, dès les premières réactions, en direction de Dahran et ainsi contrôler les puits du nord-est de l'Arabie Saoudite voire ceux de Bahreïn et du Qatar. C'était un risque majeur. Il est probable qu'à l'instar du président égyptien Moubarak et du roi Fahd d'Arabie le gouvernement américain a vu dans le déploiement irakien une simple manœuvre d'intimidation destinée à amener le Koweït à composer.

En revanche, force est de constater que les Occidentaux comme les voisins de l'Irak n'ont pas su éviter la poursuite du développement de la puissance militaire irakienne classique et chimique après la fin de la guerre Iran-Irak et qu'ils ont ainsi laissé se créer une situation de déséquilibre. Il faut aussi souligner que dans les semaines qui ont précédé l'agression ils n'ont ni effectué les mises en garde nécessaires, ni pris les mesures militaires propres à dissuader l'agresseur. Les évolutions maritimes ne pouvaient, à elles seules, apporter la preuve de la détermination américaine, d'autant que depuis des années des porte-avions américains croisaient en Méditerranée orientale et dans le golfe d'Oman. Seules des forces terrestres et aériennes mises en place dès juillet 1990 dans les États menacés auraient été réellement dissuasives. Les conditions politiques étaient-elles rassemblées pour le faire ? Peut-être pas. La crainte des réactions contre ce qui aurait été présenté aux masses de certains États arabes comme un sacrilège à proximité des lieux saints de l'islam a-t-elle fait reculer Américains et Saoudiens ? Probablement. Toujours est-il que les mesures propres à empêcher Saddam Hussein de risquer son coup de poker n'ont pas été prises.

La mise en place, à temps, dans un pays, ou territoire, que l'on sait menacé d'un dispositif terrestre et aérien minimum signifie clairement à un agresseur éventuel que la ou les puissances qui y participent réagiront par la force à une invasion. La Grande-Bretagne ne l'a pas fait avant l'attaque des Malouines, qu'elle savait en préparation. Les États-Unis et leurs alliés ne l'ont pas fait au Koweït. Les Français l'ont fait au Tchad.

VIII

BOUCLIER DU DÉSERT

« Une armée, par la force des choses, commet toujours des fautes. Le talent d'un chef est de découvrir celles de son adversaire, et de savoir en profiter (...) de l'amener à en commettre de nouvelles (...) de le surprendre en l'entretenant dans une fausse sécurité. »

XÉNOPHON.

Le 2 août 1990, Saddam Hussein envahit le Koweït, défie les Nations unies, provoque et offense le président Moubarak et le roi Fahd. Du coup il se trouve à la tête de 20 pour cent des réserves mondiales de pétrole et menace celles de l'Arabie Saoudite. L'armée koweïtienne, surprise, oppose peu de résistance. L'émir Jaber et quelques forces aériennes et terrestres parviennent à gagner l'Arabie Saoudite, mais l'Irak fera main basse sur des armements non négligeables, en particulier un lot de missiles Exocet achetés par le Koweït à la France et qu'il faudra par la suite détruire par attaque aérienne dans leurs dépôts.

Rapide et quasi unanime, la réaction internationale est sans précédent. Le jour même, le 2 août, la résolution 660 du Conseil de sécurité, première d'une longue série, condamne, sans recours, l'invasion du Koweït et exige que l'Irak retire ses troupes sans délai. Du 6 au 25 août suivent les résolutions 661 à 665 qui recommandent en particulier le boycottage commercial, financier et militaire de l'Irak, avec autorisation de l'usage de la force pour le faire respecter.

Ainsi débute l'embargo. Son effet essentiel est de bloquer toutes les exportations pétrolières de l'Irak et donc pratiquement de le priver de ressources. Avec les forces navales de l'océan Indien que commande l'amiral Bonnot, la France est la première nation à en assurer le contrôle aux côtés des États-Unis dans les trois détroits sensibles, ceux de Tiran et de Bab el-Mandeb, et celui d'Ormuz où la marine britannique est également présente.

La mesure est dure. Il faut donc examiner quelle pourrait être la réaction irakienne. Compte tenu du rapport des forces du moment, Saddam Hussein pourrait envahir les champs pétrolifères de Dhahran et même pousser en direction de Riyad, capitale de l'Arabie Saoudite, dont le gouvernement est l'un des plus sévères à son égard.

Même renforcées de celles des autres États du Golfe, les forces saoudiennes étaient incapables d'opposer une défense sérieuse à l'Irak. Ensemble ces pays disposaient sur le papier de cinq cents chars et deux cent cinquante avions environ. Mais leurs forces étaient peu entraînées, et le Conseil de coopération du Golfe ne semblait pas avoir établi la planification nécessaire pour conduire une bataille défensive permettant de gagner le temps nécessaire à l'arrivée de renforts extérieurs.

Le 6 août est une date cruciale. Le roi d'Arabie reçoit M. Dick Cheney, secrétaire d'État à la Défense des États-Unis, qui lui décrit la menace que deux corps d'armée irakiens, établis le long de la frontière entre Koweït et Arabie, font peser sur le royaume.

Dans un désert plat et pratiquement dépourvu du moindre buisson, aucun déploiement militaire de quelque importance ne peut échapper aux satellites américains. Ainsi M. Cheney n'a-t-il aucune peine à apporter les preuves de ce qu'il avance. Le souverain saoudien prend alors la décision capitale et difficile de faire appel aux troupes étrangères pour aider à la défense du royaume. C'est le début de l'opération « Desert Shield » (Bouclier du désert), première phase de l'intervention occidentale dans le Golfe.

« Desert Shield » complète l'embargo. Il faut que « le gamin lâche la pierre », dit un responsable saoudien. L'embargo doit montrer à Saddam Hussein qu'à vouloir garder le Koweït il s'achemine vers l'asphyxie économique, d'autant que les avoirs financiers de l'Irak et du Koweït à l'étranger sont bloqués. La défense de l'Arabie Saoudite doit le convaincre qu'il ne peut pas trouver une issue dans une autre aventure.

Dès le 2 août, les relations militaires entre l'état-major des armées françaises et ses homologues des pays concernés ou intéressés, au premier rang desquels l'Arabie Saoudite, les États-Unis et la Grande-Bretagne, ont été renforcées. Mes contacts sont fréquents avec leurs chefs d'état-major, soit directement soit par l'intermédiaire des attachés de défense. Les décisions militaires de la France seront régulièrement communiquées et commentées au moment opportun aux attachés étrangers en poste à Paris. Ainsi je recevrai personnellement le général Likhodey, attaché d'U.R.S.S. en France.

Certains de nos compatriotes ont estimé que la France était mal renseignée, agissait trop tard et en faisait trop peu. Il faut être clair à cet égard et pour cela j'userai d'un parallèle.

Que penserait-on, ici ou ailleurs, si la Grande-Bretagne ou même les États-Unis se sentaient directement et les premiers concernés lors d'une crise se déroulant en Afrique dans les zones où l'Histoire nous donne des responsabilités ? Il n'existe évidemment pas de partage des tâches en quelque sorte établi par traité en matière de recherche du renseignement et de zone préférentielle d'intervention. Mais par une sorte de gentlemen's agreement, s'agissant des informations spécifiquement militaires (déploiement des forces, équipements, tactiques, caractéristiques des matériels), il est des régions pour lesquelles nos alliés et amis nous font confiance, d'autres sur lesquelles ils nous renseignent. A ce titre la zone du golfe Arabo-Persique est traditionnellement une zone de responsabilité plutôt anglo-saxonne. Mais les échanges fonctionnent bien et nous avons toujours été parfaitement tenus au courant des déploiements irakiens avant le 2 août comme après cette date. Dans aucun affrontement classique, avant cette guerre, le dispositif ennemi n'a été connu avec autant de précision. La nature du terrain, les moyens engagés et la coopération interalliée en sont la cause. Ainsi aucun déploiement de moyenne importance des forces irakiennes n'échappait aux satellites et aux avions d'observation des Américains qui nous communiquaient sans délai ce qu'ils décelaient. Cette collaboration s'est accentuée et affermie après le 15 septembre lorsqu'à Riyad j'ai informé les autorités militaires saoudiennes et américaines de la décision française de participer au dispositif défendant l'Arabie Saoudite avec des moyens terrestres et aériens. Avant cette date nous n'étions pas parmi les nations prenant des risques réels en cas d'affrontement. Il eût été parfaitement vain de demander à implanter en Arabie Saoudite, à l'exclusion de toute autre force, des moyens de renseignement techniques c'est-à-dire d'écoute ou de détection électromagnétique. Par la suite aucune difficulté ne nous a été opposée. Nous étions dans le club.

Tout a-t-il donc été parfait ? Non. Si les faits étaient connus, avant le 2 août l'interprétation fut déficiente. S'il est une période dont il faut tirer des enseignements c'est bien celle du mois de juillet 1990. La concertation internationale en vue d'organiser la manœuvre diplomatico-militaire de riposte aux gesticulations de Saddam Hussein a été sommaire, pour ne pas dire nulle. Il aurait été prudent de disposer des structures permettant, dans cette zone essentielle à bien des égards, de prévenir les crises plutôt que d'avoir à les gérer. Il aurait fallu dissuader Saddam Hussein. On serait avisé d'y penser, comme il conviendrait de veiller à ce que ne puissent s'établir, à nouveau, au Moyen-Orient des situations militaires déséquilibrées. La maîtrise des ventes d'armes et des transferts de technologie est un des moyens de cette politique.

Le 6 août, donc, M. Cheney a rencontré le roi Fahd. Le 7 août, le président Bush décide et annonce l'envoi de moyens aériens et terrestres des États-Unis en Arabie Saoudite et le renforcement des forces navales dans la zone du Golfe. L'opération « Bouclier du désert » commence.

Le mois d'août sera cependant un mois difficile. La « marine aux six cents navires », selon le nom que lui donnent les militaires américains des deux autres armées, n'a que huit bâtiments gros transporteurs de personnels et de matériels terrestres. Faut-il y voir, comme l'écrit un officier américain, un effet du penchant naturel des officiers de marine à préférer commander des bâtiments de combat ? Je n'entrerai pas dans cette querelle de boutons américaine. Toujours est-il que, pendant une quinzaine de jours, en dépit d'une planification remarquable, établie de longue date, les parachutistes américains de la 82e division aéroportée se sentiront bien légers dans la zone de Dhahran. « Nous sommes dans une fenêtre de vulnérabilité », me dira le 10 août un haut responsable militaire américain. Cette fenêtre sera fermée aux environs du 25 lorsque des unités plus lourdes, appartenant en particulier au corps américain des marines, auront été déployées en deuxième rideau derrière les forces saoudiennes et à l'est du théâtre, et que simultanément des forces aériennes conséquentes auront complété celles des porte-avions. Ceux-ci demeurent d'ailleurs en Méditerranée orientale et dans le golfe d'Oman. Comme pendant la guerre Iran-Irak la marine américaine ne tient pas pour le moment à les exposer au tir d'un missile air-sol.

A Paris, depuis le début de la crise, les réunions plénières de notre Centre opérationnel des armées, le C.O.A., sont évidemment quotidiennes. Il s'agit d'évaluer la balance des forces, de faire le point de la situation, d'anticiper ses évolutions, de rendre compte à notre gouvernement et le cas échéant de formuler des propositions.

Dès que se dessine le dispositif américain, je suis frappé par sa concentration à l'est du théâtre. Aucune force occidentale ne le couvre à l'ouest le long de l'excellente route qui, de la corne sud-ouest du Koweït, mène à Riyad, capitale du royaume. Les zones centre et ouest de la frontière ne sont quasiment pas protégées. Or il n'y a aucune raison pour que les forces irakiennes, si elles prenaient l'offensive, ne s'engagent pas sur l'ensemble de la frontière séparant l'Arabie Saoudite du Koweït et de l'Irak. Mes très proches collaborateurs partagent mon analyse. Je prévois donc de proposer, dans le cas où la France déciderait de concourir à la défense de l'Arabie Saoudite, un déploiement de nos forces largement à l'ouest. Un tel déploiement ne nous imbriquerait pas dans le dispositif américain et concilierait donc l'intérêt militaire et notre souci d'indépendance ou d'autonomie qui ne devrait pas manquer de s'exprimer ici ou là.

Début août, dans le cadre de l'opération baptisée « Artimon », nos navires participaient donc à l'embargo au nord et au sud de la mer Rouge et au détroit d'Ormuz tandis que nos forces aériennes basées à Djibouti assuraient une surveillance du détroit de Bab el-Mandeb (ce qui n'apparaissait pas comme inutile, les sympathies du Yémen pour l'Irak étant bien connues). Une fois de plus était ainsi mise en évidence l'importance stratégique de Djibouti. Petit État de quelques milliers de kilomètres carrés, la République de Djibouti constitue encore une oasis de calme dans une zone toujours secouée de fortes turbulences au Soudan, en Ethiopie et en Somalie où l'on n'a d'ailleurs pas cessé de se battre, fin 1990 et début 1991, sans que le monde s'en préoccupe beaucoup. La crise du Golfe monopolisait l'attention. La présence militaire française garantit l'indépendance de Djibouti et stabilise aussi les abords du détroit de Bal el Mandeb où la libre circulation du trafic maritime international est aussi importante qu'à Ormuz, à Gibraltar ou à Suez.

Le 8 août dans une note adressée au ministre de la Défense je présente plusieurs possibilités d'actions pouvant être entreprises par la France dans le cas où le président de la République déciderait d'aller au-delà de l'embargo.

L'éventail des possibilités est assez large. L'envoi d'un porte-avions est bien entendu envisagé. Le porte-avions présente l'avantage de constituer une base aérienne mobile naviguant dans les eaux internationales, non liée, par conséquent, à des demandes ou à des autorisations de stationnement comme c'est le cas pour des avions basés à terre. En temps de paix l'un de nos porte-avions est immédiatement disponible. S'il n'est pas en phase d'entretien ou de refonte, le second peut être utilisé en porte-hélicoptères. Il faut que les premières mesures de mobilisation soient prises pour qu'on s'en serve comme porte-avions. En août 1990, le *Foch* et le *Clemenceau* sont tous deux aptes à prendre la mer, le *Foch* comme porte-avions, le *Clemenceau* comme porte-hélicoptères. Mais où serait-il pertinent d'envoyer un porte-avions ? La carte montre que c'est à partir de la Méditerranée orientale que les Superétendard pourraient le plus aisément atteindre le territoire irakien, mais il leur faudrait survoler non seulement le Liban ou Israël mais aussi la Syrie ou la Jordanie. Du nord de la mer Rouge on peut aussi atteindre l'Irak avec un poser intermédiaire au retour en Arabie Saoudite. Enfin, plus à l'est, à partir du golfe d'Oman, les objectifs sont nettement hors de portée sauf à effectuer dans ce cas encore plusieurs posers intermédiaires.

Autre possibilité d'action : la France peut proposer aux États de la zone directement concernés, l'Arabie Saoudite, bien entendu, mais aussi Bahreïn, le Qatar, les Émirats arabes unis et même le sultanat d'Oman l'envoi de forces aériennes et terrestres en vue de participer à leur défense. L'envoi d'avions de combat, en particulier de défense aérienne, me paraissait judicieux, celle-ci s'inscrivant tout à fait dans l'esprit de « Bouclier du désert », le bouclier devant être non seulement efficace au sol mais aussi dans l'espace aérien. Enfin on pouvait retenir une solution de compromis, l'envoi d'un porte-avions, le *Clemenceau* par conséquent, gréé en porte-hélicoptères, c'est-à-dire étant non seulement un transporteur d'hélicoptères mais aussi une base en mesure de soutenir plusieurs jours un régiment d'hélicoptères de combat agissant à quelque distance du porte-avions.

C'est ce dernier choix qui sera fait, la France et l'Arabie Saoudite ne s'étant pas encore accordées sur le principe du stationnement de forces françaises sur le territoire saoudien. Escorté du croiseur antiaérien *Colbert*, le *Clemenceau* appareille le 13 août de Toulon ; ce sera l'opération « Salamandre ».

En compagnie de l'amiral Louzeau, chef d'état-major de la marine, et du général Forray, chef d'état-major de l'armée de terre, je me pose à son bord au large d'Hyères et je présente aux cadres du groupe aéronaval et du 5e régiment d'hélicoptères de combat leur mission et ses modalités d'exécution.

C'est le mois d'août, de nombreux bâtiments de plaisance font escorte à nos navires et assistent aux derniers posers d'hélicoptères sur le pont d'envol.

Que de condamnations péremptoires, que de ricanements, de caricatures et même que de commentaires grossiers n'a-t-on pas entendus et lus entre le 15 août et le 15 septembre au sujet de l'envoi du groupe *Clemenceau* dans le pourtour de l'Arabie Saoudite. Le summum a été atteint lorsque mentant sans scrupule une parlementaire a prétendu que le *Clemenceau* était arrivé à Djibouti « remorqué par le *Colbert* ». Le *Clemenceau* a dix ans de moins que le *Midway*, porte-avions encore en service dans la marine américaine. Personne ne songerait à se gausser du *Midway*. J'espère seulement aujourd'hui que les rieurs et les critiques d'août 1990 seront au premier rang pour demander que soient financés les chars, les avions et les navires modernes qui doivent entrer en service dans la décennie 90.

Quelque temps après notre opération « Salamandre », la défense aérienne des Émirats arabes unis et du Qatar sera renforcée par des avions et des matériels antiaériens français tandis qu'un escadron de cavalerie légère est mis en place aux Émirats, fin août, pour soutenir la surveillance des plates-formes pétrolières. Ces deux opérations seront baptisées « Busiris » et « Meteil ». Les 25 et 26 août le groupe *Clemenceau* sera en escale à Djibouti, le ministre de la Défense M. Chevènement décide de s'y rendre et je l'accompagne. Ce que nous constatons est très positif. Pendant tout le trajet Toulon-Djibouti les équipages d'hélicoptères ont multiplié les exercices avec le groupe aéronaval, à Djibouti ils vont parfaire leur entraînement au combat en zone désertique avec les unités locales : 5e régiment interarmes d'outre-mer et 13e demi-brigade de Légion étrangère. Après ces quelques jours dans la douce chaleur d'août de Djibouti (la température dépasse 45° à l'ombre), le groupe aéronaval mettra le cap vers la mer d'Oman. Le régiment d'hélicoptères et sa compagnie de protection provenant du 1er régiment d'infanterie s'entraîneront ainsi dans le désert avec les forces des Émirats arabes unis et du sultanat d'Oman.

Beaucoup de nos équipages avaient déjà acquis l'expérience du désert soit au Tchad soit à Djibouti mais jamais la totalité d'un régiment de combat n'avait été engagée hors d'Europe. Ces entraînements améliorent la cohésion du corps, son aptitude à manœuvrer avec les autres armes de l'armée de terre, infanterie portée, blindés et artillerie comme avec l'armée de l'air. Ils permettent aussi de commencer la coopération avec les armées arabes engagées à nos côtés dans la crise du Golfe.

Fin août et début septembre se déroulent d'intenses activités diplomatiques. Retenons-en surtout que le 9 septembre les présidents Bush et Gorbatchev font une déclaration commune dans laquelle ils s'affirment déterminés à rejeter l'agression irakienne et proclament leur soutien aux résolutions de l'O.N.U. En fait des divergences subsistent quant au lien à établir entre les différents problèmes de la région et les mesures à prendre pour tenter de les résoudre. Ainsi M. Gorbatchev se déclare résolument hostile à une solution militaire dont les conséquences sont, selon lui, imprévisibles. Mais il se trouve dans une situation difficile. Il sait qu'il ne peut réussir la perestroïka sans le soutien des États-Unis et de l'Europe; d'un autre côté il doit aussi composer avec ses conservateurs qui ne voudraient pas abandonner totalement Saddam Hussein. L'armée irakienne est une de leurs pièces maîtresses sur l'échiquier du Moyen-Orient.

Alors que le 5e régiment d'hélicoptères de combat revient vers la mer Rouge à bord du *Clemenceau*, le gouvernement saoudien exprime à la France son souhait d'une présence physique, même symbolique, de forces françaises en Arabie Saoudite. Un détachement léger de l'aviation légère de l'armée de terre est ainsi mis en place à Yanbu. Dans le même temps j'adresse des propositions à notre gouvernement pour le cas où le président de la République viendrait à décider de l'envoi en Arabie Saoudite de forces plus importantes.

La France pourrait évidemment limiter sa participation à la défense de l'Arabie Saoudite à la mise à terre du 5e R.H.C. et de ses quelques moyens de protection (une compagnie d'infanterie et une section d'engins Mistral de défense antiaérienne). La faible importance de ces moyens imposerait de les inclure complètement dans un autre dispositif. L'engagement de la France passerait alors quasiment inaperçu. L'on s'en gausserait certainement. Déjà lorsque le détachement de l'aviation légère de l'armée de terre (l'A.L.A.T.) arrivait à Yanbu les journalistes étrangers n'ont pas manqué de dire aux nôtres : « Vous avez plus de journalistes que de soldats en Arabie Saoudite. » En outre il est aussi tout à fait clair qu'une force aussi réduite ne saurait être que sous commandement direct américain ou saoudien; elle ne pourrait revendiquer aucune mission ayant quelque autonomie.

Il me paraît donc souhaitable d'engager en Arabie Saoudite un groupement de l'armée de terre de taille suffisante pour freiner une action offensive irakienne sur une direction particulière et pour gagner ainsi des délais en vue de l'engagement de forces alliées plus importantes. Le terrain d'affrontement éventuel est évidemment le désert et j'observe qu'au fil des jours la balance des forces aériennes évolue rapidement et très largement en faveur des Américains tant au plan du nombre que de la qualité des appareils. Si l'Irak s'engage en Arabie Saoudite, son aviation doit être rapidement clouée au sol; or la combinaison du mouvement et du feu de nos AMX 10 RC, de nos véhicules de l'avant blindés (V.A.B.) équipés du missile HOT qui porte à 4 000 mètres et de nos hélicoptères, les Gazelle, équipées du même missile, peut permettre de retarder les forces irakiennes dans le secteur qui nous serait confié, et de les offrir aux coups des avions et des hélicoptères américains.

Je propose donc au gouvernement de constituer un groupement à partir de la 6e division légère blindée dont le commandement est installé à Nîmes. Autour des éléments de commandement et de soutien de la division, deux régiments de blindés légers, le 1er régiment de spahis et le 1er régiment étranger de cavalerie et un régiment d'infanterie portée sur V.A.B., le 2e régiment étranger d'infanterie complété par des compagnies du 21e régiment d'infanterie de marine, formeraient la base de cette force. Je propose également de mettre en place en Arabie Saoudite des avions de reconnaissance, de défense aérienne et d'appui feu, c'est-à-dire des Mirage F I, des Mirage 2000 et des Jaguar. Bien entendu l'envoi de forces terrestres et aériennes impliquerait celui de moyens aériens de transport nécessaires au soutien local des unités françaises.

Début septembre les états-majors de l'armée de terre et de l'armée de l'air travaillent sur ces bases. Les contacts sont pris avec les compagnies de navigation maritimes et aériennes pour organiser les transports éventuels à partir de Toulon et des aéroports français.

A la mi-septembre les événements se précipitent. Le 14 septembre, la Grande-Bretagne décide d'envoyer en Arabie Saoudite une brigade blindée prélevée sur l'armée britannique du Rhin. Le même jour, nouvelle violation des lois internationales, des militaires irakiens pénètrent dans la résidence de l'ambassadeur de France au Koweït et retiennent pendant plusieurs heures certains de nos diplomates. Erreur de subalternes, diront plus tard les Irakiens. Toujours est-il que les excuses ne sont pas immédiates et qu'en réaction le Président de la République décide de renforcer notre présence militaire en Arabie Saoudite. Le ministre de la Défense, M. Chevènement, part le 14 en fin de matinée pour Djedda où le roi et le gouvernement saoudien se trouvent comme tous les ans pendant les mois chauds. Je l'accompagne. Dans la nuit du 14 au 15 l'ambassadeur de France M. Bernière, à qui se sont joints le contre-amiral Lacaille, chef de la mission militaire française de coopération, et le colonel Rocolle, attaché de défense, nous fait le point de la situation politique et militaire.

Le lendemain, dimanche 15 septembre, M. Chevènement s'entretient avec le prince Sultan, ministre de la Défense. Je prends de mon côté l'avion pour Riyad afin de rencontrer les autorités militaires saoudiennes et américaines.

Ma première visite est, comme le protocole l'exige, pour le général chef d'état-major des armées saoudiennes. Sa tâche est importante mais surtout d'ordre administratif et logistique. Les deux visites suivantes seront décisives. Elles détermineront le rôle et la localisation de nos forces non seulement pour cette phase défensive mais aussi pour la suite des opérations. Je rencontre tout d'abord le fils du prince Sultan, le prince Khaled ben Sultan, général de division et responsable de la défense aérienne du royaume. Il vient d'être désigné par le roi pour assurer le commandement des forces arabes dites conjointes. Je lui expose l'intérêt qu'il y aurait, à mon avis, de confier aux forces françaises, dont l'atout principal est la mobilité, la couverture d'un axe de pénétration à l'ouest du front, voire largement à l'ouest. Il est manifestement enchanté et me propose une implantation dans la zone de Hafar el-Batin, à cent kilomètres environ de la corne sud-ouest du Koweït. Le problème de l'implantation de nos forces aériennes est plus difficile à résoudre car les forces américaines et britanniques saturent déjà les aérodromes de la totalité de la péninsule arabique,

Émirats et sultanat d'Oman inclus et bien sûr Yémen exclu. Nous convenons de retenir le principe de l'envoi d'avions français et de fixer ultérieurement leur implantation.

Après cette entrevue, je rencontre le général Schwarzkopf, installé lui aussi au ministère de la Défense saoudien. Je connaissais plusieurs responsables militaires américains mais pas Schwarzkopf. Immédiatement le courant passe très bien entre nous. Nous parlons l'un et l'autre quelques minutes de notre expérience indochinoise. Il me fait ensuite le point de la situation. Rassuré quant aux moyens aériens et navals, il s'estime encore trop léger dans le domaine terrestre même si peu à peu les unités lourdes se mettent en place. Il attend en particulier la 24e division d'infanterie, qu'il a commandée, et qui lui apportera trois cents chars Abrams. Sur la carte il me présente le dispositif irakien qui est tout à fait conforme à ce que j'en sais. Vingt-sept divisions de l'armée de terre irakienne dont six blindées sont stationnées au Koweït, la Garde républicaine forte de huit divisions est plus au nord, à cheval sur la frontière du Koweït et de l'Irak. Une partie importante de l'armée irakienne est encore disposée au nord du pays face à la Turquie et contrôle le Kurdistan. La valeur d'un corps d'armée entoure Bagdad. Enfin les avions-radars AWACS qui surveillent l'espace aérien indiquent des vols d'entraînement fréquents de l'aviation irakienne. En face les forces des alliés arabes de l'Arabie Saoudite, arrivent lentement ; les moyens lourds égyptiens et syriens n'ont pas encore pris la mer. Lorsque j'évoque avec Schwarzkopf l'implantation de la division légère française dans la région d'Hafar el-Batin, il en est lui aussi visiblement très heureux car il sent bien que son ouest est découvert. Il me garantit en cas d'attaque irakienne un appui rapide de son aviation et de ses hélicoptères de combat et la mise en place d'officiers de liaison américains dès l'arrivée de nos forces afin que cet appui éventuel ne souffre d'aucun retard. Il tiendra parole.

Je quitte alors Riyad pour regagner Djedda après avoir rappelé à mes interlocuteurs que nos projets doivent évidemment recevoir l'accord du gouvernement français. Je conviens aussi avec eux de retenir le port de Yanbu sur la mer Rouge pour le débarquement puis le soutien de nos forces. Yanbu est certes à mille kilomètres de la frontière irakienne mais une excellente route permet de rejoindre en deux ou trois étapes la zone d'Hafar el-Batin. Une mise en place par Dhahran sur le golfe Persique prendrait une bonne semaine de plus et surchargerait encore ce port qui reçoit tous les convois américains. Enfin aucune menace aérienne sérieuse ne pèse sur Yanbu.

J'arrive à Djedda vers 23 heures. La nuit précédente ayant été fort courte, j'espère comme le général Pidancet, mon chef de cabinet, qui m'accompagnera en chaque occasion, pouvoir récupérer un peu. Pour ma part il me faudra attendre 2 heures du matin car M. Chevènement, rencontré en arrivant à l'hôtel, m'emmène chez le roi qui lui donne audience à minuit. Pendant près de deux heures, dans une pièce glacée par la climatisation, le souverain parlera pratiquement sans interruption pour exprimer son indignation devant les traîtrises de Saddam Hussein. Il faut lui faire rendre gorge, dit-il. Il fait part de sa satisfaction devant l'arrivée prochaine de forces françaises dont le prince Sultan vient de l'informer.

Pendant le vol de retour vers Paris, je propose à M. Chevènement de retenir le général Roquejeoffre, qui vient de prendre le commandement de la force d'action rapide, pour assurer celui de nos forces en Arabie Saoudite.

Je connais le général de corps d'armée Roquejeoffre depuis longtemps; je sais qu'il sera à la hauteur de la tâche, non seulement s'il faut en découdre mais aussi parce qu'il saura faire preuve de la diplomatie et de la fermeté nécessaires pour négocier avec Saoudiens et Américains tous les problèmes d'organisation et de soutien qui ne manqueront pas de se poser.

Compte tenu du niveau relativement faible de nos forces, désigner un général de corps d'armée pouvait apparaître comme surdimensionné à ce moment-là. Il faut cependant considérer qu'elles seront dans un pays où stationnent et stationneront des troupes nombreuses. J'estime que les commandants directs des forces terrestres et aériennes doivent pouvoir se consacrer uniquement à leur tâche de préparation au combat et pour cela il faut qu'ils soient coiffés par un chef disposant d'un état-major solide installé à Riyad et les déchargeant des difficultés liées à l'implantation de nos forces en pays étranger et dans une coalition internationale. Les expériences vécues les années précédentes, au Liban et au Tchad en particulier, m'ont convaincu que cette organisation est la bonne et qu'il faut toujours l'adopter, surtout en cas d'opérations à l'étranger.

Le gouvernement ayant donné son accord à la désignation du

général Roquejeoffre, dès mon retour à Paris, le 17 septembre, je le reçois et je lui trace les grandes lignes de sa mission avant de les lui confirmer par écrit le 19 septembre, juste avant son départ pour l'Arabie Saoudite où il va précéder l'arrivée de ses troupes, en préparer la mise en place, et notamment rechercher une base convenable pour nos forces aériennes.

Entre-temps je participe à Munich au Conseil de défense franco-allemand réuni par le Président de la République et le chancelier fédéral. Ainsi c'est le 18 au matin à Munich, avant les sessions du Conseil franco-allemand, que M. Mitterrand préside une réunion restreinte à laquelle assistent le ministre des Affaires étrangères M. Roland Dumas, M. Chevènement ainsi que l'amiral Lanxade, chef de l'état-major particulier du président. J'expose au Président le résultat de mes entrevues de Riyad. Il donne son accord aux dispositions envisagées et en particulier à l'implantation de nos forces à l'ouest du dispositif allié, dans la région d'Hafar el-Batin.

Sitôt prise et annoncée la décision du Président d'engager des forces terrestres et aériennes françaises en Arabie Saoudite dans le cadre de l'opération, qui reçoit alors le nom de « Daguet », le débat s'ouvre sur le commandement de ces forces. Sera-t-il français sera-t-il étranger ?

L'histoire est riche d'exemples où des troupes appartenant à diverses nations ont coopéré sur un même théâtre d'opérations. L'efficacité exige l'unité de commandement.

A la bataille de Cannes l'essentiel des forces carthaginoises est représenté par des contingents gaulois et espagnols mais c'est Hannibal qui commande. La Grande Armée qui pénètre en Russie est multinationale mais c'est Napoléon qui commande. Pendant la Première Guerre mondiale les Alliés tardent à réaliser l'unicité de commandement ; il faut une situation très compromise pour que le 26 mars 1918 le commandement unique soit confié au général Foch. Pendant la Seconde Guerre mondiale la stratégie générale est évidemment politico-militaire et les chefs d'État concernés se rencontrent assez souvent ; mais au niveau de chaque théâtre le commandement unique est de règle. Ainsi le général Eisenhower va-t-il coordonner en 1944 les opérations en Europe occidentale. A la mi-août de cette même année 1944, le général de Lattre de Tassigny qui dispose de trois divisions françaises est aux ordres du général américain Patch, responsable du débarquement qui va libérer Toulon et Marseille. Néanmoins, les gouvernements suivent toujours les opérations. Ainsi dans l'hiver 1944-1945, lors de la contre-attaque des Ardennes, le général américain Devers, obligé d'étirer son front, veut évacuer Strasbourg, qui a été libérée le 23 novembre, et se replier sur les Vosges; de Gaulle s'y oppose et, malgré les attaques allemandes de janvier 1945, Strasbourg restera aux mains des troupes françaises.

J'ai déjà rappelé comment, la Seconde Guerre mondiale terminée, l'impérialisme soviétique qui se manifestait en Europe centrale a conduit les Occidentaux à signer le traité de Washington, base de l'Alliance atlantique, et à mettre sur pied l'organisation militaire intégrée de l'Alliance. La France a quitté cette organisation intégrée en 1966 mais le général de Gaulle, on l'a vu, a écrit à ses alliés que la France restait engagée par le traité de Washington et prendrait toutes dispositions pour pouvoir engager ses forces dans les meilleures conditions possible en cas d'agression contre un État de l'Alliance.

L'année suivante était cosignée, rappelons-le, par le commandant en chef désigné des forces de l'Alliance en Europe, le général américain Lemnitzer, et le général Ailleret, chef d'état-major des armées françaises, une instruction fixant les grandes lignes de la coopération de la France et de ses alliés. Simultanément s'affirmait la notion de contrôle opérationnel. Elle est de la plus grande importance et peut se résumer ainsi : lorsque le gouvernement français a pris la décision d'engager ses forces aux côtés de ses alliés, la mission des forces françaises, le moment et la durée de leur engagement, la zone d'engagement enfin sont fixés d'un commun accord par le commandant en chef allié et le chef d'état-major des armées françaises. Les forces françaises agissent toujours sous commandement français mais peuvent recevoir des ordres d'un grand commandement allié pour l'exécution de la mission convenue.

Le Président de la République ayant décidé, le 17 septembre, l'engagement de nos forces pour la défense de l'Arabie Saoudite, j'obtiens son accord pour qu'elles soient, en cas d'agression par l'Irak, placées sous contrôle opérationnel d'un grand commandement allié (saoudien ou américain) pour participer à la défense de l'Arabie Saoudite sur la direction Hafar el-Batin-Camp du Roi Khaled et pour prendre part à la défense aérienne du royaume.

Les Américains concernés, le général Schwarzkopf et le général Horner commandant son aviation, acceptent immédiatement cette formule qu'ils ont fréquemment pratiquée sur le théâtre européen au cours des manœuvres et exercices de cadres des décennies précédentes. En revanche il faudra toute la fermeté et toute l'habileté du général Roquejeoffre pour que les généraux saoudiens et leurs alliés islamistes y consentent sans restriction. Or une de nos obsessions sera de régler les problèmes de la défense contre les agressions aériennes, qu'il s'agisse de l'emploi des avions, des missiles ou des canons antiaériens. La sécurité des pilotes et des troupes au sol dépend d'une bonne coordination dans ce domaine où rien ne remplace des procédures maîtrisées et des entraînements en commun fréquents. Heureusement Saddam Hussein nous donnera du temps. Il n'aura d'ailleurs jamais l'audace d'engager ses forces aériennes.

Le 20 septembre, le général Roquejeoffre arrive à Riyad. Il trouve un terrain bien préparé par notre ambassadeur, M. Bernière, le contre-amiral Lacaille et le colonel Rocolle. Avec opiniâtreté il va peu à peu résoudre les problèmes posés par l'implantation de nos forces. Le même jour, à l'arsenal de Toulon, j'assiste au départ des premiers éléments terrestres. Je m'entretiens avec le général Mouscardès, commandant la 6ᵉ division légère blindée (6ᵉ D.L.B.), désigné pour les commander. Ce « marsouin », que je connais de longue date, a été grièvement blessé en Algérie. Il est l'homme qu'il faut pour parfaire l'entraînement de nos forces et exiger que soient exploités leurs atouts : mobilité et puissance de feu antichars. Une anecdote en passant : depuis plusieurs mois il était prévu que le général américain Galvin, actuel commandant en chef allié en Europe, et moi nous rencontrerions à Toulon à cette même date du 20 septembre. En effet, trois ou quatre fois par an, nous faisions ensemble un point de situation sur l'Europe mais aussi l'Afrique dont il a la responsabilité en tant que commandant suprême des forces américaines en Europe et dans la plus grande partie de l'Afrique. Nous maintenons bien entendu cette rencontre et de la préfecture maritime de Toulon mon ami John Galvin assiste au départ de nos navires.

Fin septembre, le général Roquejeoffre trouve avec le commandement saoudien une solution pour l'implantation de nos forces aériennes de combat. Ce sera l'aérodrome civil d'Al-

Ahsa, à une centaine de kilomètres au sud de la base de Dhahran occupée par les Américains. D'autres solutions, peut-être plus économiques, étaient envisageables. Mais au total, les responsables logistiques saoudiens ayant su transformer en moins de trois mois l'aérodrome d'Al-Ahsa en une base aérienne moderne, le choix s'est finalement avéré bon même s'il a été plus coûteux en personnels que le partage d'une base aérienne américaine. Un tel partage, on ne pouvait y échapper à Riyad pour nos avions de transport et de ravitaillement en vol et tout se passa également très bien.

Le premier commandant de base fut le colonel Job, un peu plus tard général. Je l'avais rencontré au Tchad, où il commandait le dispositif « Épervier », quelques semaines auparavant. C'est un officier d'une grande compétence qui allie à ses qualités spécifiques d'aviateur une excellente maîtrise de la coopération air-terre et des opérations en zone désertique.

Le 2 octobre à Istres, en compagnie du général Fleury, chef d'état-major de l'armée de l'air, j'assiste au départ de nos premiers avions de combat accompagnés des premiers appareils ravitailleurs mis en place.

Pendant que les forces terrestres et aériennes s'installent pratiquement sans incident, nos forces navales de l'océan Indien poursuivent les contrôles de l'embargo en coopération avec d'autres marines dont plusieurs européennes avec qui nous avons pu mettre sur pied en août un protocole de coopération dans le cadre de l'U.E.O. Des centaines de navires marchands en provenance ou à destination de l'Irak seront ainsi interceptés, certains visités. Personne ne cherchera à forcer l'embargo : l'annonce faite par plusieurs pays coalisés, dont le nôtre, qu'une tentative de passage en force pourrait conduire à ouverture du feu pour immobiliser le contrevenant a probablement dissuadé toute velléité.

Au début d'octobre le Président de la République effectue une rapide visite dans la zone. Le 3 il sera à Abu Dhabi et après une entrevue avec le cheikh Zayed, président du Conseil suprême des Émirats arabes unis, il passe la nuit sur le *Dupleix* où je le retrouve le lendemain matin. Le Président, s'adressant à l'équipage, soulignera les buts de l'action actuellement engagée : faire respecter le droit international et obtenir, conformément aux résolutions des Nations unies, l'évacuation du Koweït par l'action conjuguée de l'embargo et de la dissuasion de toute action contre l'Arabie Saoudite. Le 4 à midi, le Président sera à Djedda où le roi lui tiendra sensiblement le discours que j'ai entendu quelques jours plus tôt avec M. Chevènement. Dans l'après-midi M. Mitterrand se pose à Yanbu et se fait rendre compte par le général Roquejeoffre de la mise en place des troupes françaises ainsi que de la situation générale. Comme sur le *Dupleix* il s'adresse aux personnels présents. Il n'est pas sans intérêt de noter que c'est le 4 octobre à midi à Djedda que parvient un message annonçant des troubles au Ruanda pouvant faire courir des dangers aux ressortissants étrangers. Un rapide conseil nous réunit autour du Président ; moins d'une heure après ordre est donné d'envoyer un détachement de parachutistes à Kigali en coopération avec un détachement de paras-commandos belges. Dès le lendemain 5 octobre au matin nos parachutistes se posent à Kigali, capitale du Ruanda, démontrant, une fois de plus, notre capacité à réagir rapidement lorsqu'il s'agit d'aider nos amis africains et de protéger nos ressortissants. Notre action a permis de circonscrire les troubles au nord du Ruanda, près de la frontière de l'Ouganda. Occultée par les opérations du Golfe elle est passée quasiment inaperçue.

Pendant les trois premières semaines d'octobre se déroulent les mouvements de mise en place de nos forces, de leurs matériels, de leurs munitions avec des moyens aériens et navals, militaires et civils. Tout se passe sans incident notable et après le 15 octobre le dispositif « Daguet » de « Desert Shield » est en place.

Du 20 au 23 octobre je vais l'inspecter. L'état-major interarmées est convenablement installé à Riyad comme l'est la base aérienne de transport et de soutien ; les aviateurs ont encore à faire à Al-Hasa mais ont commencé depuis plusieurs jours leur entraînement ; pour les Mirage de reconnaissance F 1 CR ont débuté les missions photos le long de la frontière. Le groupement de soutien logistique (G.S.L.) effectue un travail remarquable à Yanbu et au Camp du Roi Khaled. La division légère est implantée à l'ouest d'Hafar el-Batin et au nord de la route qui longe la frontière et conduit de Dammam à la frontière jordanienne. Sur le plan tactique le dispositif de Mouscardès est excellent, bien protégé et suffisamment dispersé pour ôter son efficacité à une attaque aérienne ennemie initiale. Mais la localisation retenue s'inscrit dans une défense en ligne, ce qui ne m'enchante pas. Je m'en entretiens avec le général Guignon, sous-chef d'état-major chargé des opérations à l'état-major des armées, qui m'accompagne, et avec les généraux Roquejeoffre et Mouscardès. Nous nous accordons pour estimer qu'une localisation à une cinquantaine de kilomètres plus au sud, entre la route et le Camp du Roi Khaled, donnerait plus de champ à des contre-attaques dans les intervalles du dispositif de nos alliés des forces islamiques. Les généraux Khaled ben Sultan et Schwarzkopf à qui j'en fais part partagent mon avis. Le gouvernement français donne son accord. « La France recule », titrent alors deux ou trois journaux français comme si dans le désert cinquante kilomètres de reg avaient la moindre importance. Au contraire, il est parfois bon de placer les kilomètres dans le dos de l'ennemi. On y a tout avantage lorsque l'on bénéficie de la supériorité aérienne. Ce fut plusieurs fois le cas au Tchad et en tout cas l'un des enseignements essentiels des campagnes de Wavell, de Rommel et de Montgomery en Afrique du Nord-Est au cours de la Seconde Guerre mondiale.

Les conditions de vie ne sont pas faciles sur les sables d'Arabie mais ceux qui ont connu le Tchad et passé des semaines à Salal ou à Biltine les considèrent plutôt comme très confortables. Le pays est équipé de bonnes routes, les gîtes d'étape sont bien organisés, aucun problème d'essence ne se pose (ce qui est évidemment la moindre des choses!), aucun problème d'eau non plus. Les munitions arrivent progressivement grâce aux véhicules de transport lourd dont l'armée de terre commence à être équipée. Cela nous change des problèmes rencontrés dans le désert tchadien où l'eau est rare et où le carburant doit être acheminé depuis Douala. Je constate qu'en un mois nos hommes ont fait un travail considérable pour s'installer, prendre contact avec les unités voisines, reconnaître le terrain et parfaire leur entraînement en commun. J'apprécie particulièrement l'énergie, la bonne humeur et le coup d'œil du colonel Ladevèze, commandant le 5e régiment d'hélicoptères de combat. Son régiment est rompu à exploiter la moindre dune dans le vol à basse altitude. Avec ses quarante hélicoptères antichars il ferait du mal à l'adversaire dans une attaque prononcée de flanc et soleil dans le dos contre des blindés irakiens.

C'est en Arabie Saoudite que le 23 octobre nous parvient l'annonce de la libération des otages français retenus par l'Irak. Par la suite entre cette date et le 10 décembre tous les otages détenus par Bagdad sont libérés.

Pendant ce temps plusieurs pays dont la France, dans la ligne du discours prononcé par le président le 24 septembre aux Nations unies, tentent de convaincre l'Irak qu'il doit se retirer du Koweït et qu'ensuite tout devient possible. Le dictateur irakien y voit probablement des signes de faiblesse. Il se persuade certainement que par la libération des otages, il retrouve une certaine respectabilité et il voit dans les appels à une solution pacifique le début de lézardes dans la coalition. A aucun moment il ne semble avoir compris que son obstination à conserver le Koweït, à ignorer les résolutions de l'O.N.U. et les perches tendues par les Occidentaux comme par plusieurs pays arabes, allait au contraire souder la coalition et inévitablement conduire à un durcissement des attitudes. Je ne suis pas du tout convaincu que dans cette période de septembre et octobre 1990 les Américains, même s'ils s'y préparent, aient déjà décidé irrévocablement la destruction des forces armées conventionnelles irakiennes et du potentiel nucléaire et chimique de ce pays. La question restera ouverte mais pour ma part je pense que non. Des responsables militaires américains que j'ai rencontrés estimaient, fin octobre, qu'ils disposaient, avec leurs alliés, des moyens d'imposer une défaite cuisante à Saddam Hussein si ses troupes sortaient de leurs trous et s'engageaient en rase campagne; en revanche ils considéraient leurs forces comme insuffisantes pour passer à l'offensive. Un seul point est indiscutable : si Saddam Hussein s'était retiré du Koweït à ce moment-là, il n'y aurait pas eu de bataille et l'Irak aurait conservé sa puissance déstabilisatrice parmi les pays de la zone. Saddam Hussein aurait-il été renversé par une armée et un peuple désormais frustrés de leur victoire acquise sur l'Iran au prix de centaines de milliers de morts et des espoirs nés de l'occupation du Koweït ? Cette perspective l'a peut-être fait hésiter. L'explication la plus plausible, à mon avis, est que, trompé par son entourage, le haut état-major en particulier, il a largement surestimé les capacités de ses forces à mener une guerre moderne et sûrement ses propres aptitudes à conduire une telle guerre. Il a été trompé par sa faute : ceux qui osaient lui dire la vérité le payaient de leur vie. Toujours pour les mêmes raisons il a vu dans les perches tendues par certains coalisés de graves faiblesses; il en a conclu que sa propre fermeté entraînerait la dislocation d'une coalition dont les membres, surtout les Occidentaux, ne prendraient pas le risque de faire tuer nombre de leurs soldats et qu'ils n'iraient donc pas au-delà d'un embargo qu'il se faisait fort, lui Saddam Hussein, de faire supporter longtemps par son peuple.

Piètre stratège donc, que ce dictateur. D'ailleurs n'a-t-il pas choisi le moment où le monde voyait, avec la fin de la guerre froide, la possibilité de régler par la négociation les problèmes de la planète pour envahir un pays arabe voisin. Sa tentative ultérieure de lier son agression aux autres questions du Moyen-Orient n'aura trompé qu'un temps les populations de quelques pays arabes, et personne ailleurs dans le monde.

Le 25 octobre, je reçois à Paris le général Colin Powell, mon homologue américain, qui rentre de Riyad. Ensemble nous faisons un examen de la situation, de ses aspects positifs et des points qui restent à régler pour rendre plus cohérent le dispositif international. Comme à l'habitude nous évoquons d'autres problèmes, les contournements soviétiques des données de base des négociations de Vienne, le Liberia, le Ruanda, le Tchad et ses confins soudanais du Darfour où l'affrontement entre les frères tchadiens ennemis Déby et Habré s'éternise. En fin de conversation Powell évoque ce que devrait être la stratégie alliée s'il fallait un jour passer à l'offensive. Nous convenons qu'un large débordement par l'ouest s'imposerait pour couper de Bagdad les forces irakiennes qui défendent le Koweït et la zone de Bassora, la garde présidentielle en particulier. Il m'interroge sur ce que serait la position de la France. Je lui réponds que changer la mission générale de nos forces relève d'accords au niveau de nos présidents respectifs, mais que si la France devait prendre part à une offensive je verrais bien, en raison de leurs caractéristiques, les forces françaises utilisées pour assurer la couverture de l'encerclement à l'ouest et face à Bagdad.

Ainsi, fin octobre 1990, la phase embargo-défense de l'Arabie Saoudite et des Émirats prend en quelque sorte un rythme de croisière. Durera-t-elle ? Beaucoup pensent qu'elle pourrait amener Saddam Hussein à merci. Mais les Américains ne sont pas des gens patients, l'entretien de forces importantes en Arabie Saoudite coûte cher, il faudra les relever avant les fortes chaleurs de l'été 1991. Enfin le Ramadan et le pèlerinage de La Mecque poseront des problèmes si les Occidentaux doivent encore assurer la défense du royaume wahabite et donc s'y trouver implantés à l'été 1991.

De notre côté notre contingent atteint un peu plus de 6 000 hommes sans compter les forces navales. En assurer la relève ne poserait aucun problème, les états-majors des armées l'ont déjà préparée. Nous pourrions même, grosso modo, doubler nos forces et continuer à pouvoir relever nos personnels tous les quatre mois comme nous le faisons en Afrique, cette Afrique dont les vicissitudes sont alors quasi ignorées des médias malgré les foyers d'affrontement qui persistent en particulier aux confins du Tchad et du Soudan. Je garde donc en réserve les parachutistes de la 11ᵉ division pour maintenir le rythme des relèves et pour faire face à un éventuel coup dur au Gabon, en République Centre-Africaine, au Ruanda ou surtout au Tchad.

Les transports stratégiques entre les ports de Toulon et de Yanbu ou entre les aérodromes français et ceux d'Arabie Saoudite sont désormais bien rodés, comme les transports tactiques sur place. Les premiers utilisent en priorité des moyens civils affrétés par l'armée, les seconds empruntent les avions et les véhicules de transport lourd militaires. La logistique, une fois de plus, impose ses contraintes. Voilà, me dis-je, un domaine sur lequel il faudra à nouveau se pencher une fois réglée l'affaire du Golfe. Saddam Hussein, en effet, je le répète, nous aura laissé le temps nécessaire pour monter en puissance. Dans d'autres circonstances et en d'autres lieux nous pourrions ne pas en disposer.

Dès que nous sommes entrés dans le club des nations engagées sur terre en Arabie Saoudite, nous avons pu utiliser sur place nos moyens de guerre électronique, systèmes d'écoute au sol, avions d'écoute radar, avions de reconnaissance photo. Le renseignement américain, fondé sur l'utilisation des satellites, parvient régulièrement et dans ce pays très particulier où peu d'éléments peuvent être dissimulés, surtout dans les zones désertiques du Sud, le déploiement des forces armées adverses est toujours parfaitement mis à jour. Certes les Irakiens pourraient bénéficier des mêmes avantages si les Soviétiques leurs communiquaient les informations obtenues par leurs satellites dont les orbites passent désormais régulièrement sur la zone du Golfe. Je ne crois pas qu'ils le fassent. Nous ignorons peu de chose du dispositif irakien mais les satellites néanmoins ne voient pas tout. Où sont les lanceurs de missiles SCUD mobiles irakiens ? Y a-t-il des avions et des hélicoptères sous chaque hangarette de protection ? Les forces du Koweït et de Bassora ont-elles des projectiles chimiques ? Quel est le moral de la troupe et de ses chefs ? Autant de questions pour lesquelles il faudra chercher les réponses par d'autres voies. Le satellite d'observation et d'écoute, après celui de télécommunication, est en 1990 l'outil qui fait la différence en matière de renseignement. Il ne faudrait pas cependant en conclure qu'à lui seul il peut tout savoir. Des parades existent surtout dans des pays vastes, montagneux et plus couverts que l'Irak. Il serait donc dangereux de faire l'impasse sur des moyens plus traditionnels de renseignement. Enfin dernière considération, mais de taille, un système comparable à celui des Américains n'est à la mesure que d'un pays ou d'une communauté de même dimension technologique et surtout économique que les États-Unis. Cette communauté existe. C'est l'Europe.

Logistique... Renseignement... Une manœuvre a rarement des chances de succès si ces deux impératifs sont négligés. Les plus grands tacticiens, lorsqu'ils s'y sont risqués, souvent à leur corps défendant, se sont cassé les dents. Ce fut, dans un terrain identique, le cas de Rommel à qui Hitler imposa de forcer le destin et qui échoua devant El-Alamein.

IX

LA TEMPÊTE DU DÉSERT

La préparation

« Le grand art d'un général est de faire en sorte que l'ennemi ignore toujours où il aura à combattre et de lui dérober avec soin la connaissance des points qu'il faut garder. »

SUN TSE.

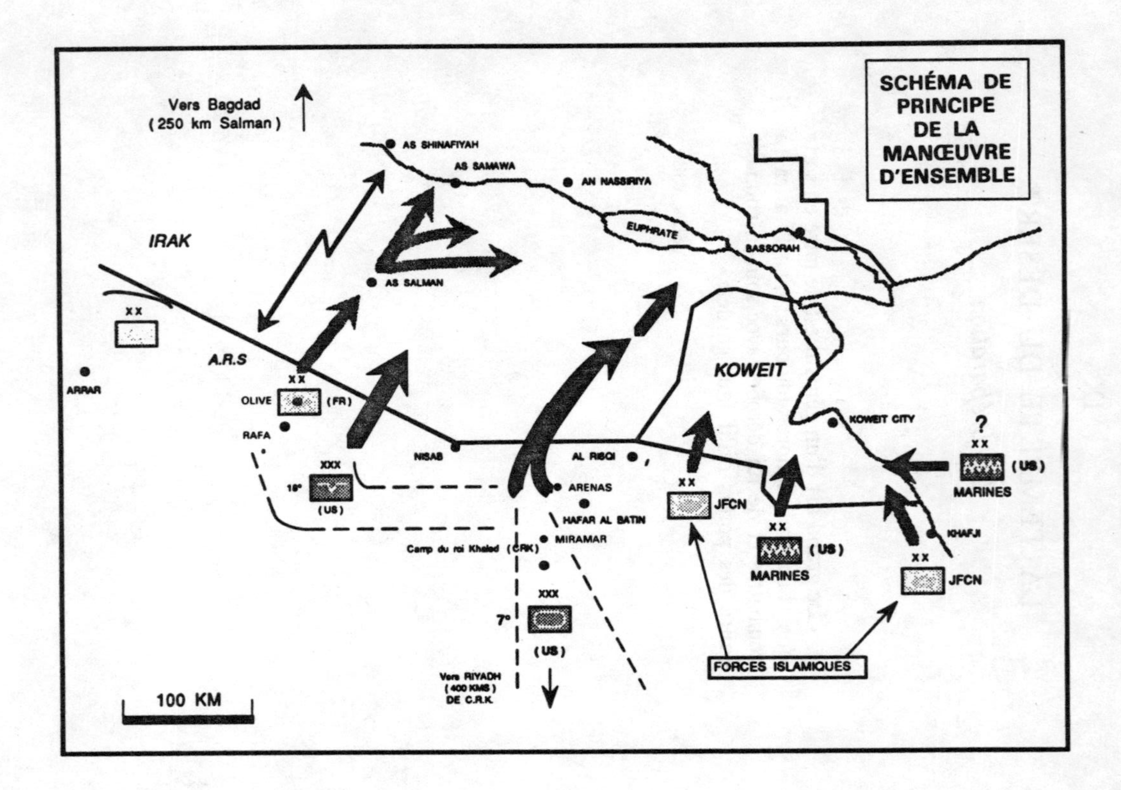
SCHÉMA DE PRINCIPE DE LA MANŒUVRE D'ENSEMBLE
Vers Bagdad (250 km Salman)
IRAK
A.R.S
ARRAR
XX
OLIVE
(FR)
RAFA
XXX
18°
(US)
AS SHINAFIYAH
AS SAMAWA
AN NASSIRIYA
EUPHRATE
BASSORAH
AS SALMAN
NISAB
AL RISQI
ARENAS
HAFAR AL BATIN
MIRAMAR
Camp du roi Khaled (CRK)
7°
Vers RIYADH (400 KMS) DE C.R.K.
KOWEIT
KOWEIT CITY
JFCN
MARINES
KHAFJI
?
FORCES ISLAMIQUES
100 KM

Le 29 novembre 1990 le Conseil de sécurité de l'O.N.U. adopte la résolution 678. Il n'est pas inutile d'en rappeler l'essentiel. Après un préambule faisant référence aux onze résolutions précédentes, le Conseil décide d'accorder à l'Irak une période de grâce pour lui laisser une dernière chance de les appliquer. Il autorise ensuite « les États membres qui coopèrent avec le gouvernement du Koweït, si au 15 janvier 1991 l'Irak n'a pas pleinement appliqué les résolutions susmentionnées, à user de tous les moyens nécessaires pour faire appliquer la résolution 660 du Conseil de sécurité et toutes les résolutions pertinentes ultérieures ainsi que pour rétablir la paix et la sécurité internationales dans la région ».

La résolution 660 à laquelle il est fait ainsi référence date du 2 août 1990, jour de l'invasion du Koweït par l'Irak. Elle exige le retrait immédiat et inconditionnel de toutes les forces irakiennes sur les positions qu'elles occupaient avant cette date.

La résolution 678 accorde à Saddam Hussein quarante-cinq jours pour comprendre que la donne internationale n'est plus la même. L'U.R.S.S. a trop besoin des États-Unis et de l'Europe et elle tentera tout au plus d'éviter le renversement du dictateur irakien et la destruction de ses forces. Pour les coalisés ce délai de quarante-cinq jours est pertinent. Il serait même insuffisant pour permettre l'acheminement de la totalité des forces terrestres que les Américains veulent engager dans une action offensive : le renforcement de ces forces durera, en fait, jusqu'au 15 février et il y aura donc recouvrement partiel de l'action aérienne et de leur mise en place. Ce délai est probablement, dans l'esprit des Américains, suffisamment court pour éviter des lézardes dans la coalition. On prétend parfois qu'ils auraient préféré la date du 1er janvier. Je n'en suis pas sûr. Cette date n'aurait pas été cohérente avec le temps nécessaire pour lancer une offensive terrestre enchaînant, dans un délai raisonnable, sur l'offensive aérienne. En revanche, imposer le 1er janvier tout en laissant traîner les choses jusqu'au 15 afin de mettre à l'épreuve les nerfs des Irakiens aurait pu être une bonne stratégie. Toujours est-il que, dorénavant, les responsables militaires vont travailler dans cette perspective du 15 janvier.

La France a donc comme les autres coalisés quarante-cinq jours pour ajuster ses moyens, sachant que pour acheminer des engins lourds des garnisons et des dépôts vers la frontière de l'Irak, il faut quelque trois semaines en additionnant les durées de manutention de transport et de déploiement. Il faut pratiquement le double pour les forces britanniques et américaines qui quitteront le nord de l'Allemagne pour débarquer à Dhahran. Six semaines..., quarante-cinq jours..., on est bien dans les délais.

Au début de décembre, j'adresse au gouvernement un rapport consacré au rôle qui pourrait être celui de nos forces si la France décidait de participer à une offensive en territoire irakien. Ce rapport indique les renforcements nécessaires. En fait il faut doubler le nombre de nos avions de défense aérienne et de bombardement, doubler également celui de nos hélicoptères de combat, enfin augmenter la puissance de choc et de feu de nos forces en leur donnant un régiment de chars moyens et un régiment d'artillerie. Le groupement « Daguet » aurait alors la dimension d'une division légère blindée du type mis sur pied en 1984 mais avec des renforcements dont celui, considérable, de deux régiments d'hélicoptères de combat disposant chacun de trente Gazelle équipées du redoutable missile HOT de 4 000 mètres de portée.

Ce rapport n'est pas, bien entendu, le premier qui parvient au gouvernement. Régulièrement les appréciations de situation et les synthèses de renseignement lui sont adressées comme les propositions d'augmentation de nos forces. Ces demandes sont établies en coopération avec les chefs d'état-major des armées et en prenant l'avis du général Roquejeoffre. Les divergences sont rares et vite aplanies. Les réponses de l'Élysée sont rapides et les propositions pratiquement toujours acceptées dans leur principe même si, quelquefois, l'exécution est différée dans le temps.

Avec le général Roquejeoffre je communique soit en téléphonie cryptée par l'intermédiaire du système satellitaire Syracuse, soit par lettres manuscrites envoyées par téléfax chiffré. Je préfère ce dernier procédé à tous les autres. Il permet de revenir sur la lecture ou la rédaction d'un texte, de le conserver, de demander des précisions. Avec Roquejeoffre (que je connais depuis dix ans pour l'avoir eu comme chef de corps du 17e régiment du génie parachutiste lorsque je commandais la 11e division parachutiste) nous nous comprenons certes à demi-mot mais encore mieux lorsque les mots sont écrits. Ajoutons que cela permet de les conserver... pour les historiens.

Mais en ce début du mois de décembre un contact physique s'impose. Je tiens aussi à prendre le pouls de nos soldats, près de trois mois après leur départ de Toulon, quatre mois pour les personnels du 5e régiment d'hélicoptères de combat. Je me rends en Arabie Saoudite du 6 au 9 décembre accompagné comme d'habitude du général Pidancet, mon chef de cabinet. Il va de soi compte tenu de sa fonction qu'il fasse partie des trois ou quatre collaborateurs qui m'accompagnent mais j'apprécie au plus haut point son humour, son calme, sa franchise et sa connaissance de l'emploi de l'armée de l'air, dans le désert en particulier, puisque lui aussi a commandé au Tchad. Fera aussi partie de cette mission le nouveau major général des armées, le général Voinot. Il vient d'Allemagne où il a commandé la 3e division blindée. L'emploi des chars n'a aucun secret pour lui. Je tiens à ce qu'il se familiarise avec le terrain très particulier sur lequel pourraient s'engager nos forces et noue des contacts avec nos diplomates, les militaires français sur place, les autorités militaires saoudiennes et américaines enfin. Le général Voinot a remplacé le 20 novembre l'amiral Coatanéa, nommé chef d'état-major de la marine. Une tradition, fondée sur le bon sens, veut que le chef d'état-major des armées, son chef de cabinet et le major général se répartissent entre les trois armées. Or le général Voinot est comme moi de l'armée de terre mais ce n'est un secret pour personne que mon remplaçant sera l'amiral Lanxade, chef de l'état-major particulier du président.

Ce voyage de début décembre aura une importance toute particulière. Il commence évidemment par un entretien avec le général Roquejeoffre. Nous allons ensuite ensemble au quartier général du général Schwarzkopf. Nous procédons à une rapide évaluation du dispositif irakien, bien que nous le connaissions l'un et l'autre. Il se caractérise par une concentration des forces au Koweït le long de la frontière et de la côte, un second rideau de divisions au Koweït et à cheval sur la frontière entre Irak et Koweït et enfin la garde présidentielle disposée grosso modo au sud-ouest de Bassora, l'essentiel en Irak, une partie au Koweït.

La frontière entre Irak et Arabie Saoudite est encore défendue sur une centaine de kilomètres à l'ouest du Koweït. Plus loin vers l'ouest elle est seulement surveillée.

L'ensemble de ce dispositif représente un peu plus des deux tiers de l'armée irakienne. Tout se passe comme si les Irakiens n'envisageaient pas une attaque des coalisés hors du Koweït et de ses approches immédiates. Certes, il y a bien un corps d'armée autour de Bagdad qui pourrait s'engager vers le sud et le sud-est mais il semble plutôt réservé à la protection du régime.

Comme lors de nos précédents entretiens nous n'avons avec nous que très peu de collaborateurs. Nous sommes cinq au total. La plus grande discrétion s'impose en effet. Le général Schwarzkopf me rappelle ce qu'il m'avait déjà dit précédemment : « Je dispose aujourd'hui des moyens nécessaires pour battre les Irakiens dans une bataille défensive. Sortant de leurs installations protégées et manœuvrant en rase campagne, ils seraient détruits et neutralisés par l'aviation et les hélicoptères. Mais, ajoute-t-il, s'il faut les attaquer, alors je dois disposer d'un meilleur rapport de force. Il faut pratiquement doubler les forces terrestres et surtout doubler le nombre de chars et de canons. Le président des États-Unis va d'ailleurs annoncer le transfert du 7e corps d'armée d'Allemagne vers l'Arabie Saoudite. »

Je réponds au général Schwarzkopf que pour sa part le Président français a décidé de doubler pratiquement les forces terrestres et aériennes dont dispose le général Roquejeoffre et je lui demande comment il envisage de procéder au cas où les chefs des États coalisés décideraient d'employer la force pour libérer le Koweït. Je lui indique, en outre, que les troupes françaises me paraissent tout à fait indiquées, compte tenu de leur localisation actuelle et de leurs caractéristiques, pour agir à l'ouest du dispositif et le couvrir.

Le général Schwarzkopf développe alors les grandes lignes de son plan et son découpage dans le temps et sur le terrain.

Dans une première phase qui durera, dit-il, tout le temps nécessaire, quinze jours au moins, il faudra détruire le potentiel nucléaire et chimique comme le système de commandement irakien et simultanément neutraliser l'aviation de combat après l'avoir aveuglée. Ensuite on s'attaquera à la logistique des forces terrestres et en particulier aux voies routières et ferrées permettant leur approvisionnement au nord et au sud de l'Euphrate. Enfin on pilonnera les forces terrestres, la garde présidentielle en priorité.

Lorsque les résultats obtenus seront estimés suffisants, c'est-à-dire une fois les forces irakiennes assez affaiblies, l'attaque terrestre sera lancée. Il faudra fixer les forces présentes au Koweït et dans ses abords, les isoler et enfin les détruire. « Je n'ai pas, me dit Schwarzkopf, l'intention de débarquer sur la côte du Koweït dont les fonds sont peu favorables, les abords et le rivage minés, mais je laisserai des marines embarqués pour que jusqu'au bout les Irakiens croient à ce débarquement et laissent sur place les divisions qui ont pour tâche de s'y opposer. » Plus laconique, quelques jours avant, Colin Powell m'avait dit : « On ne refera pas Okinawa. »

« Dès le début de l'offensive aérienne, ajoute Schwarzkopf, je transférerai le 18e corps d'armée vers l'ouest, probablement au-delà de Nisab, les marines resteront à l'est avec les forces islamiques. Le 7e corps attaquera au centre juste à l'ouest de la frontière irako-koweïtienne et aura le rôle principal dans la destruction de la garde présidentielle. »

Nous nous séparons alors après avoir évoqué d'autres questions importantes dont l'organisation du commandement et je confirme au général Schwarzkopf que, une fois décidé l'engagement de nos forces, l'application du contrôle opérationnel, comme en Europe, me paraît toujours la meilleure solution, ce qui lui convient parfaitement. Nous discutons aussi du taux de pertes envisageable tout en convenant l'un et l'autre que l'on dispose de peu de références dans ce terrain et face à l'ennemi qu'il faudra vaincre. Le problème des pertes ayant fait couler beaucoup d'encre, il convient tout d'abord de définir ce que l'on entend par « pertes » en terminologie militaire. Par pertes pour une période de vingt-quatre heures de combat on entend l'ensemble des hommes qui auront été tués, de ceux qui auront été évacués du fait de leurs blessures ou pour tout autre motif, enfin des prisonniers faits par l'adversaire. En bref, il s'agit des hommes qu'il faudra remplacer à la première occasion. La part prise par les blessés dans les pertes est évidemment capitale car c'est en fonction des prévisions faites qu'il faudra mettre sur pied les formations du service de santé et le système d'évacuation pour qu'ils soient traités dans des délais compatibles avec la gravité de leurs blessures. Le moral d'une troupe est lié à plusieurs facteurs mais la confiance qu'ont les soldats dans l'organisation de la récupération et du traitement des blessés en est un des plus importants. Sous-évaluer le nombre des blessés à traiter serait une faute grave dont on imagine facilement les conséquences. L'organisation actuelle prévue pour une bataille défensive devra être revue et renforcée d'ici le 15 janvier dans la perspective d'une offensive terrestre et en sachant que dans la plupart des cas l'offensive coûte plus cher que la défensive.

Les décisions relatives à l'accroissement de nos forces sont prises début décembre. Les 1er et 3e régiments d'hélicoptères, le 6e régiment étranger du génie, le 3e régiment d'infanterie de marine, le 4e régiment de dragons, le 11e régiment d'artillerie de marine et bien entendu les éléments logistiques correspondants vont compléter la division « Daguet » et le groupement de soutien logistique (G.S.L.). Dans le même temps le 5e régiment d'hélicoptères de combat rentre en France. Depuis lors j'ai toujours un serrement de cœur quand je rencontre le colonel Ladevèze en pensant que je l'ai ainsi privé d'une belle chevauchée en Irak qu'il avait largement contribué à préparer. L'armée de l'air de son côté va mettre en place à Al-Hasa vingt-quatre avions de combat supplémentaires et à Riyad les appareils de transport Transall et les C 135 ravitailleurs que nécessite notre renforcement.

Sous la direction du général Roquejeoffre, le général Mouscardès pour la division « Daguet », le colonel Le Guen pour le G.S.L., le général Solanet pour l'armée de l'air vont poursuivre en décembre et début janvier l'entraînement interarmes et interarmées des personnels. J'assiste d'ailleurs le 7 décembre à l'un de ces exercices présenté au sud-ouest d'Hafar el-Batin par les « anciens », ceux du 1er Spahis, du 1er régiment étranger de cavalerie, du 2e régiment étranger d'infanterie et du 5e régiment d'hélicoptères de combat. Pendant cet exercice on m'apprend la mort du lieutenant Amisse, pilote de F1 C.R. de la base d'Entzheim qui vient de s'écraser au sol lors d'un entraînement. J'assisterai le lendemain 8 à Al-Hasa au service religieux et à la cérémonie militaire qui précèdent le retour en France de sa dépouille mortelle.

L'acheminement des renforts se passe sans aucun incident. Le système, orchestré depuis l'état-major des armées par le général Janvier, est désormais une mécanique bien huilée. Le secrétariat à la Mer gère avec beaucoup d'efficacité la mise à la disposition des forces armées de plusieurs navires marchands français. Notons au passage qu'il s'agit là de la formule la plus économique pour disposer de moyens de transport maritime à grande capacité tout à fait adaptés aux matériels modernes. Certes il est nécessaire que la marine nationale dispose de quelques unités de transport lourd pour faire face aux besoins initiaux que peut exiger une intervention rapide. Mais une bonne gestion des ressources nationales conduit tout naturellement à une utilisation de la flotte marchande dès que les besoins se font plus importants, un dispositif légal permet d'ailleurs de disposer sans délai des navires et de leurs équipages lorsque le gouvernement en décide. Le même raisonnement vaut pour le transport aérien stratégique, la compagnie nationale, Air France, disposant de gros porteurs cargos de cent tonnes de charge offerte qui conviennent parfaitement au transport d'engins de combat de moyen tonnage, tel le char léger AMX10 RC.

Mais fin novembre et début décembre, alors que l'attention du monde entier est tournée vers le Moyen-Orient, la situation évolue au Darfour. La responsabilité de la discorde est probablement partagée entre les frères tchadiens victorieux de Kadhafi en 1987. Et pourtant lorsque, début 1989, au cours d'une inspection de nos forces stationnées au Tchad j'avais rendu visite au président Hissène Habré à N'Djamena, Hassan Djamous, le vainqueur de 1987, était à ses côtés. Il devait, comme Idriss Déby l'avait fait avant lui, suivre le cycle 1989-1990 de l'École supérieure de guerre interarmées à Paris et il m'avait même demandé mon aide pour pouvoir disposer d'un logement à un prix abordable proche de l'École militaire. S'agissant de l'homme qui, en infligeant trois défaites successives et décisives aux Libyens à Fada, à Ouadi-Doum et à Faya-Largeau, avait libéré son pays mais également rendu service à la France, j'avais décidé de m'en occuper car j'estimais que nous lui devions bien cela.

Je n'étais pourtant pas surpris outre mesure de cette nouvelle évolution : depuis 1968, année où servant au 3e R.P.I. Ma à Carcassonne j'ai en toute hâte participé à l'envoi d'une compagnie à Bardaï, je m'attends à tout au Tchad, pays peuplé au Sud de cinq millions de Noirs éleveurs et cultivateurs pacifiques et au Nord de quelques centaines de milliers de nomades batailleurs appartenant à des tribus différentes, pour la plupart descendants des négriers arabes dont le dernier en date fut Rabah.

Dans des frontières certes artificielles, ce fut un des mérites du colonisateur de faire cohabiter pacifiquement Arabes et Noirs. Il était à craindre qu'après l'indépendance les tensions interethniques ne l'emportent sur la nécessité de maintenir la paix pour assurer un niveau de vie minimum des populations. Exploités par la Libye les affrontements internes ont duré près de vingt ans. Le colonel Khadafi lui-même semble s'être lassé, même si le problème de la bande d'Aouzou n'est pas réglé. Malgré cela le nouveau régime du président Idriss Déby sera confronté à bien des difficultés.

En 1989, deux mois à peine après ma visite à Hissène Habré, un coup d'État fomenté par Idriss Déby et Hassan Djamous avait été déjoué par Hissène Habré. Déby et Djamous prirent la fuite vers l'est du pays. Les forces d'Habré les poursuivirent. Djamous sera soit tué, soit fait prisonnier et abattu par la suite, les témoignages divergent, alors que Déby se réfugiait au Darfour. Il n'aura de cesse d'abattre Hissène Habré. Après un premier échec, il parvient à regrouper autour de lui au Darfour, que le Soudan ne contrôle pratiquement pas, des forces motivées et relativement bien équipées. En novembre 1990 il lance une offensive décisive. Ses fidèles infligent défaite sur défaite aux partisans d'Habré qui n'ont plus de chef capable de les conduire au combat. Habré en est conscient et essaye de redresser la situation en prenant lui-même le commandement sur le terrain. Il manque de peu d'être capturé et, battu, reprend in extremis l'avion pour N'Djamena. Son sort est désormais scellé.

Le 30 novembre, Idriss Déby se présente devant la base aérienne d'Abéché tenue par un détachement de nos forces que j'ai voulu solide. En effet la position française était d'observer une stricte neutralité dans cette querelle interne et de limiter notre action à soigner les blessés des deux camps. Il importait donc que nos deux garnisons de N'Djamena et d'Abéché fussent assez musclées pour n'être menacées ni par un camp ni par l'autre. C'est une stricte application du principe qui veut que lorsque l'on s'engage dans ce type de crise il faut être suffisamment fort pour au mieux dissuader, au pire en cas d'affrontement pouvoir tenir en attendant des renforts. Les émissaires d'Idriss Déby sont accueillis à la base par le colonel Pellegrini. Le dialogue est courtois et Déby poursuit vers N'Djamena. Simultanément le colonel Dumaz, qui commande le dispositif « Epervier », prend toutes dispositions pour conserver l'intégrité de sa base, protéger tous les étrangers qui résident à N'Djamena et garder les dépôts d'armes et de munitions de l'armée tchadienne. Il assiste dans la nuit du 30 novembre au 1er décembre au départ d'Hissène Habré vers le Cameroun et quelques heures après à l'arrivée des premiers éléments de Déby.

Ce sont nos forces armées qui ont permis un changement de régime sans pillages, exactions ni exécutions qui, en général, accompagnent ce genre de basculement brutal de l'autorité en place dans les pays africains. En d'autres temps cet événement aurait fait les premières pages des journaux. La guerre du Golfe l'a occulté.

La multiplication des crises et leur simultanéité est d'ailleurs une des caractéristiques des années que nous vivons ! Il ne s'agit pas de regretter les ordres anciens, ceux qui régnaient en Europe avant 1914 et 1939, pas plus que l'ordre colonial. On ne regrettera pas davantage celui qui était issu, dit-on, de Yalta mais qui était sorti, en fait, de l'affrontement des blocs qui fut jusqu'en 1985 le résultat de l'impérialisme envahissant, au sens strict du mot, soviéto-marxiste qui fit suite à la Seconde Guerre mondiale. Il s'agit simplement de constater que les espoirs nés après 1985 et la perestroïka ont été vite déçus et que les foyers de crise changent mais restent nombreux. Le réveil des nationalismes en est une des causes, on le constate aujourd'hui en Yougoslavie, mais ce n'est pas la seule. Ainsi alors que l'on était en crise aiguë au Moyen-Orient, l'état-major des armées françaises gérait, après une crise aux Comores, une crise au Ruanda et une autre au Tchad tout en surveillant la situation au Liberia et à la frontière sénégalo-mauritanienne. Et je ne suis pas exhaustif. Cela veut dire aussi qu'il faut disposer des moyens militaires pour gérer ces crises et maintenir en place des forces souvent pour très longtemps. Au Sud Liban par exemple, en 1991, nous étions présents depuis plus de dix ans. Maintenir des forces veut dire aussi pouvoir les relever et donc avoir pratiquement trois hommes pour tenir tour à tour un poste hors d'Europe. Être présent dans nos départements et territoires d'outre-mer, dans les pays où en exécution d'accords bilatéraux nous avons des forces, enfin mettre en place des détachements dits provisoires, mais qui séjournent souvent des années, requiert des effectifs et des effectifs de qualité.

J'ai estimé utile cette parenthèse pour rafraîchir les mémoires mais en ce mois de décembre 1990, c'est bien le Moyen-Orient qui nécessite le maximum d'efforts. Après les décisions de renforcement prises par presque tous les coalisés on est passé d'une stratégie d'embargo-dissuasion à une stratégie d'embargo-intimidation qui pourrait faire place le 15 janvier 1991 à une stratégie d'embargo – intervention. Quelle sera la réaction irakienne ? Deux hypothèses évidemment. Ou bien l'Irak retire ses troupes du Koweït ou bien il continue à rester sourd aux injonctions des Nations unies et c'est la guerre. Mais quand ? Si la guerre éclate à une date proche du 15 janvier, ce sont les troupes actuellement présentes en Arabie Saoudite, 5e régiment d'hélicoptères de combat excepté, et celles dont la mise en place est en cours, qui participeront aux opérations. Il n'y a dans ce cas pas de relève à prévoir. En revanche, si les choses traînent, si par exemple l'Irak se retire des deux tiers du Koweït en gardant ses forces intactes, la présence des coalisés risque de s'avérer longtemps nécessaire. Il faut le prévoir et s'assurer les moyens d'une relève.

Notre Code du service national impose de ne pas engager des appelés hors d'Europe ou dans les départements et territoires d'outre-mer, sauf accord du Parlement. A terre, en Arabie Saoudite, nous n'avons donc que des professionnels dans les armées de terre et de l'air et dans les services. Mais les appelés peuvent également servir sur les bâtiments de la marine nationale. Leur présence à bord de nos navires opérant dans la zone pourrait apparaître à certains comme un contournement du Code. Le président de la République décide alors de n'engager aucun appelé dans la zone du Golfe. La marine prend rapidement les mesures nécessaires pour n'avoir sur place que des engagés.

L'état d'esprit des jeunes Français a été remarquable et les besoins ont été rapidement satisfaits, de nombreux appelés demandant à s'engager pour participer à l'aventure du Golfe. Il faudra cependant tirer à tête reposée les conséquences des problèmes soulevés par la décision présidentielle. Cette fois-ci Saddam Hussein a donné le temps à ses adversaires. Il ne faut pas se bercer de l'illusion qu'il en sera ainsi dans toutes les crises. Si, tout en faisant face à toutes les autres missions hors d'Europe, on veut pouvoir constituer une force comparable à celle qui fut engagée et pouvoir la relever (ou engager une force environ deux fois plus puissante sans hypothèse de relève), les forces armées françaises ont besoin de 10 000 à 15 000 hommes de plus, surtout des militaires du rang, disponibles immédiatement. Contrairement à ce que l'on peut lire parfois ce ne sont pas principalement des unités de combat qui font défaut mais des formations nécessaires au soutien logistique de forces armées modernes : service de santé, commissariat, arme du matériel, service des essences. Ces 10 000 à 15 000 hommes indispensables pour l'ensemble des trois armées peuvent être des engagés volontaires mais pas nécessairement. Ils pourraient être des appelés volontaires effectuant un service militaire plus long et à qui l'on donnerait des avantages correspondant aux risques supplémentaires qu'ils accepteraient de prendre.

Au début de décembre 1990, pendant que les forces se mettent sur pied et transitent vers le Camp du Roi Khaled les états-majors travaillent. Le général Guignon et moi échangeons quotidiennement ou presque avec le général Roquejeoffre des messages hautement classifiés comme disent les déchiffreurs. Le 19 décembre Roquejeoffre m'appelle et annonce qu'il m'envoie son chef d'état-major, le général Le Pichon, afin de présenter le plan américain élaboré pour le cas où l'offensive serait décidée ainsi que la mission que le général Schwarzkopf suggère pour les forces françaises si le président français décidait de leur engagement.

Tout plan d'opérations est le fruit d'un travail d'état-major mais il revient au chef responsable sur place de la conduite des opérations, le « commandant de théâtre », d'en fixer les grandes lignes et de les faire approuver par les autorités politiques.

Le commandant de théâtre est le général Schwarzkopf, l'opération s'appellera « Desert Storm », j'appellerai le plan d'opérations plan Schwarzkopf.

Le plan Schwarzkopf respecte totalement les grandes lignes évoquées devant moi le 6 décembre.

Est toujours prévue une première phase, aussi longue que nécessaire, consacrée à la mise hors d'état de l'appareil de commandement, de contrôle et de renseignement du gouvernement et dcs forces irakiennes, à la destruction des sites de production nucléaires et chimiques et à la neutralisation de l'aviation irakienne. On passera ensuite aux voies de communications et aux dépôts. Enfin on s'attaquera aux forces terrestres avec priorité à la garde présidentielle et aux unités qui tiennent les défenses des premières lignes, surtout à la frontière Koweït-Arabie Saoudite. Cette première phase est évidemment confiée en priorité aux forces aériennes. Mais vont y participer également les navires en mesure de lancer les missiles Tomahawk puis en fin de période les hélicoptères de combat, l'artillerie terrestre et l'artillerie navale.

La seconde phase sera celle de l'offensive terrestre avec évidemment poursuite des actions aériennes et navales. Son but est la libération du Koweït, conformément aux résolutions des Nations unies. Il s'agit donc de détruire les forces qui peuvent s'y opposer directement, tout en gardant la capacité de riposter à des contre-attaques provenant en particulier du corps irakien qui couvre Bagdad.

Le fer de lance de l'armée irakienne est, on l'a dit et répété, la garde présidentielle dont le centre de gravité est à cent cinquante kilomètres au sud-ouest de Bassora. Le général Schwarzkopf veut prononcer son effort principal contre ladite garde. Le 7e corps américain, fort de quatre divisions blindées dont la division britannique, s'engagera sur cent cinquante kilomètres de front et, avec sa droite le long de la frontière Irak-Koweït, il foncera droit sur la garde présidentielle.

Mais il faut aussi encercler cette garde ainsi que les forces irakiennes qui sont au Koweït, si l'on veut régler le problème de l'armée irakienne, ou au moins de la partie qui se trouve dans la zone, grosso modo les deux tiers. Cela implique des actions à l'est et à l'ouest.

A l'est une brigade de marines restera embarquée, nous l'avons vu, pour fixer sur la côte les quatre à cinq divisions d'infanterie qui la défendent. Les unités irakiennes occupant la frontière Koweït-Arabie Saoudite seront attaquées par l'ensemble des forces islamiques, saoudiennes, syriennes, égyptiennes, koweïtiennes-libres, marocaines et j'en oublie. Au centre de ces forces et donc de la frontière s'engagera le corps des marines américains.

L'ouest sera à la charge du 18e corps américain. Ce corps comme notre force d'action rapide est composé de divisions aux caractéristiques très différentes : une division lourde d'infanterie, la 24e division d'infanterie (24e D.I.) qui dispose de 300 chars Abrams, une division aéromobile c'est-à-dire à base d'hélicoptères de combat et de transport, c'est la 101e Air Assault Division et enfin la 82e division de parachutistes.

Le 18e corps doit s'engager très à l'ouest du 7e. Son centre de gravité et son quartier général seront à six cents kilomètres de ses positions actuelles, à Rafa, petite localité, dotée d'un excellent aérodrome, comme il en existe beaucoup en Arabie Saoudite, située à quatre cents kilomètres d'Hafar el-Batin. Ce corps devra tout d'abord isoler le champ de bataille et le couvrir face à l'ouest à hauteur d'une ligne Rafa-As-Salman-As-Samawa. Simultanément il faudra contrôler au plus vite l'excellente route goudronnée qui conduit de la frontière à As Salman, carrefour d'où partent trois routes vers Bagdad au nord-ouest, vers As-Samawa au nord et vers Al Busaiya à l'est. C'est dire l'importance du carrefour d'As-Salman à proximité duquel se trouve aussi une base aérienne irakienne.

Ne l'oublions pas, le but de Schwarzkopf est la destruction de la garde. Il faut pour cela d'abord la retenir là où elle est, l'encercler et enfin la détruire. Le plan prévoit donc que les deux ailes déboucheront les premières et que le 7e corps attaquera vingt quatre heures plus tard, de même que la 24e D.I. qui se trouve à la droite du 18e.

Le commandant en chef américain sait que la surprise est une des clefs du succès des opérations. Il décide qu'aucun mouvement de forces terrestres n'interviendra avant le début de l'offensive aérienne. Décision audacieuse ! Car outre les mises en place des forces sur leurs bases de départ, il va falloir déplacer le 18e corps de la zone de Dhahran en bordure du Golfe à celle de Rafa, six cents kilomètres plus à l'ouest. Ce n'est pas un transfert facile car aux hommes et aux véhicules s'ajoutent les munitions et les ravitaillements, en eau en particulier, et pour plus de 100 000 hommes ! Il faudra enfin réussir ce mouvement sans que l'adversaire ne le décèle. Il faudra donc le dissimuler le plus longtemps possible aux centaines de journalistes qui ne manqueront pas de rejoindre l'Arabie Saoudite dès le début de l'offensive aérienne, et aussi obtenir des personnels qu'ils n'en fassent pas état dans leurs correspondances. Enfin, toujours afin de ne pas donner l'éveil, Schwarzkopf décide que l'attaque aérienne contre les forces irakiennes qui font face au 18e corps, une seule division pour le moment, ne débutera que quelques jours avant l'offensive terrestre.

Le 20 décembre le général Le Pichon détaille donc ce plan dans mon bureau. Il ajoute que le général Schwarzkopf estime que l'offensive terrestre proprement dite devrait durer environ une semaine et qu'ensuite il faudrait achever la destruction de la garde et libérer Koweït Ville, opérations dont la durée est difficile à prévoir puisqu'elles dépendront de la combativité de l'adversaire. On ne peut pas exclure d'avoir à nettoyer une ville de près d'un million d'habitants si les Irakiens et leurs partisans décident de s'y défendre.

Nous en venons ensuite au rôle des forces françaises. Le général Schwarzkopf propose de les mettre sous contrôle opérationnel du 18e Corps, de les placer à l'ouest du dispositif de ce corps et de leur fixer pour tâche initiale la prise du carrefour et de l'aérodrome d'As-Salman ainsi que la prise de contrôle de la route qui conduit de la frontière à As-Salman, sur cent vingt kilomètres environ, et qu'il baptise « axe Texas ». Le général Schwarzkopf propose qu'après avoir accompli cette mission la division « Daguet » :

– soit assure la couverture d'ensemble face à l'ouest,

– soit s'engage à la droite de la 24e D.I. en direction d'Al-Busaiya.

Le général Schwarzkopf prévoit de renforcer la division « Daguet » d'une brigade de parachutistes de la 82e division aéroportée et de lui fournir un appui d'artillerie important pour la première phase de son action. Il nous demande enfin de faire mouvement dès le début de l'attaque aérienne pour couvrir le déplacement du 18e corps.

S'agissant de nos forces aériennes, il est prévu, conformément à mes demandes, qu'elles attaqueront, quelques jours avant l'attaque terrestre, les forces de la division d'infanterie irakienne, la 45e, établie sur l'« axe Texas » mais qu'auparavant elles participeront d'une part à la défense aérienne de l'Arabie Saoudite, ce qu'elles font déjà, et d'autre part à l'attaque d'objectifs au sol, soit au Koweït, soit en Irak.

Je remercie le général Le Pichon qui sans délai retourne à Riyad et je communique le plan au gouvernement et au président en indiquant qu'à mon avis le plan d'ensemble est le meilleur possible, que les missions prévues de nos forces aériennes sont pertinentes, que celle envisagée pour la division « Daguet » jusqu'aux objectifs d'As-Salman est conforme à ses capacités. J'ajoute que pour la deuxième phase des opérations terrestres la couverture face à Bagdad doit être retenue. J'estime, en effet, qu'une action de destruction des forces irakiennes enterrées, que l'on suppose alors combatives, nécessiterait une véritable division blindée dotée de deux cents chars moyens AMX 30 B2 et de deux régiments de 155 automoteurs, moyens dont ne dispose pas la division « Daguet » alors qu'avec ses blindés légers et ses hélicoptères de combat elle est tout à fait apte à mener un combat très mobile contre des forces irakiennes contre-attaquant à partir du nord-ouest. Il convient d'ajouter que les AMX 30 B2 eux-mêmes sont, à qualité d'équipages égale, surclassés par les T 72 tchèques et soviétiques qui équipent la garde présidentielle et quelques divisions irakiennes – canons de 125 contre canon de 105, chargement automatique et tir en marchant ce dont l'AMX 30 B2 n'a pas la capacité.

Mes propositions [1] sont retenues par le Président de la République; j'en informe le général Roquejeoffre. La planification de détail va pouvoir commencer tant à Riyad qu'à Paris jusqu'au 15 janvier et se poursuivre après pour l'offensive terrestre. Très peu de personnes seront au courant. Elles constitueront la « cellule Oméga ». Il faut maintenant tout mettre en œuvre pour que la participation de nos forces soit un succès total acquis avec le minimum de pertes. La condition essentielle sera d'obtenir la surprise. Elle repose sur le secret. Tout va être fait pour le conserver.

L'année 1990 va vers sa fin. On s'émeut un peu en France parce que les autorités saoudiennes ont interdit à un chanteur d'aller se produire dans le désert pour nos soldats. C'était une initiative sympathique mais un peu moins de battage préalable aurait certainement simplifié les choses. En fait, le 25 décembre et le 1er janvier d'autres réalisations, telles que la possibilité pour les personnels de téléphoner chez eux grâce à des cabines mobiles permettant une liaison par satellite, font rapidement oublier l'incident.

---

1. Je n'ai eu connaissance qu'en janvier 1992 de la note de M. Chevènement qui accompagnait mes propositions. M. Chevènement publie en effet cette note en annexe à son livre : *Une certaine idée de la République m'amène à...*

Le 29 décembre je vais à Toulon assister au départ de *La Foudre* chargée d'hélicoptères de combat tandis que les généraux Forray et Fleury sont présents auprès d'autres unités terrestres et aériennes qui rejoignent l'Arabie Saoudite.

La Foudre est un remarquable bâtiment, un succès indiscutable de nos constructions navales. Ses capacités de transport sont très diversifiées, comme son aptitude au soutien de forces engagées à terre. Elle dispose en particulier d'installations chirurgicales et hospitalières ultra-modernes. Ce 29 décembre, il s'agit de la première mission opérationnelle de ce bateau qui, je l'espère, sera rejoint dans les années à venir par deux navires identiques.

Mais les années passent. Au début de 1991 me voici à trois semaines de ma limite d'âge. J'entreprends donc de préparer une passation de fonctions pour fin janvier. C'est alors que, le 3 janvier, lors de la cérémonie des vœux à l'Élysée, le Président de la République me fait part de son intention de me maintenir trois mois au-delà de ma limite d'âge. Je le ressens comme une grande marque de confiance et un grand honneur. Cela me tire également d'embarras. J'hésitais en effet à me rendre à nouveau auprès de nos troupes dont les officiers, au moins, savaient que ma carrière devait s'arrêter le 23 janvier, jour de mes soixante et un ans. Je demande et obtiens que les fonctions du général Forray, dont l'anniversaire tombe le 15 février, soient également prolongées.

Le 15 janvier approche. Dans la semaine du 7 au 12, plusieurs pays dont la France essayent encore, en vain, de ramener Saddam Hussein à la raison. Probablement mal informé par un entourage terrorisé depuis des années, il ne mesure pas la détermination internationale, il surestime ses propres forces, en particulier son armée de l'air, il accorde une importance qu'elles n'ont pas aux manifestations en sa faveur dans certains pays arabes et aux quelques rassemblements pacifistes chez les Occidentaux. Il est probablement convaincu que tout n'est que rodomontades chez les coalisés et qu'ils ne prendront pas le risque d'une offensive. Personne, apparemment, n'ose lui dire que les Américains ont en quelque sorte brûlé leurs vaisseaux en déployant à grands frais un volume de forces coûteux à entretenir et qui serait difficile à relever. Autant de raisons pour qu'ils s'efforcent de régler le problème avant le Ramadan et les fortes chaleurs de l'été saoudien.

Le 11 janvier, le Président de la République réunit à l'Élysée un conseil restreint composé du Premier ministre, des ministres des Affaires étrangères, de la Défense et de l'Intérieur, du secrétaire général de la Présidence, des chefs d'état-major et du chef de son état-major particulier ainsi que du secrétaire général de la Défense nationale. Ce conseil se réunira pratiquement tous les jours jusqu'au 28 février. Le président annonce au cours de ce premier conseil la convocation, en session extraordinaire, de l'Assemblée nationale et du Sénat pour le début de la semaine suivante.

Le lendemain, 12 janvier, je décolle pour Riyad avec le général Guignon et le général Pidancet. Le 12 et le 13 au matin, nous faisons le point de la situation avec le général Roquejeoffre et son état-major. Je constate que le problème des prisonniers peut être important et que nous pourrions manquer des effectifs nécessaires pour assurer leur garde, leur soutien et leur transport jusqu'à leur transfert vers des camps saoudiens. Nous mesurons ensemble aussi comment risque de se poser le problème des médias en constatant l'afflux des journalistes, surtout de la presse audiovisuelle. Je décide d'adjoindre au général Roquejeoffre un officier général, le général Gazeau, pour prendre en charge toutes ces questions et de le renforcer d'un régiment ainsi que d'un détachement de gendarmerie pour gérer le problème des prisonniers. Nous rencontrons ensuite le général Schwarzkopf et le général Yeasock, commandant les forces terrestres américaines. Schwarzkopf m'indique la date et l'heure prévues pour l'offensive aérienne : 17 janvier à 2 heures locales. Je lui fais part de la convocation du Parlement français pour le 16 janvier, préalable nécessaire pour l'annonce officielle par le Président de la République de l'engagement des troupes françaises.

Je rencontre ensuite le général Khaled ben Sultan. Il me faut reconnaître aujourd'hui qu'il était seul à prévoir une déroute très rapide des Irakiens. Il se fonde en particulier sur les renseignements qui font état de déficiences dans le ravitaillement des troupes et sur les déclarations des déserteurs que récupèrent les forces islamiques, lesquelles tiennent toujours les installations de première ligne face au Koweït.

Avec le général Roquejeoffre et le général Solanet nous inspectons ensuite la base d'Al-Hasa et la division Daguet. A Al-Hasa le colonel Amberg nous expose ce que seront les premières missions de nos forces aériennes le « D day » (ou jour J pour nous). Je préfère dire jour J ou Koweït Ville, mais j'admets que lorsque l'on est dans un environnement où tout le monde, ou presque, parle du D day et de Koweït City il est difficile de tenir bon. Bref, le jour J comme les précédents, nos Mirage 2 000 participeront toujours à la défense aérienne d'ensemble mais en agissant éventuellement au nord de la frontière. Le contrôle de l'espace aérien est une activité dont on a peu parlé mais si toutes les attaques au sol se dérouleront dans de parfaites conditions ce sera grâce à la maîtrise de l'air acquise par les avions de défense aérienne. Leur présence dans le ciel saoudien, liée à celle d'AWACS, est permanente depuis plusieurs mois. Le jour J elle sera renforcée et étendue aux cieux irakien et koweïtien. Les Jaguar d'attaque au sol, de leur côté, participeront à un raid massif qui doit être déclenché dès le 17 au lever du jour sur l'aérodrome militaire d'Al-Jaber, situé au Koweït, et que l'on sait fortement défendu. Les objectifs des deux ou trois jours suivants seront des installations logistiques situées sur la côte, en particulier des sites de missiles sol-mer ou air-air entre Mina Saud et Shuaiba.

Je constate le sérieux habituel de nos aviateurs dans la préparation de leurs missions, à quoi s'ajoute ce que j'appellerai un surcroît de concentration. Certes, quelques-uns parmi nos pilotes ont déjà effectué des missions opérationnelles au Tchad, le raid sur Ouadi-Doum en particulier ; mais pour le plus grand nombre, ce sera la première attaque d'un objectif fortement défendu, la première épreuve du feu. Ils y sont bien préparés mais mesurent aussi les risques, c'est parfaitement normal.

Quittant Al-Hasa nous nous envolons vers la Cité du Roi Khaled. Le travail qui a été accompli sous la direction du général Mouscardès est considérable. Les régiments arrivés il y a quelques jours donnent l'impression d'être là depuis plusieurs mois. Tous ont commencé leur entraînement avec les unités plus anciennement implantées. L'ambiance a cependant changé. Même si cadres et troupe ne savent pas encore où ils vont attaquer, ils savent qu'il va falloir le faire... – sauf si les Irakiens lancent une attaque préventive, éventualité que les états-majors alliés envisagent avec beaucoup de sérieux pour deux raisons au moins. L'une est concrète, c'est l'observation de déplacements d'unités blindées irakiennes vers le sud-ouest dans la région des trois frontières. L'autre est en quelque sorte psychologique : lancer une attaque aéro-terrestre et quelques SCUD dans l'une des nuits allant du 13 au 16 janvier constitue pour Saddam Hussein la seule chance d'avoir un succès de prestige avant la destruction de toute façon inévitable de ses forces. En tous les cas cette hypothèse est prise très au sérieux : le 13 au soir après avoir dîné avec les cadres du 11e régiment d'artillerie de marine qui, arrivé il y a deux ou trois jours, a déjà manœuvré et tiré dans le désert, nous croisons en rentrant au P.C. de Mouscardès les colonnes de chars Abrams de la 1re division de cavalerie américaine qui vont se placer aux côtés de la division « Daguet » et des unités saoudiennes, syriennes et égyptiennes afin de faire face à toute velléité d'attaque irakienne. Malgré mes quarante-deux ans de service, je suis impressionné de voir ces colonnes de blindés modernes qui roulent à près de quarante kilomètres à l'heure en pleine nuit dans le désert. Bien sûr je sais qu'ils voient presque comme en plein jour avec leurs matériels de conduite nocturne. Reste que le spectacle est impressionnant.

Nous passons la fin de la nuit au P.C., revêtus de la combinaison de protection antichimique S 3 P, comme toute la division. Ce n'est pas une épreuve puisque la température tombe aux environs de zéro. Une attaque chimique à la bombe ou avec des SCUD fait partie des éventualités auxquelles nos troupes sont bien préparées.

Le lendemain 14, avec les quelques « initiés » de l'état-major de la division « Daguet », les généraux Roquejeoffre, Solanet, Guignon, Pidancet et moi-même nous penchons sur les opérations futures.

Le plan Schwarzkopf a souvent été comparé à d'autres manœuvres exécutées dans le passé par de grandes figures de l'histoire militaire, Hannibal et la bataille de Cannes, Napoléon et Austerlitz, Manstein et ses campagnes de France et de Russie, la bataille de Koursk enfin gagnée par Jukov et qui fut probablement la plus importante bataille de chars de la Seconde Guerre mondiale avec une couverture aérienne importante de part et d'autre.

En fait, aucune guerre, aucune bataille ne ressemble à une autre. C'est tout à fait normal car les facteurs qui sont à prendre en compte varient souvent du tout au tout, d'une bataille ou d'une campagne à une autre. Les distances, le climat, le relief, la végétation, l'urbanisation, l'attitude des populations sont autant d'éléments qui évoluent. Il en est de même des moyens dont dispose l'adversaire, de son dispositif, de sa tactique, de son moral. Les caractéristiques des forces armées constituent enfin un élément déterminant. Comment comparer, par exemple, la guerre du Viêt-nam, menée dans un terrain montagneux couvert d'une végétation très dense, face à un adversaire intelligent, courageux, qui se disperse mais sait se rassembler quand il le faut, avec la guerre qui s'annonce en ce 15 janvier 1991. On pourrait en dire autant de l'Afghanistan où les Soviétiques ont connu l'échec pour les mêmes raisons que les Américains au Viêt-nam alors qu'ils disposaient eux aussi d'une supériorité aérienne totale et plus généralement d'équipements bien supérieurs à ceux de leurs adversaires. Notons, au passage, qu'il faudra se garder de tirer du conflit du Golfe des conclusions définitives. Il y en a bien sûr qui s'imposent mais il conviendra d'éviter de tomber dans un travers trop souvent constaté et de préparer une nouvelle guerre du Golfe.

Le plan Schwarzkopf débute, on l'a vu, par une phase aérienne, dont la durée n'est pas fixée, mais dont l'effet attendu est, lui, bien précisé. C'est l'originalité de cette première phase et cela va dérouter les observateurs non avertis qui lors du début de l'attaque aérienne seront convaincus que le G day, *(ground day)*, jour de l'attaque terrestre, est déjà fixé et qu'on le leur cache, ce qui de toute façon serait tout à fait normal. Dans le passé les préparations aériennes intensives ont été courtes. Il en fut ainsi de la neutralisation de l'aviation soviétique par la Luftwaffe avant l'attaque de 1941 ou de l'attaque directe des positions allemandes avant le 6 juin 1944 (encore que les attaques des réseaux de communication en Allemagne et en Europe occupée aient alors duré très longtemps). La bataille d'Angleterre est peut-être la meilleure illustration d'une tentative tactique comparable de la part des Allemands. Mais en 1940, la Royal Air Force s'est battue et a remporté finalement la victoire.

Ce sont surtout les grands principes de la stratégie militaire que va appliquer Schwarzkopf avec beaucoup de maîtrise. Se renseigner, surprendre l'adversaire en usant au besoin de feintes [1], l'encercler et enfin concentrer ses efforts sur l'objectif militaire majeur que l'on s'est fixé pour satisfaire au but de la

1. Feintes que les initiés appellent maintenant : manœuvres de déception.

guerre imposé par la direction politique. C'est-à-dire, dans cette campagne, détruire la garde présidentielle pour permettre la libération du Koweït.

Il y a, certes, quelque chose d'Austerlitz dans la manœuvre terrestre prévue par Schwarzkopf. A Austerlitz Napoléon feint la faiblesse. Les empereurs d'Autriche et de Russie s'y laissent prendre, et contre l'avis du vieux Koutousov les colonnes russes s'engagent au matin du 2 décembre contre la droite fançaise. Napoléon les laisse s'enferrer avant de faire effort au centre avec l'infanterie de Soult qui s'empare du plateau de Pratzen. L'attaque de la cavalerie de Murat sur la gauche parachèvera la déroute des armées d'Autriche et de Russie[1].

Il est difficile de comparer une guerre qui va se livrer sur six cents kilomètres de front avec une bataille de moins de douze heures qui s'est livrée, elle, sur cinq à six kilomètres de front. Mais, répétons-le, Schwarzkopf, comme Napoléon, reste fidèle aux grands principes. Son habileté, c'est surtout dans la conduite qu'il la démontrera.

On a dit aussi que le comportement des généraux irakiens avait facilité la manœuvre alliée. C'est cent fois vrai. Il est probable que les plus intelligents d'entre eux percevaient bien les fautes stratégiques et tactiques de Saddam Hussein, et que beaucoup d'officiers et soldats en étaient aussi plus ou moins nettement conscients. C'est certainement une des causes du délitement ultérieur des forces irakiennes. Mais l'art de la guerre c'est aussi d'exploiter les fautes de ses adversaires et, si possible, de les conduire à persévérer dans l'erreur. Masser les forces irakiennes au sud-est du pays et au Koweït, avec l'Euphrate dans le dos, était de la part de Saddam Hussein une faute qui imposait quasiment la manœuvre alliée. Simuler la préparation d'un débarquement visait à conduire les Irakiens à maintenir ce dispositif. Les exemples historiques illustrant l'exploitation des fautes de l'adversaire ne manquent pas. On a souvent dit que, dans l'hiver 1941-1942, le « général Hiver » avait battu les généraux allemands. Ce à quoi Jukov, le vainqueur de Moscou, répondait : « Un bon général doit savoir qu'en Russie il fait très froid l'hiver. » Dans le domaine de la déception, en 1944, les Alliés parviendront à maintenir

1. On peut aussi supposer que Schwarzkopf avait étudié les campagnes de MacArthur qui usa, lui aussi, d'une manœuvre de déception comparable lors de la reconquête de Manille, en janvier 1944.

jusqu'au bout l'incertitude sur le lieu du débarquement : une armée, presque fictive, dont le commandant désigné sera Patton feindra de se préparer à débarquer sur les côtes françaises du Pas-de-Calais.

La bataille d'ensemble qui se prépare est certes historiquement la plus intéressante, mais le 14 janvier 1991 c'est surtout la mission des Français qui nous préoccupe. Immédiatement après le début de l'offensive aérienne il va falloir lever le camp dans une grande discrétion et déplacer la division « Daguet » vers une zone baptisée « Olive », au nord-est de Rafa, puis nous y installer tout en couvrant les itinéraires alliés à hauteur de Nisab, avant relève par un détachement américain. C'est en effet au sud de Nisab que va s'installer une immense base logistique, où nous aurons d'ailleurs notre part, et d'où seront soutenus le 7e et le 18e corps.

On mesure l'importance du secret qui doit entourer une telle opération, aussi bien pour assurer la sécurité des troupes françaises et américaines pendant un transfert qui va durer près de trois semaines que pour surprendre l'adversaire dont le dispositif actuel témoigne qu'il ne s'attend pas à un tel enveloppement. Je donne donc pour instruction aux généraux Roquejeoffre et Mouscardès d'interdire désormais toute visite à la division « Daguet » et de confirmer son maintien dans la zone d'Hafar el-Batin le plus longtemps possible. Sur le moment, cela nous vaudra à tous trois quelques rares échanges difficiles avec certains journalistes mais maintenant que la campagne est terminée le bien-fondé de nos décisions a été admis. L'opinion publique française, en tout cas, nous a tout à fait compris.

Reste, ce 14 janvier, à nous préoccuper de l'opération terrestre proprement dite. La division « Daguet » sera sous le contrôle opérationnel du général Luck, commandant le 18e corps américain ; elle aura elle-même une brigade de la 82e division aéroportée américaine sous son contrôle opérationnel jusqu'à la prise des objectifs d'As-Salman et bénéficiera jusqu'à ce moment d'un renfort de feu considérable. Les reconnaissances aériennes, on l'a vu, ne pourront débuter qu'une semaine environ avant le G day, donc lorsque le général Schwarzkopf aura fixé cette date. Néanmoins des photos satellites permettront de préparer convenablement la mission de nos forces.

Le plan d'opération de la division « Daguet » n'est cependant qu'esquissé en ce jour du 14 janvier 1991. Il faut attendre le résultat des premières reconnaissances et l'ordre d'opération du général Luck pour l'affiner.

Parmi les campagnes de la Seconde Guerre mondiale il y en a une dont l'étude m'a toujours passionné, c'est celle que conduisit dans le désert de Cyrénaïque le général britannique O'Connor, sous la haute direction du général Wavell, de décembre 1940 à février 1941. O'Connor dispose alors d'un peu plus de 30 000 hommes et de quelques dizaines de chars et d'avions. En face de lui, Graziani dispose de 200 000 hommes qui menaceraient l'Égypte et le Caire s'ils étaient bien articulés et entraînés, mais ils sont répartis dans des sortes de camps retranchés, à l'ouest de la frontière. O'Connor observe les quelques résultats des reconnaissances aériennes dont il dispose. Les camps retranchés sont mal défendus vers l'ouest, de larges passages existent dans les champs de mines et les barbelés. Il décide donc d'attaquer en conduisant des actions d'encerclement qui lui feront systématiquement aborder les Italiens à front renversé. Au terme de sa campagne, le 8 février, à El-Agheila, O'Connor aura fait 130 000 prisonniers en perdant moins de 1 000 tués. Je rappelle ce moment d'histoire militaire à mes collaborateurs et demande au général Mouscardès de s'en inspirer pour conduire sa manœuvre. Il est d'ailleurs déjà tout à fait convaincu que les fortifications irakiennes doivent être débordées avant d'être réduites. Une difficulté cependant, il faut livrer l'« axe Texas ». On ne pourra par conséquent se contenter d'encercler les Irakiens et d'attendre qu'ils se rendent faute de ravitaillement, notamment en eau. L'axe Texas est essentiel. Il faudra emporter les résistances, si nécessaire de vive force, l'action de l'artillerie sera capitale : je le dis au colonel Peter qui commande l'artillerie de « Daguet » et aura pendant vingt-quatre heures plus de cent bouches à feu de tous calibres sous son contrôle. Sans en avoir encore les contours exacts on sait cependant que la 45e division d'infanterie irakienne est en position au sud d'As-Salman. Une division irakienne ce sont, en principe, neuf bataillons, trente chars et cinquante canons. Le général Koenig et les Forces françaises libres ont montré à Bir-Hakeim dans un terrain identique et avec des forces relativement comparables ce que pouvaient faire des troupes décidées. Je n'ai pas pour habitude de sous-estimer mon adversaire, aussi je demande que l'on obtienne en temps voulu de puissants bombardements aériens et que l'artillerie intervienne en masse avant l'assaut terrestre.

Les discussions d'état-major terminées je fais le tour de quelques installations où sont rassemblés cadres et soldats de plusieurs régiments. Comme à Al-Hasa j'essaye, en termes simplcs, car les vrais soldats ont horreur de la grandiloquence, de leur confirmer le sens de leur présence ici et je leur rappelle surtout que la France et le monde vont avoir les yeux sur eux. Enfin je conclus en leur disant : « Entraînez vous, entraînez-vous, c'est le seul moyen d'être meilleurs que l'adversaire et donc de vaincre. » Et en moi-même je pense, « en ayant le minimum de pertes ».

Dans la nuit qui suit, avec ma petite équipe de collaborateurs, nous nous posons à Villacoublay après un vol direct à partir de la Cité du Roi Khaled. Dans l'avion nous faisons un bilan de ce voyage. Que reste-t-il à envoyer sur place ? un régiment d'infanterie et un détachement de gendarmerie pour traiter le problème des prisonniers et les spécialistes du service de santé qui sont en alerte. Pour le reste nos forces sont solides et font partie d'un ensemble qui donne confiance.

J'appelle le 15 au matin le général Roquejeoffre. Il m'indique que sur place, au sud d'Hafar el-Batin, on a passé la nuit, comme la précédente, revêtus de la combinaison « S 3 P » et que les Irakiens ne se sont pas manifestés. Rien n'est changé dans la planification. Le Parlement vote le lendemain 16, à une très large majorité, son soutien à la politique du gouvernement. Saddam Hussein reste silencieux, croyant peut-être que les choses vont encore traîner.

Le Président de la République me donne l'ordre d'engager notre armée de l'air sur les objectifs retenus, c'est-à-dire Al-Jaber pour le premier raid. Je le transmets au général Roquejeoffre. Il ne reste plus qu'à attendre les comptes rendus de décollage des alliés, des Français et surtout ceux rendant compte du retour des avions. La nuit du 16 au 17 janvier va être courte.

X

LA TEMPÊTE DU DÉSERT

L'exécution

« Ce qui donne la victoire, ce n'est pas le nombre des hommes que l'on tue, mais de ceux que l'on effraie. »

MARÉCHAL MARMONT,
De l'esprit des institutions militaires.

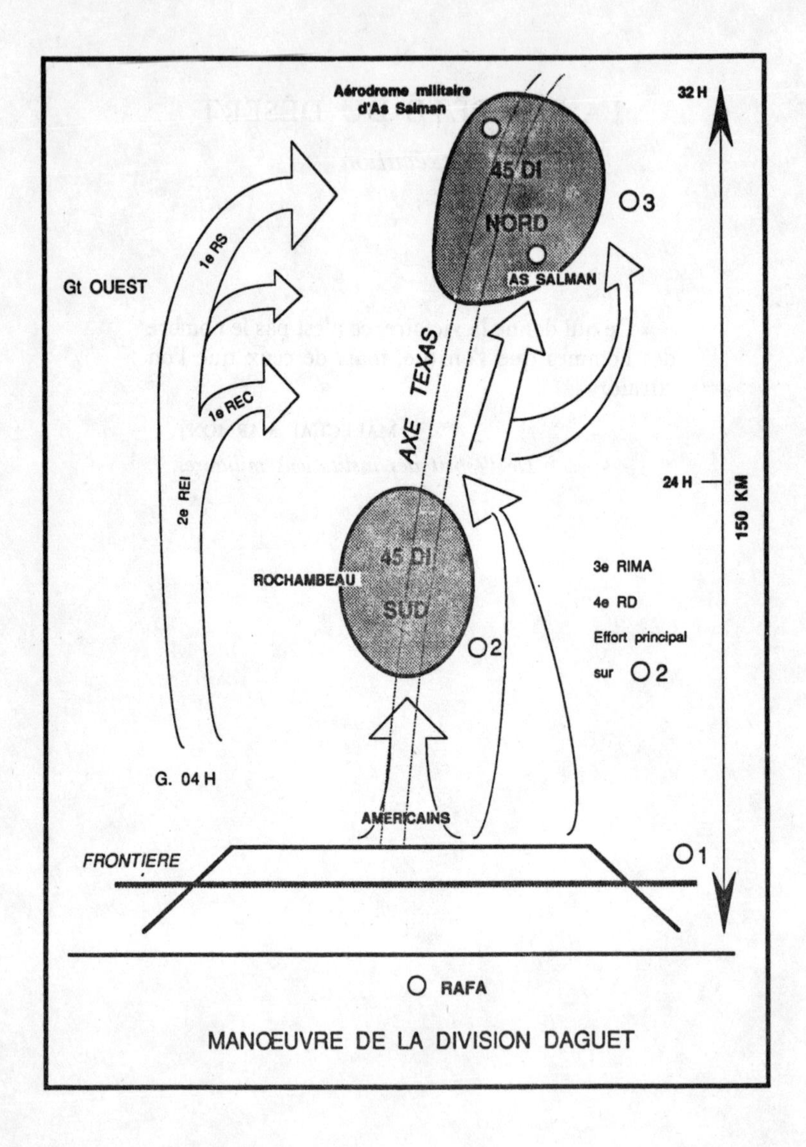

MANŒUVRE DE LA DIVISION DAGUET

Le 16 janvier, il est 23 heures à Riyad et 21 heures à Paris. Le général Roquejeoffre m'appelle. L'affaire est lancée. Les décollages se suivent sans interruption à partir des aérodromes saoudiens. J'en entends le bruit dans l'écouteur. Les ravitailleurs et les intercepteurs ont pris l'air les premiers. Les Awacs assuraient déjà une observation permanente, mais leur nombre en vol augmente comme celui des intercepteurs. Les mêmes opérations se déroulent à partir des aérodromes de Bahreïn, du Qatar et des Émirats et à partir des porte-avions qui croisent en Méditerranée orientale, en mer Rouge et dans le golfe Arabo-Persique où ils pénètrent enfin. Quelques minutes plus tard, c'est la première vague des avions d'attaque tandis que les énormes bombardiers B 52 sont en vol, venant d'ailleurs. Une première salve de missiles de croisière Tomahawk vise et atteint simultanément des objectifs sur le territoire irakien.

Les télévisions, surtout les télévisions américaines, perdent le sens de la mesure. C'est un peu la réédition de ce qui s'est produit au sujet de la Roumanie, un peu plus d'un an auparavant. A cette époque, malgré les mises en garde des diplomates et des attachés militaires à Bucarest qui constataient, eux, que les hôpitaux étaient loin d'être envahis, malgré les suggestions de modération de certains correspondants de presse qui sur place voyaient bien que tout n'était pas conforme à ce qu'annonçait la télévision roumaine, on voulait du sensationnel, et beaucoup de médias se laissèrent quasi volontairement et même sciemment manipuler. C'est un peu le même scénario médiatique qui se déroule le 17 janvier 1991 et les jours suivants. A en croire certaines chaînes de télévision américaines, la garde présidentielle de Saddam Hussein serait décimée alors qu'elle ne figure pas encore dans les objectifs. L'aviation irakienne serait détruite à quatre-vingts pour cent. On pourrait supposer que les télévisions américaines ont des caméras dans les hangarettes ! Tout cela ne serait pas très grave si cela ne donnait à penser à un public crédule que la guerre va être rapidement terminée, les forces irakiennes étant anéanties en une nuit.

Pendant que les avions américains et les missiles de croisière attaquent dans la profondeur du territoire irakien les installations nucléaires et chimiques, les sites SCUD connus, les radars de défense aérienne, les systèmes de commandement, les centrales électriques, d'autres avions, américains, anglais, italiens et français vont s'en prendre aux installations militaires plus proches et tout d'abord aux aérodromes.

Le 17 au matin, nos pilotes de Jaguar décollent pour leur première mission. Lorsqu'à 5 h 30, heure de Paris, on m'apprend que tous nos appareils sont rentrés à Al-Hasa sauf un qui, gravement atteint, s'est posé à Dhahran, je respire un peu mieux. Des années de guerre ne m'ont pas cuirassé contre la crainte de voir mourir nos soldats. En fait nos pilotes ont eu de la chance dans ce raid. Quatre avions sont touchés, le capitaine Mahagne est blessé à la tête. Le terrain d'Al-Jaber était très bien défendu, en particulier par des affûts quadruples de calibre 23,4, extrêmement dangereux pour des avions qui attaquent à basse altitude.

Dès le 17 janvier, et alors que nos pilotes préparent le raid du 18, la polémique commence. Deux questions semblent, seules, intéresser les commentateurs. Pourquoi nos avions ont-ils attaqué au Koweït et pas en Irak ? Pourquoi nos avions n'ont-ils pas pris part au premier raid de nuit ?

Ceux qui posent la seconde question connaissent parfaitement la réponse. Pourquoi diable ont-ils été si discrets lorsque des choix difficiles imposés par des budgets resserrés ont provoqué des retards dans la modernisation de certains de nos matériels et dans la mise en service de leurs successeurs ou encore des étalements de programmes ? Contrairement à ce qui a été écrit parfois, il n'y a aucune raison pour que la guerre du Golfe entraîne des révisions profondes des programmes d'équipement français. Elle a au contraire démontré que les programmes engagés sont pertinents et qu'il convient de les mener à terme.

La première question a donné lieu à bien des débats. Il est pourtant clair qu'il fallait bien que quelqu'un frappe les objectifs militaires irakiens au Koweït. C'est ce qui nous fut demandé par les alliés pour les premiers jours. Ils ne se sont jamais posé de questions quant à notre détermination à nous engager en Irak, la planification décidée, je le rappelle, dans les premiers jours de janvier 1991, leur en donnait la garantie.

Méthodiquement les objectifs militaires irakiens sont attaqués nuit après nuit, jour après jour. Quelques avions alliés sont abattus. Saddam Hussein fait présenter à la télévision irakienne des pilotes prisonniers. Il en escompte un impact positif sur sa population et sur les masses arabes qu'il pense plus sensibles à ces témoignages de « succès » qu'aux bilans relativement abstraits des attaques aériennes alliées. Il espère aussi atteindre le moral des populations occidentales, tout dictateur de son genre éprouvant le plus parfait mépris pour les sociétés où le respect de la personne humaine fait partie des valeurs fondamentales. Peut-être atteint-il partiellement son premier objectif. S'agissant du second, l'exhibition des pilotes aux visages tuméfiés soulève la colère, en particulier chez tous les militaires occidentaux, et renforce leur détermination.

Ce sont les armements sol-air, canons et missiles, qui causent des pertes aux alliés. On ne verra pratiquement pas l'aviation irakienne jusqu'au cessez-le-feu. Ce qui en restait s'illustrera ensuite dans la répression des mouvements kurde et chiite.

En fait, attaquée la première, disposant des moyens de s'enfuir, l'aviation irakienne aura, avec quelques semaines d'avance, le même comportement que les forces terrestres. Elle refusera le combat. Que s'est-il passé au niveau du commandement des forces aériennes irakiennes ? Saddam Hussein en a-t-il fait fusiller quelques responsables, comme on l'a dit ? Ces exécutions seraient alors la cause du comportement des forces, à moins que ce ne soit l'inverse ? Toujours est-il qu'à quelques très rares exceptions près les seuls aviateurs irakiens à avoir décollé l'ont fait pour aller se réfugier en Iran. Accord entre les deux États ? Peut-être, mais à mon avis non. La centaine d'avions de combat modernes qui se trouve encore en Iran, dix mois plus tard, y restera. L'aviation irakienne pouvait-elle agir différemment, sous réserve de prendre de gros risques ? Certainement. Dans la nuit du 16 au 17 janvier, percevant les préparatifs alliés, elle pouvait attaquer des objectifs en Arabie Saoudite, à commencer par la Cité du Roi Khaled, éclairée a giorno, ce qui lui aurait valu un succès de prestige. L'aviation irakienne aurait certes été détruite en quelques jours mais aurait pu causer d'importants dommages. Elle ne l'a pas fait. Indiscutablement les risques encourus ont conduit les aviateurs irakiens à refuser tout combat.

Ce comportement a certainement eu des conséquences très importantes sur la suite des opérations. Il a permis aux aviateurs alliés de prendre moins de risques et de renoncer aux assauts à très basse altitude pour revenir aux attaques en piqué qui les exposaient moins aux effets de l'artillerie antiaérienne légère. Lors de la chasse aux SCUD mobiles la dérobade des aviateurs irakiens a autorisé la permanence de patrouilles en vol au-dessus des zones de déploiement présumées, ce qui réduisait les délais de réaction (sans qu'ils aient été pour autant toujours suffisamment brefs : la chasse aux SCUD mobiles était toujours ouverte au moment du cessez-le-feu et il restait du gibier).

Mais l'essentiel est que le comportement de leur armée de l'air a inévitablement accentué le délabrement du moral des forces terrestres irakiennes lors de la deuxième phase des attaques aériennes. Pilonnés par tout ce que les alliés avaient comme avions et comme hélicoptères, tirés comme des lapins, les soldats irakiens ne disposaient que de leurs armes d'autodéfense. A aucun moment ils ne voyaient leurs propres chasseurs tenter de s'opposer aux raids alliés. Des soldats acceptent de se battre quand ils savent ne pas disposer d'armée de l'air, c'est en général le cas des guérillas comme en Afghanistan, ou quand leur armée de l'air se sacrifie ailleurs, ce fut le cas des forces d'O'Connor attaquant les Italiens avec seulement quelques avions mais sachant qu'ailleurs se livrait la bataille d'Angleterre. En revanche, quand des forces terrestres, déjà fragilisées, savent qu'une armée de l'air performante existe mais abandonne le combat tandis qu'elles-mêmes sont bombardées sans interruption, alors c'est la colère puis le défaitisme qui s'installent, les désertions commencent et ceux qui demeurent sont prêts à se rendre.

Cette offensive aérienne a mis en évidence et confirmé l'intérêt des avions furtifs, les F 117 américains, déjà utilisés au Panama, et des armes dites intelligentes, qu'il s'agisse des missiles de croisière, les Tomahawk, ou des armes guidées comme les missiles air-sol AS 30 français. Elle a démontré que désormais les objectifs importants et bien localisés pouvaient être attaqués de nuit comme de jour à partir des avions comme des hélicoptères. La précision des armements modernes a permis de conduire l'offensive aérienne en limitant au maximum les pertes civiles. Le fait même que l'on ait tant parlé des morts causés par un missile, dont le système de guidage fut défaillant, sur un marché des bords de l'Euphrate et surtout de ceux causés dans un bunker désaffecté de Bagdad (comment d'ailleurs savoir qu'un bunker organisé pour abriter un état-major est tout d'un coup converti en abri pour la population ?) montre bien que le commandement allié avait tout fait pour limiter les pertes civiles. Le général Schwarzkopf m'avait dit en décembre : « Nous ferons tout le nécessaire pour éviter les morts chez les civils. » Il y est parvenu. Je suis convaincu que le nombre des morts civils irakiens, du fait des bombardements alliés, est très inférieur à cinq milliers. Sans aller jusqu'à des comparaisons avec la Seconde Guerre mondiale, signalons simplement qu'il représente grosso modo le nombre des civils tués par l'aviation de Saddam Hussein lorsqu'elle a traité deux villages du Kurdistan irakien. Je sais que ce chiffre sera contesté. Mais alors quel fut le sort des blessés dont le nombre est toujours largement supérieur à celui des morts ?

Succès, donc, des armements modernes. Il faudra d'ailleurs que l'on prenne un jour conscience que ce qui est important dans un avion de combat c'est avant tout le système d'armes qu'il transporte, ses capacités à le mettre en œuvre, sa furtivité beaucoup plus que son aptitude à pratiquer la danse du ventre à Farnborough ou au Bourget. Le pilote sert-il encore à quelque chose ? C'est une question à laquelle il faut répondre car certains la posent soit avec des arrière-pensées, soit de bonne foi en constatant le succès des missiles de croisière. La réponse est oui, d'abord parce que le missile de croisière coûte très cher et ne peut être utilisé qu'une fois. Ensuite parce que le cerveau du pilote dans l'avion piloté dispose d'une souplesse d'action et de réaction qu'aucun système artificiel ne permet d'atteindre et probablement pour longtemps encore. Il faut cependant savoir que le combat air-air se pratiquera de plus en plus à distance, ce qui d'ailleurs ne simplifiera pas la tâche des pilotes, de plus en plus sollicités, par la mise en œuvre simultanée de systèmes de détection et de tir très performants. Face aux systèmes de défense aérienne en cours de mise en place dans les années 90, la pénétration en profondeur s'avérera certainement une tâche très difficile. Il faut donc réfléchir à la pertinence de systèmes de pénétration reposant sur plusieurs ravitaillements en vol auprès de ravitailleurs vulnérables, au travers de systèmes de défense comparables à celui mis en œuvre par les Américains en Arabie Saoudite. Notons d'ailleurs au passage que ceux qui imaginaient les Mig 29 ou les mirages F 1 irakiens attaquant des navires alliés en Méditerranée, en mer Rouge ou à l'ouvert du détroit d'Ormuz manquaient quelque peu de réalisme. Mais que n'auraient-ils pas fait à l'époque pour affoler les familles !

Succès donc des armements modernes. Faut-il pour autant condamner les bombes classiques parce que mettant au but, comme on l'a dit, dans la proportion de trente pour cent ? Trente pour cent serait d'ailleurs satisfaisant et je ne pense pas que cette proportion ait été atteinte. Ceux qui proposent cette condamnation oublient qu'à côté de l'effet de destruction directe sur les ouvrages fixes (ponts, dépôts et autres) ou sur des armements (avions et hélicoptères au sol, chars, canons) les bombardements de l'aviation, et d'ailleurs aussi ceux de l'artillerie, ont un effet considérable sur les combattants même légèrement blessés ou indemnes. Obligés de se terrer, voyant des camarades mourir ou céder à la panique, mal ravitaillés, des soldats subissant des semaines durant un feu auquel ils ne peuvent riposter finissent par y perdre leur moral. Certes il existe de nombreux exemples dans l'histoire de soldats tenant dans leurs ouvrages défensifs et même contre-attaquant après des jours de pilonnage. Verdun, Stalingrad, Okinawa, Iwojima ont été le théâtre de telles réactions. Force est de constater que les bataillons irakiens ont plutôt choisi la solution de la désertion ou de la cessation rapide du combat.

Il est vrai que le nombre total de sorties des avions français durant toute la bataille est à peu près égal à celui des sorties de la coalition en une seule journée de l'offensive aérienne. Il est tout aussi vrai que l'aviation américaine a pris en charge l'essentiel des missions et la quasi-totalité des actions dans la profondeur. Mais notre armée de l'air a remarquablement bien fait ce qui lui a été demandé tant en matière de défense aérienne avec plus de cinq cents sorties de Mirage 2000 que d'attaque au sol avec près de six cents sorties de Jaguar contre des objectifs au Koweït et en Irak. Les Mirage F 1 CR utilisés avant le déclenchement des hostilités et après la neutralisation de l'aviation irakienne ont de leur côté apporté une aide appréciée en matière de renseignement photographique, en particulier pour situer les contours des organisations faisant face à la division « Daguet » dans les ultimes jours précédant l'attaque terrestre.

La division « Daguet », elle, s'évanouissait dès le début de l'attaque aérienne. Elle pliait bagage le 16 janvier et commençait son mouvement le 17 en direction d'une nouvelle zone de déploiement au nord-est de Rafa et au ras de la frontière irakienne. Trois cent cinquante kilomètres pour la division elle-même qui, au passage, assurera, à peu près à mi-parcours entre Hafar el-Batin et Rafa, la couverture des premiers éléments de la colossale base logistique américaine qui va s'installer vers Ash-Shu Bah ; soit à près de trois cents kilomètres pour les éléments français du groupement de soutien logistique qui va cohabiter avec la base américaine.

La base de « Miramar » est donc abandonnée et pendant près de trois semaines les Français auront disparu. De fins limiers en découvriront trois dans les environs de Dhahran. Comme le font en général les Gaulois ces trois militaires râleront contre les rations un peu monotones. Cependant ils ne disent pas d'où ils viennent et c'est l'essentiel. Ils occuperont vingt-quatre heures durant les écrans de télévision. Serait-on lassé du spectacle des attaques aériennes ? L'important c'est que ces attaques lassent l'infanterie irakienne et que pendant ce temps les 18e et 7e corps se mettent en place tranquillement et discrètement.

Pendant plus d'un mois, du 18 janvier au 23 février, nos forces couvriront le 18e corps sur son ouest au nord de Rafa dans une zone baptisée « Olive ». Les conditions sont beaucoup plus rudes qu'à « Arenas » ou « Miramar ». En fait les régiments sont partis pour « Olive » dans la perspective d'une attaque envisagée pour début février. Ils se sont allégés de beaucoup des impedimenta qui permettent de durer, comme doivent le faire toutes les bonnes troupes avant une offensive. Mais les Français sont débrouillards, et en quelques jours les circuits permettant de consommer des vivres frais en complément des rations faites de conserves seront rétablis.

Du 30 janvier au 2 février, pour la première fois je visite nos forces sur leurs nouvelles positions. Comme à chacune de mes visites je rencontre Norman Schwarzkopf qui m'indique que la météo peu favorable, les difficultés rencontrées par les services de renseignements pour évaluer les dégâts causés aux forces irakiennes, et enfin quelques jours de retard pris par les renforts attendus et les livraisons de munitions, tout cela le conduit à retarder l'attaque terrestre. J'en prends acte. Je n'ai aucun souci, nos soldats tiendront. Le courrier fonctionne bien. La poste aux armées croule sous les colis envoyés de France, ce qui est extrêmement sympathique. Certains colis anonymes iront même aux Américains de la 82e Airborne et d'autres au contingent sénégalais, moins bien loti et où nous comptons de nombreux amis.

Le soutien des Français à leurs forces n'a jamais faibli. Au contraire il est allé crescendo depuis le 2 août 1990 pour devenir massif en janvier-février 1991. Il y a longtemps que nous n'avions pas vu cela. La France semblait redécouvrir son armée. Elle l'avait ignorée pendant les dures années d'Indochine. Elle l'avait soutenue en Algérie avant que les choses se dégradent. Où était pourtant le droit en Indochine ? Du côté du Viêt-minh ou du côté des gouvernements du Laos, du Cambodge et du Viêt-nam que nous soutenions ? Soutenir des gouvernements non marxistes était évidemment une manifestation de colonialisme attardé pour l'intelligentsia dominante du début des années 50 dont l'influence irait jusqu'à susciter deux ou trois Boudarel. Toujours est-il que la Corée du Sud ne génère pas de boat people et que les trois États indochinois ressembleraient beaucoup à la Corée du Sud si le Viêt-minh avait été vaincu.

Mais ne boudons pas notre joie. Certes les anciens d'Indochine, qu'ils soient français ou américains, ont un peu envié l'enthousiasme qui a entouré les victoires de leurs cadets mais ils se sont réjouis d'un revirement des opinions qui va de pair avec l'échec partout constaté du marxisme. Ainsi, en Indochine, en Guinée ou à Madagascar, pour ne citer que trois de nos anciennes colonies, le marxisme a conduit à un délabrement que le colonialisme le plus exacerbé n'aurait jamais pu obtenir.

Les raisons de ce soutien populaire à nos forces engagées au Moyen-Orient sont multiples. Les condamnations successives de l'Irak aux Nations unies, la crainte de voir l'Irak détenir l'arme nucléaire, le bon sens des Français qui ne voient pas pourquoi il serait condamnable de défendre nos intérêts figurent parmi ces raisons. Surtout le Président de la République explique, à plusieurs reprises, la politique suivie par la France et les raisons de sa participation à la coalition. L'obstination de Saddam Hussein qui ignore toutes les tentatives qui auraient pu conduire à la paix, en particulier celles de la France, exaspère enfin les Français. Cette attitude de l'opinion aurait-elle perduré si l'on avait poursuivi des mois et des mois la stratégie de l'embargo-dissuasion entraînant plusieurs relèves de nos forces ou si les pertes avaient été plus importantes dès le début de l'attaque aérienne ? Je pense que oui, mais les contestations auraient été plus vives. Seule ombre au tableau, l'attitude de quelques cellules syndicales locales qui, en limitant l'utilisation de nos ports (Marseille en particulier), ont porté préjudice à ces cités en les privant d'un important trafic et ont retardé l'arrivée de certaines forces. Il faudra bien un jour que ces quelques attardés conviennent que les Occidentaux peuvent aussi défendre des causes justes et accessoirement leurs intérêts.

Le changement de ministre de la Défense va intervenir le 29 janvier. Le point de la situation est fait rapidement pour le nouveau titulaire, M. Joxe, puisqu'il participait, en tant que ministre de l'Intérieur, depuis la mi-janvier, aux réunions quotidiennes de l'Élysée présidées par le Président de la République, réunions au cours desquelles je rendais compte de la situation sur le terrain. Le 11 février M. Joxe et moi nous nous rendons ensemble à Washington. Pendant que M. Joxe est reçu par M. Cheney et le président Bush, je rencontre le général Colin Powell. Nous connaissons bien la situation l'un et l'autre. Il me confirme les appréciations portées par le général Schwarzkopf à Riyad. Son état-major présente un bilan des destructions estimées du potentiel militaire irakien. Rien n'est changé au plan général de manœuvre. Si aucun événement politique n'intervient, l'attaque terrestre aura lieu dans la seconde quinzaine de février.

Dans l'intervalle, coup dur le 7 février. Dans le courant de la matinée le général Roquejeoffre m'appelle. Le général Mouscardès vient d'être évacué d'urgence de Rafa vers Riyad, sous perfusion, son état de santé exige son évacuation vers le Val-de-Grâce. Rapidement, avec le général Roquejeoffre d'abord, puis avec le général Forray, je fais le tour des officiers généraux qui peuvent, au pied levé, remplacer le général Mouscardès. Nous tombons vite d'accord et je convoque le général Janvier pour lui dire que je vais proposer au ministre sa désignation à la tête de la division « Daguet »; je lui demande de se préparer à cette nouvelle tâche tout en passant rapidement ses consignes à son adjoint, le colonel Simonet. En fin de soirée du 7, le ministre me communique l'accord du Président de la République.

Je connais de longue date le général Janvier. Lorsque je commandais la 11e division parachutiste il était à la tête du 2e régiment étranger de parachutistes, succédant dans ce poste au colonel et futur général Guignon dont il était auparavant le second; à l'été 1982 je l'ai mis en route pour Beyrouth alors qu'il venait de prendre son commandement quelques jours plus tôt. Janvier connaît bien une bonne partie des personnels de la division « Daguet » pour avoir été général adjoint à la 6e division légère blindée de 1987 à 1989 avant que je n'obtienne son affectation à l'état-major des armées comme chef de la division logistique. Dans cette fonction il aura assuré la mise en route et le soutien des forces envoyées au Moyen-Orient et depuis la mi-janvier il fait partie des trois officiers généraux de l'état-major qui se succèdent au centre opérationnel. Il a déjà effectué une mission sur place. Au total il est l'homme de la situation et il me suffit d'un bref entretien pour lui donner mes directives avant qu'il quitte Paris pour Riyad où il arrivera le 9 février.

Dès qu'il est un peu rétabli je vais voir le général Mouscardès au Val-de-Grâce. Je mesure ce qu'il peut ressentir. Avoir affûté un outil de combat comme la division « Daguet » et devoir en céder le commandement à quelques jours d'une attaque est un véritable drame, une injustice du sort. Tous les responsables lui témoignent leur sympathie, y compris le Président de la République, chef des armées, par une lettre personnelle. Il demeure que sa déception ne s'effacera certainement pas de sitôt.

Du 14 au 16 février, nouvelle visite en Arabie Saoudite : j'accompagne les 14 et 15 le Premier ministre, M. Michel Rocard, et M. Joxe. Inspections comme il se doit des forces à Rafa et à Al-Hasa. Cette fois les journalistes nous accompagnent. On peut lever le voile : les déploiements des 18e et 7e corps sont pratiquement terminés et, assommées par un mois de bombardements, les forces terrestres irakiennes, même si elles perçoivent les mouvements alliés, sont désormais incapables de modifier leurs dispositifs pour en tenir compte. Le jeudi 14 février, en fin d'après-midi, réunion à trois avec

Roquejeoffre et Schwarzkopf. « Je viens, me dit Schwarzkopf, de m'entretenir avec Colin Powell. Le président Bush a décidé que l'attaque terrestre serait déclenchée le dimanche 24 février à 5 heures locales. » Pour le reste rien de changé, les deux ailes déboucheront les premières comme prévu, l'opération de diversion des marines aura lieu simultanément. Enfin la décision est prise de commencer le pilonnage de la 45ᵉ division irakienne, jusqu'à présent épargnée pour ne pas donner l'éveil. Le soir du 14, à l'ambassade de France à Riyad, j'informe M. Joxe dans le plus grand secret.

Le 14, j'avais laissé le général Guignon à Rafa pour mettre au point les derniers détails de l'attaque avec Janvier. Un point nous préoccupe. Bien tenu, l'escarpement qui suit la frontière au nord pourrait permettre aux Irakiens de retarder le débouché de la division et surtout le contrôle des axes. Le 16, je retourne seul à Rafa. J'apprends à Guignon et à Janvier la date et l'heure de l'attaque, ce qui nous donne encore huit jours au lieu des quatre ou cinq envisagés auparavant. Avec eux et le général Roquejeoffre nous longeons l'escarpement en hélicoptère, comme Guignon et Janvier l'avaient fait ensemble la veille. Nous convenons qu'il faut porter l'effort à l'est où l'escarpement est le moins élevé, et qu'il y aurait tout intérêt à coiffer cet obstacle dans la nuit du 22 au 23 avec des commandos spécialisés de la 11ᵉ D.P. que nous connaissons bien tous les quatre. J'en parle dans l'après-midi au général américain Luck, commandant le 18ᵉ corps, qui donne son accord. Je prends la décision de renforcer immédiatement Janvier avec les commandos de la 11ᵉ division parachutiste. J'y ajoute une section de mortiers lourds pour renforcer les feux sur l'est du dispositif.

Pendant cette inspection je rends visite aux unités américaines placées sous le contrôle opérationnel du général Janvier, 27ᵉ bataillon du génie, 18ᵉ brigade d'artillerie et 2ᵉ brigade de la 82ᵉ division aéroportée, la 2/82. La 18ᵉ brigade me présente son régiment de lance-roquettes multiples. Je connais déjà ce matériel, le voir en situation opérationnelle me confirme que nous avons fait un choix pertinent en le commandant pour notre armée de terre. La visite à la 2/82 est particulièrement émouvante. Lors de la brève présentation que me fait le colonel Rococz qui la commande, la première phrase prononcée est « Sainte-Mère-Église, bienvenue mon général ». Je lui rappelle alors que l'année 1989 j'étais le 6 juin en Normandie pour le quarante-cinquième anniversaire du débarquement avec Colin Powell, pas encore président du comité des chefs d'état-major américains. Je constate que le courant passe à merveille entre Américains et Français. Sur les positions de la 2/82 je réponds aux questions de journalistes américains très souriants, j'évoque bien entendu la Normandie et leur dis que j'ai été sensible au fait que le général Luck ait baptisé « Rochambeau » l'objectif des Français. Tout cela pourra paraître un peu puéril à certains esprits forts mais je sais que le peuple américain y sera sensible. Je sais aussi, d'expérience, que c'est en évoquant les traditions historiques des unités qu'on développe moral et cohésion. Aucun « rat du désert » dans la division blindée britannique mais chaque soldat britannique voudra être digne de ses anciens de Tobrouk et d'El-Alamein comme les soldats de la 82e Airbone et de la 101e division penseront aux parachutistes qui sautèrent le 6 juin en Normandie. Évoquer les traditions de l'infanterie de marine, de la Légion étrangère, des dragons et des spahis n'est pas inutile pour obtenir cohésion et moral au sein de la 6e division légère blindée.

Je quitte, le 16 février au soir, Rafa pour Al-Hasa d'où nous regagnons Paris dans un DC 8 cargo qui vient d'acheminer un chargement de bombes et rentre à vide, Guignon, Pidancet, mon aide de camp le capitaine de corvette de Brémond d'Ars et moi allons dormir étendus sur les filets d'arrimage pendant les sept heures de trajet.

Ceux qui sont dans le secret savent qu'il reste une semaine avant l'attaque terrestre. Est-elle inéluctable ?

Depuis le 6 juin 1944, jamais les Américains n'avaient déployé un tel arroi militaire hors des États-Unis. 370 000 hommes à terre dont 90 000 marines, 90 000 aviateurs et 80 000 marins, 1 300 avions, 1 500 hélicoptères, 2 000 chars et 100 navires dont 6 porte-avions, grosso modo environ deux fois les forces armées françaises d'active. Un tel déploiement coûte très cher. Certains alliés participent d'ailleurs largement aux dépenses, tantôt volontiers, tantôt en se faisant tirer l'oreille. Durer et relever les forces ne serait pas impossible mais très coûteux et probablement à la longue impopulaire. Le Ramadan et l'époque des pèlerinages aux lieux saints approchent. Enfin, et peut-être surtout, les fortes chaleurs seront là dans deux mois. Alors que le port de la tenue de protection contre les attaques chimiques est facile, presque agréable en janvier et février, il devient une épreuve au mois de mai.

A mon avis les Américains feront tout pour brusquer les choses et achever la destruction de la puissance militaire irakienne, c'est-à-dire détruire l'armée de terre, notamment la Garde républicaine. Ils feront aussi tout pour imposer un cessez-le-feu qui leur permette de contrôler la destruction des installations permettant la mise au point et la production d'armes chimiques et nucléaires.

Et pourtant Saddam Hussein aurait probablement pu sauver ses forces terrestres et éviter de sévères conditions de cessez-le-feu!

Il fait tout le contraire. Dans un communiqué radiodiffusé le gouvernement irakien s'annonce prêt à quitter le Koweït mais en fixe aussi les conditions :

– Toutes les résolutions des Nations unies, depuis la 660, doivent être annulées.

– Israël doit évacuer les territoires occupés.

– Les alliés doivent retirer toutes leurs forces du Proche- et du Moyen-Orient.

Cette déclaration suscite des démonstrations de joie dans Bagdad. Il est permis de se demander si au niveau des forces irakiennes il en a été de même. Le soldat irakien s'entend dire depuis des mois qu'il doit, si nécessaire, mourir pour le Koweït, partie intégrante du territoire irakien. Et voilà que Saddam Hussein annonce qu'il est prêt à rendre l'enjeu qui a justifié leurs souffrances et leur combat et cela après avoir rétabli les anciennes frontières avec l'Iran dont la modification leur avait valu huit années de guerre! Certes leur guide suprême fixe des conditions absolument inacceptables pour leur adversaire mais pour beaucoup de soldats irakiens il y a dans cette démarche de Saddam des arrière-pensées qui doivent au minimum les faire vaciller.

A peine moins fantaisistes sont les tentatives soviétiques pour sauver une armée qu'ils équipent à quatre-vingts pour cent. Ils annoncent le 21 février que Saddam Hussein accepte un nouveau plan de cessez-le-feu. Bagdad retirerait ses troupes du Koweït en trois semaines et libérerait les prisonniers de guerre alliés. La coalition arrêterait les bombardements et ne déclencherait pas l'attaque terrestre.

Demander trois semaines pour retirer du Koweït trois corps d'armée alors que le pays a été envahi en quarante-huit heures confine à la provocation. Après coup il est permis de se demander si face au dilemme : « Ou je me retire sans combat et je perds la face et le pouvoir, ou j'accepte la destruction de mon armée mais je garde le pouvoir », Saddam Hussein n'a pas fait le second choix.

J'adresse dans la journée du 21 une étude au gouvernement démontrant qu'en accordant une semaine aux Irakiens pour évacuer le Koweït on serait encore très généreux car le retrait est parfaitement possible, en ordre, dans un tel délai. C'est finalement ce délai qui sera retenu par le président Bush avec début d'exécution au plus tard le 23 à midi, heure de Washington. Il est absolument faux de prétendre, comme cela fut fait, que ce délai correspondait à un ultimatum inacceptable. D'ailleurs les Irakiens démontreront quelques jours plus tard qu'ils pouvaient quitter le Koweït en quatre jours...

Les dés sont jetés. L'attaque terrestre débutera au jour et à l'heure prévus. Le Président de la République m'adresse l'ordre d'exécution. Dans la nuit du 22 au 23 les commandos du colonel Rozier s'infiltrent sur l'escarpement et constatent son évacuation par tous les éléments de couverture irakiens. Des actions comparables préliminaires à l'attaque générale se déroulent sur l'ensemble de la zone.

L'exécution de la phase dite terrestre du plan Schwarzkopf va alors débuter près de quarante jours après le début des bombardement aériens. En fait la phase de préparation ne fut pas exclusivement aérienne, l'artillerie aussi bien terrestre que navale des alliés participait largement à la destruction préalable des installations de la ligne Saddam : champs de mines, réseaux de barbelés, fossés remplis de pétrole, artillerie adverse ; dans le même temps des commandos infiltrés des forces spéciales précisaient les renseignements donnés par les satellites. A l'inverse l'attaque terrestre n'interrompit pas les attaques aériennes qui continuèrent pour priver les formations blindées irakiennes de deuxième échelon de toute possibilité de contre-attaque.

A l'est du front, les forces islamiques, essentiellement saoudiennes, s'engagent le long de la côte tandis que pénètrent au Koweït, à son ouest, les divisions syriennes et égyptiennes. Au centre débouchent droit sur Koweït City les 1re et 2e divisions de marines, renforcées par une brigade blindée de l'armée de terre américaine. La ligne Saddam était une organisation sérieuse qui couvrait le Koweït et une cinquantaine de kilomètres de la frontière irako-saoudienne; mais elle fut soumise à un tapis de bombes et d'obus pulvérisant les obstacles et les fortifications, neutralisant une bonne partie de l'artillerie irakienne et de ses dépôts, tuant de nombreux soldats et abrutissant les autres. C'est donc pratiquement sans pertes que les forces alliées attaquant au Koweït auront le 24 au soir franchi la ligne Saddam en faisant des milliers de prisonniers.

Pendant ce temps, le 24 février à 5 heures, bien des observateurs attendaient un débarquement des marines embarqués sur les côtes du Koweït, d'autant que l'état-major allié a donné toute la publicité voulue aux opérations de déminage entreprises dans les eaux territoriales de ce pays.

Tout à l'ouest du front, face au 18ᵉ corps, il n'existe pas de ligne Saddam et les forces irakiennes sont beaucoup moins denses dans la zone qui s'étend sur deux cents kilomètres à l'ouest du Koweït où dix divisions irakiennes sont installées et dont l'essentiel fera face au 7ᵉ corps américain.

La zone d'As-Salman, objectif de la division « Daguet », est tenue par une division d'infanterie, celle d'As-Samawa, objectif de la 101ᵉ division aéromobile américaine, par une autre division. A cent kilomètres à l'ouest d'As-Salman il existe bien une autre division irakienne mais elle doit se préoccuper d'une brigade pakistanaise installée autour d'Arar. Enfin un corps d'armée entoure Bagdad et pourrait contre-attaquer vers le sud-est. Mais Saddam Hussein peut difficilement se priver des moyens de contrôler une population qui doit commencer à douter de sa perspicacité; surtout ce corps d'armée serait vite détruit par l'action conjuguée des avions et des hélicoptères armés français et américains. A l'est de la zone du 18ᵉ corps enfin, face à la 24ᵉ division d'infanterie qui doit s'engager vers An-Nassiriya, sur l'Euphrate, il n'y a pratiquement rien avant le fleuve sur cent kilomètres de front.

Dans la semaine qui précède l'attaque tout a été mis en œuvre pour parfaire la connaissance du dispositif adverse dans la zone de la division « Daguet ». Bien sûr cette tâche est de la responsabilité du 18ᵉ corps, qui s'y emploie. Une reconnaissance lourde de la 101ᵉ dans la nuit du 21 au 22 fait d'ailleurs prisonnière la quasi-totalité d'un bataillon de la brigade est de la 45ᵉ division. Mais l'ensemble de nos organismes de renseignement y participe. Nous n'avons que le satellite Spot (pas encore Helios) mais les Américains nous communiquent des photos de leurs satellites qui sont exploitées par les interprétateurs photos de notre armée de l'air en complément des couvertures photos des mirage F 1 CR qui depuis quelques jours balaient l' « axe Texas ». Ainsi le 21 février sont envoyées au général Janvier des couvertures photographiques Spot renseignées dans le détail, qui remplacent les meilleures des cartes. Ces spatiocartes ont aussi l'avantage d'être maniables alors que des assemblages photographiques à grande échelle correspondant à une progression de cent cinquante kilomètres sont difficiles à déployer dans des véhicules de commandement.

Le 24 à 5 heures locales, tandis que marines et forces arabes débouchent à l'est, la division « Daguet » et la 101ᵉ débouchent à l'ouest. La 101ᵉ occupe sans combat une zone intermédiaire dite « Cobra » à cent cinquante kilomètres dans la profondeur et à cinquante kilomètres à l'est d'As-Salman. Les trois groupements de « Daguet », s'engagent en direction de « Rochambeau », résistance située à mi-distance d'As-Salman et tenue par une brigade renforcée de chars d'artillerie et de pièces antiaériennes de 23,4 également très efficaces en tir à terre. En fin d'après-midi du 24, « Rochambeau » n'existe plus. Le lendemain 25 avant l'aube, les trois groupements s'engagent vers la bourgade et l'aérodrome d'As-Salman. L'aérodrome est conquis dans la journée et l' « axe Texas » livré dans sa totalité aux convois logistiques qui s'y précipitent, gênés seulement par les colonnes de prisonniers qui circulent en sens inverse. La bourgade elle-même, encerclée le 25 au soir, ne sera occupée que le lendemain, le général Janvier ne voulant pas livrer un combat de nuit dans une localité dont l'occupation ne presse pas puisque l'axe routier est contrôlé. Le 26 au matin le 3ᵉ régiment d'infanterie de marine trouvera As-Salman quasiment vidée de ses habitants, évacués vers le nord, et sans troupes irakiennes.

La rapidité de la pénétration sur ses deux ailes, surtout l'aile ouest, conduit le général Schwarzkopf à décider avec douze heures d'avance l'engagement de ses divisions lourdes : 24ᵉ division d'infanterie du 18ᵉ corps et les quatre divisions du 7ᵉ corps : 1ʳᵉ et 3ᵉ divisions blindées américaines, 1ʳᵉ division d'infanterie américaine et 1ʳᵉ division blindée britannique. La

1er division américaine de cavalerie, équipée comme une division blindée, est en réserve.

En début de nuit du 24 au 25, la 24e division d'infanterie franchit la frontière et progresse sans pratiquement rencontrer d'opposition, elle est imitée à sa droite par tout le 7e corps. L'artillerie irakienne se manifeste sans grande efficacité mais elle se dévoile. Les radars de contre-batterie restituent les trajectoires. L'artillerie américaine riposte et par un tir précis et puissant elle fait taire les batteries irakiennes. Les chars Abrams et leurs blindés d'accompagnement Bradley s'ébranlent. Le 25 au soir le 7e corps d'armée a progressé de trente kilomètres en territoire irakien et s'apprête à se diriger droit sur la garde présidentielle.

Le 26 février au matin, la situation se présente ainsi : à l'est les forces islamiques et les marines sont dans les faubourgs de Koweït City, à l'ouest les Français et les parachutistes américains et les hélicoptères de la 101e isolent le champ de bataille et couvrent le dispositif allié entre Rafa et As-Samawa et poussent des reconnaissances jusqu'à cinquante kilomètres à l'ouest pour éviter toute surprise. Au centre, Américains et Britanniques engagent le combat contre une garde présidentielle surprise dans ses taupinières, abasourdie sous les bombes et les obus et dont le seul objectif est de tenter rapidement un repli ou plutôt une fuite vers Bassora.

La journée du 26 aurait pourtant pu être favorable aux Irakiens. Les mauvaises conditions météorologiques amenaient plus d'équilibre dans les affrontements entre formations blindées en privant les alliés de leur appui aérien de l'aviation et de l'ALAT. C'est alors que la qualité des équipages de chars américains, britanniques et français fit la différence.

La bataille de Khafji avait apporté deux informations sur les blindés soviétiques acquis par les Irakiens ou fabriqués chez eux sous licence : ils étaient mal entretenus mais équipés d'un canon de 125 mm équipé d'un système de visée laser très moderne. Dans une bataille où les combats de chars allaient se dérouler à moins de 1 000 mètres comme lors de l'affrontement entre la division Médina de la Garde et les 1re et 3e divisions blindées américaines, c'est la rapidité de tir des chars Abrams et donc l'entraînement des équipages et non la supériorité du matériel qui fut la cause du succès total des Américains, comme plus au sud de celui des Britanniques.

Les événements du 26 de même que ceux de la nuit précédente et de la suivante ont été peu commentés parce que les observateurs français se sont peut-être exagérément penchés sur l'action de la division « Daguet », et sur la bataille aérienne d'ensemble, oubliant, semble-t-il, que l'on se battait ailleurs sur terre mais aussi sur mer et que pendant des heures il ne se passa rien en l'air au moins à basse et très basse altitude.

Au-dessus du désert d'Arabie le ciel est en général clair. Orages et tempêtes de sable y sont pourtant fréquents en hiver, l'aviation peut alors être gênée, voire paralysée. C'est encore plus le cas ailleurs. Je me souviens avoir parcouru en février, il y a dix ans, à l'ouest du rideau de fer, la zone d'action du corps belge où l'un des plans d'engagement de la 1re Armée prévoyait une contre-attaque. Il faisait un temps épouvantable. On y voyait à cent mètres à peine et l'un des officiers belges me dit : « Ici de janvier à mars, le plafond est au sol un jour sur deux en moyenne. » C'est ce type de temps que les Allemands exploitèrent lors de la contre-attaque des Ardennes dans l'hiver 1944-1945.

J'ai toujours regretté que les présentations de matériels et de manœuvres aux autorités politiques et aux groupes qui les escortent, et comportent souvent de jeunes technocrates peu expérimentés, se fassent le plus souvent au printemps ou en automne et toujours par beau temps. Les responsables politiques ont le plus souvent fait la guerre ou au moins leur service militaire et sont donc en mesure de corriger les impressions retenues de présentations pendant lesquelles règne un temps splendide, les chars cibles étant fixes et bien découpés sur l'horizon, les tireurs de missiles comme les pilotes d'avions et d'hélicoptères n'étant soumis à aucun tir d'artillerie et de D.C.A. En revanche certains des jeunes gens ou jeunes filles qui les escortent émettent des opinions catégoriques après deux heures d'un spectacle qui n'a que l'intérêt de présenter les performances d'un matériel et rien d'autre.

Lorsque j'étais chef d'état-major de l'armée de terre la question suivante me fut posée : « S'il fallait renoncer à un matériel, garderiez-vous le char ou l'hélicoptère ? » J'ai répondu : « On ne demande pas à un homme s'il préfère se faire couper la jambe gauche ou la jambe droite, d'autant qu'en perdre une le diminue de bien plus que de cinquante pour cent. »

Les affrontements se produisent toujours entre des systèmes

d'armes dont il faut combiner l'action. Le type de manœuvre choisi, le terrain, l'urbanisation, le climat, qui peut varier d'un jour à l'autre, peuvent privilégier tel système ou le rendre temporairement inefficace. Un orchestre est composé de plusieurs instruments; il en est de même d'un système de forces.

La nuit du 25 au 26 puis la journée du 26 virent donc se dérouler une bataille gagnée par les équipages de chars américains et britanniques, tirant toujours les premiers et au but. Ainsi la division britannique détruisit trois cents chars et transports de troupe et fit quelque 5 000 prisonniers; leurs premiers rideaux de chars détruits, les Irakiens se rendaient en masse.

Une des préoccupations du général Schwarzkopf était d'avoir à déloger les Irakiens de Koweït City, ville d'un million d'habitants toujours occupée par une bonne partie de sa population. A mesure, cependant, que l'étau des marines et des forces arabes se resserrait, les Irakiens qui s'y trouvaient furent pris de panique et ne pensèrent plus qu'à trois choses : piller, détruire et déguerpir. Ils s'engagèrent ainsi en colonnes denses sur la route de Bassora au milieu des puits incendiés; dans l'après-midi du 26, le ciel étant devenu plus clément, ils offraient des cibles faciles à l'aviation alliée.

Au soir du 26, la garde présidentielle était presque encerclée au sud de Bassora; elle avait déjà subi de très lourdes pertes. Le reste des corps d'armée irakiens entassés au sud-est de l'Irak et au Koweït n'existait plus, y compris les divisions qui attendaient un débarquement et avaient vu les marines leur arriver dans le dos.

La nuit du 26 au 27 fut comme la précédente une nuit de vent et de pluie. La destruction des chars irakiens se poursuivit cependant avec autant de vigueur, les équipages occidentaux étant beaucoup plus habiles à utiliser les matériels de vision nocturne dont ils disposaient. Dès l'aube, avec une météo améliorée, les avions A 10 et les hélicoptères Apache, conçus pour détruire les chars soviétiques en Europe, démontrèrent leur efficacité contre ces mêmes chars dans un autre terrain.

Au soir du 27, lorsque le président Bush décida le cessez-le-feu, les trois quarts des chars irakiens engagés dans la zone (environ trois mille cinq cents) étaient hors de combat. Le nombre des prisonniers dépassait 60 000. Quelques avions et hélicoptères avaient été détruits, les autres ne prirent aucun risque. Le nombre des militaires irakiens tués, comme celui des blessés, était impossible à déterminer. Seul le gouvernement irakien pourra un jour le faire connaître. Je pense qu'il doit se situer aux environs de 100 000, il s'agit là d'une simple estimation, aucune constatation ne l'étaye.

Les pertes des coalisés sont très faibles eu égard à la dimension de la bataille et aux effectifs mis en jeu. Quarante-neuf avions perdus du 16 janvier au 27 février. Moins de trois cents morts pour la coalition et pour toute la campagne depuis août 1990, la plupart d'ailleurs par accident, quelques-uns à la suite de méprises, inévitables dans toutes les guerres, et que seul un entraînement interarmes, interarmées et interallié très soutenu permet de réduire au minimum, ce qui fut le cas. Un combat dans le désert ne conduit pas à une évolution de fronts continus, les colonnes de chars foncent, convergent, et la nuit, dans la tempête de sable et la pluie, identifier le char que l'on voit à cinq ou six cents mètres n'est hélas pas toujours facile ; pourtant votre vie peut en dépendre ; alors parfois on se trompe et l'on tire...

Le 27 au soir la bataille est terminée, la guerre est gagnée. Cependant, et avant de clore le chapitre des combats, je voudrais revenir sur l'action des forces françaises, serait-ce au prix de quelques répétitions.

Avant que l'offensive terrestre se déclenche le 23 février, pendant que les régiments de la division « Daguet » s'entraînaient nuit et jour avec leurs camarades américains, nos aviateurs participaient au contrôle de l'espace aérien, attaquaient à la bombe ou avec les missiles AS 30 guidés laser les objectifs irakiens. Les unités de soutien acheminaient de Yanbu et de Dhahran les ravitaillements de toute nature et participaient avec leurs porte-chars au transport des blindés américains du 18e corps. Nos navires avaient leur place dans l'armada engagée dans le golfe Arabo-Persique.

Dans la période qui précéda l'attaque, l'une des principales difficultés qu'il fallut surmonter fut la limitation puis pour les derniers jours l'interdiction des visites, pas seulement celles des journalistes. Il est facile de dire ou d'écrire aujourd'hui que l'attaque vers As-Salman fut une opération facile, voire une promenade de santé. J'ai d'ailleurs parfois l'impression que certains auteurs nous reprochent, me reprochent, de n'avoir pas eu le nombre de morts et de blessés, surtout de blessés, pour lesquels nous avions dimensionné le service de santé. Dans les jours précédant une attaque les hommes sont tendus, ils n'aiment pas ces visiteurs qui viennent les voir comme les spectateurs viennent à un zoo, je n'invente pas la formule, j'ai entendu cette comparaison dans la bouche d'un sous-officier. Les cadres, de leur côté, ont besoin de se concentrer sur la préparation de leur mission et de ne pas en être distraits par un quidam leur demandant si le café du matin était suffisamment sucré ou si le manque de femmes pose problème à leurs hommes. Dans cette entreprise de protection de nos troupes je fus très aidé par la fermeté du ministre de la Défense. Il faut aussi ajouter, s'agissant plus particulièrement des journalistes, que la majorité d'entre eux étaient compétents, comprenaient nos préoccupations, en particulier celles concernant la préservation du secret et qu'ils ont ensuite suivi les troupes sans les gêner. Les plus difficiles à gérer furent ceux des chaînes de télévision. Le souci d'apporter des images au téléspectateurs, qui, à mon avis, les demandent beaucoup moins qu'on ne le croit, conduit à privilégier l'image choc, le train qui n'arrive pas à l'heure pour reprendre une formule connue. L'ennui c'est que l'on risque de faire croire que tous les trains n'arrivent pas à l'heure et de manipuler ainsi l'opinion.

La division « Daguet » avait pour mission, on l'a vu, de s'emparer pour G + 2, soit deux jours après l'attaque, d'une zone dite « White » comprenant l'aérodrome et le carrefour routier d'As-Salman situé hors du village, ce qui donnait à ce dernier un caractère relativement secondaire. Elle devait aussi livrer pour G + 2 au 18ᵉ corps la route goudronnée, unique dans la zone qui conduisait du poste frontière nord-est de Rafa à As-Salman et ensuite au nord vers Samawa sur l'Euphrate, à l'est vers Busaya. Cette route fut baptisée « Texas », elle était barrée par les installations de deux brigades de la 45ᵉ division irakienne tenant « Rochambeau », le P.C. de cette division étant dans un fort extérieur à la localité d'As-Salman.

C'est le 16 février que j'ai définitivement approuvé avec les généraux Roquejeoffre et Luck le plan du général Janvier. Les Irakiens s'attendent, pensions-nous, à une poussée sur l' « axe Texas ». S'inspirant des manœuvres d'O'Connor fin 1940 et début 1941, nos forces délaissèrent donc initialement l'axe. Deux groupements composés l'un à l'ouest de deux régiments de chars légers AMX 10 RC, d'un régiment d'infanterie sur véhicules de l'avant blindé et d'un régiment d'hélicoptères, l'autre à l'est d'un régiment de chars AMX 30 B2, d'un régiment d'infanterie sur VAB et d'un régiment d'hélicoptères, vont largement déborder « Rochambeau ».

A la fin d'une très forte préparation d'artillerie, le groupement est, après un large débordement, attaquera de l'est vers l'ouest et même du nord-est vers le sud-ouest. Si le groupement est piétine, le groupement ouest, tout en lançant un régiment d'AMX 10 RC vers le nord, lui prêtera main-forte en complétant l'encerclement et la manœuvre de destruction. Si la mission du groupement est s'exécute facilement, le groupement ouest au complet foncera droit sur l'aérodrome d'As-Salman sans s'aligner sur lui.

Pendant cette manœuvre, nos hélicoptères surveilleront l'ouest du dispositif pour éviter toute surprise pendant que les unités du génie, au centre, décalées et protégées par la 2/82e dégageront l' « axe Texas » que l'on suppose miné.

Les commandos de la 11e D.P. aux ordres du colonel Rosier ont occupé dans la nuit du 22 au 23 la falaise qui domine la zone de Rafa, et avait un peu impressionné les visiteurs. Le 24 avant l'aube la division « Daguet » s'élance [1]. A son P.C. de Riyad le général Roquejeoffre comme moi au centre opérationnel des armées, nous sommes attentifs aux messages qui tombent. A 9 h 30 le groupement du colonel Lesquer à l'ouest est à hauteur de « Rochambeau »; il a donc parcouru quarante kilomètres. Le 1er spahis poursuit vers le nord. A l'est le 3e régiment d'infanterie de marine et le 4e dragons ont à 10 h 30 débordé « Rochambeau »; l'artillerie et les mortiers irakiens se manifestent par des feux mal ajustés; le dispositif se met en place, l'artillerie franco-américaine ouvre le feu; et à 12 heures, dès la fin des tirs, les AMX 30 B2 poursuivent en tir direct tandis que les fantassins du 3e R.I.Ma extirpent de leurs tranchées les soldats irakiens; ceux-ci sont hébétés et surpris par l'axe d'attaque mais en réalité ils ont subi peu de pertes du fait de l'artillerie comme auparavant de l'aviation car leurs installations étaient solides. La comparaison entre « Rochambeau » et Bir-Hakeim s'impose. Même terrain, mêmes effectifs de part et d'autre. C'est l'énergie des hommes qui fait la différence. A « Rochambeau » seule une compagnie irakienne tien-

---

1. Quelques heures avant j'ai adressé au général Roquejeoffre et à l'amiral Bonnot le message ci-contre.

GÉNÉRAL M. SCHMITT

Paris 24 février 91

Pour Général Roquejeoffre } et personnels
Amiral Bonnot } sous leurs ordres

<u>Primo</u> Nos forces aériennes ont mené jusqu'à aujourd'hui, aux cotés de nos alliés, un combat qui a contribué à diminuer considérablement les capacités des forces irakiennes.

Nos forces navales poursuivent depuis aout 90 l'exécution de leurs missions autour de la péninsule arabique.

Dans le même temps nos forces terrestres se sont déployées dans les meilleures conditions et ont conduit des actions préliminaires très efficaces.

<u>Secundo</u> Dans quelques heures débutera la deuxième phase de l'action devant conduire à la libération du KOWEIT.

Je fais toute confiance à nos forces terrestres aériennes et navales pour que chacun à sa place exécute sa mission comme ont toujours su le faire nos soldats, aviateurs et marins pour l'honneur de leurs armes et le service de la France.

Toute ma confiance va aussi aux soldats américains du XVIIIème Corps aéroporté qui nous font l'honneur de servir sous nos ordres

Copie à CEMAT
CEMM
CMAA

[signature]

dra un peu plus longtemps que le reste. Les mortiers lourds et un assaut bien mené en auront raison.

Durant la nuit du 24 au 25 mauvais temps dans la zone comme plus à l'est. Les prisonniers sont évacués. La relance de l'attaque est préparée. A l'aube du 26 les unités s'élancent, à nouveau l'artillerie adverse se manifeste sans précision aucune. Figés sur l'axe les Irakiens sont dépassés à l'est et à l'ouest et largement débordés par les hélicoptères de combat. A 14 heures As-Salman est atteint et contourné. Au centre le 1er spahis, détruisant quelques chars T 55 au passage, atteint à 14 heures le carrefour pendant que les légionnaires du 1er régiment étranger de cavalerie et du 2e régiment étranger d'infanterie chassent les derniers défenseurs de la base aérienne militaire vers 17 heures.

Trente-six heures après le débouché, le général Janvier peut rendre compte au général Luck et au général Roquejeoffre que l'ensemble de ses objectifs est atteint. L'« axe Texas » est complètement dégagé et les convois du 18e corps s'y précipitent. La division « Daguet » s'installe en couverture face à Bagdad, réservant pour le lendemain la fouille du village d'As-Salman.

Le soir du lundi 25, je peux de mon côté rendre compte au Président de la République que nos forces ont rempli leur mission avec vingt-quatre heures d'avance et que le général Schwarzkopf a décidé en conséquence d'avancer de douze heures le débouché des divisions blindées du centre. Le Président me demande combien de temps à mon avis durera la bataille classique avant la phase de réduction des isolés. Je réponds : « Nous en aurons fini aux environs de la fin de la semaine. » Je surestimais la combativité de la garde présidentielle qui sera annihilée le mercredi 27 au soir.

La division « Daguet » a été conduite au combat avec brio par le général Janvier. Sa cohésion, son entraînement en commun, sa détermination avaient été forgés par le général Mouscardès. Du 21 septembre au 7 février le général Mouscardès commandait la 6e division légère blindée qui fournit le groupement de 4 000 hommes d'Hafar el-Batin avec le renforcement d'un régiment d'hélicoptères. En décembre ses moyens doublèrent progressivement. Il reçut d'autres éléments de sa division et des unités venant de la 9e division d'infanterie de marine qui aurait assuré la relève si le face-à-face s'était prolongé. Le 4e régiment de dragons provint d'une division blindée du corps de bataille.

Enfin les deux régiments d'hélicoptères vinrent (comme le 5e R.H.C, qu'ils relevèrent) essentiellement de la 4e division aéromobile.

Avec les corps de sa division et ceux qu'il reçut en renfort le général Mouscardès fit une division homogène et bien adaptée à ce terrain qu'est le désert d'Arabie. Constituer une unité adaptée à une mission précise pour combattre sur un terrain particulier est un procédé habituel et ne constitue pas une première. C'est exactement ce que fit Rommel en constituant la 90e division légère de l'Afrika Korps. L'important est de disposer de régiments bien préparés à ce type de mission. C'était le cas de nos unités professionnelles qui ont arpenté l'Afrique et en particulier le Tchad. Il nous manquait un régiment de chars moyens. Nous l'avons créé parce que nous avons eu les volontaires nécessaires et parce que Saddam nous en a laissé le temps. Nous serions bien avisés pour l'avenir de mettre sur pied une division blindée de professionnels et d'appelés volontaires.

La victoire d'As-Salman a été remportée par le général Janvier mais préparée par le général Mouscardès. A chacun revient une part de la réussite.

XI

LES MOIS DE L'APRÈS-GUERRE

« L'action ne vaut qu'en vertu de contingences qui ne se retrouvent jamais. »

CHARLES DE GAULLE

« Quatre braves gens qui ne se connaissent pas n'iront point franchement à l'attaque d'un lion. Quatre moins braves, mais se connaissant bien, sûrs de leur solidarité et par suite de leur appui mutuel, iront résolument. Toute la science des organisations d'armées est là. »

COLONEL ARDANT DU PICQ,
Études sur le combat.

Du 4 au 8 mars 1991 je ferai mon dernier voyage en Arabie Saoudite, au Qatar, aux Émirats. Et surtout mon premier et probablement dernier voyage au Koweït.

Le général Roquejeoffre m'accueille à Riyad, sourire aux lèvres, et je retrouve l'hospitalité de M. Bernière, notre ambassadeur, qui aura tout fait pour faciliter notre tâche et en particulier nous prodiguer d'utiles conseils dans ce pays dont il fallait respecter les usages et la culture. Ce que nous avons bien fait de faire quoi qu'en aient dit certains. Respecter veut surtout dire agir avec discrétion et courtoisie. Ainsi c'est en plein accord avec le général Khaled ben Sultan que dès septembre 1990 des aumôniers étaient sur place. Sans publicité. Nos soldats et leurs familles le savaient. N'était-ce point là l'essentiel ? Croit-on vraiment que cela aurait ajouté grand-chose au moral de nos troupes que d'en faire étalage ? Sûrement pas.

Le lendemain 5 mars c'est la visite à la division « Daguet » à As-Salman. Je suis accompagné du général Roquejeoffre et des généraux Guignon et Pidancet qui m'auront toujours suivi et avec qui, lors des trajets en avion, je débattais des décisions à prendre ou à proposer. Le colonel Simonet, qui remplace le général Janvier à la tête de la division logistique de l'état-major des armées, complète l'équipe. Je tiens à ce que le retour de nos unités se fasse dans l'ordre, aux dates fixées et avec le minimum d'accidents ou d'incidents et de détériorations de matériel. Le colonel Simonet va avoir une tâche lourde, il s'en acquittera en grand professionnel.

Les journées des 5 et 6 mars seront exceptionnelles. Le 5 sera marqué par deux moments forts. Le premier est spécifiquement français. Pour mon arrivée dans la zone qu'il contrôle en Irak, le général Janvier a rassemblé quelques éléments de chacune des formations ayant participé à la prise d'As-Salman. Les chefs de corps sont tous là. Il manque ceux des corps américains, paras, artilleurs et sapeurs mais ils ont poursuivi vers l'est à partir du 26. Ils n'étaient plus nécessaires pour assurer la couverture face au corps d'armée de Bagdad, réservé d'ailleurs par Saddam pour d'autres tâches plus faciles et plus sanglantes. Seul d'entre eux est présent mon vieil ami le colonel Kee qui pendant trois ans corrigea mon anglais lorsque je m'entretenais avec le général Galvin. Revenu à l'été 1990 aux États-Unis il avait été désigné, début janvier, pour diriger le détachement de liaison placé par les Américains auprès du général Roquejeoffre. C'était le meilleur choix possible

Après une revue de l'ensemble des détachements pendant laquelle l'émotion passe dans les regards échangés, parfois dans un sourire, je m'adresse aux soldats. Mon allocution est brève. Je ne veux pas être long et grandiloquent mais je tiens cependant à leur dire avec simplicité ce qu'ils ont fait pour l'image de l'Armée en France et pour celle de la France dans le monde.

Avec son calme et sa précision habituels, le général Janvier, entouré de ses adjoints et des chefs de corps, décrit devant la carte la chevauchée qu'il vient de conduire. Puis il évoque les problèmes auxquels il est confronté, en particulier celui que pose la population qui revient et qu'il faut rassurer et soigner.

Nous visitons le fort d'As-Salman où le sergent Schmitt et le caporal-chef Cordier, tous deux commandos parachutistes du colonel Rosier, ont payé de leur vie l'accomplissement de leur mission. Une vingtaine d'autres parachutistes y ont été blessés dont Rosier et son médecin-chef, la plupart en portant secours à leurs camarades.

Deuxième temps fort : le soir M. Bernière a organisé un dîner franco-américain à notre ambassade. En territoire français, général Schwarzkopf en tête, nous arrosons la victoire au champagne. Je lui offre une épée de général d'armée français et un képi de légionnaire. La photo de Schwarzkopf coiffant le képi blanc fera le tour du monde. Nous évoquons les six derniers mois et les premiers enseignements de cette campagne où il vient de conduire les troupes alliées à la victoire. Évocations à nouveau du Viêt-nam où nous avons combattu tous deux. Surtout pour dire que le combat fut plus dur là-bas. A aucun moment ne s'engage un débat sur le choix du jour et de l'heure où fut proclamé le cessez-le-feu. Il s'agit là de la conduite politique de la guerre et non plus de l'exécution. Pour Schwarzkopf comme pour moi les décisions politiques, une fois prises, ne se discutent plus [1].

Le lendemain 6 mars, visite à la base aérienne d'Al-Hasa. Même émotion qu'à As-Salman. Même sentiment du devoir accompli. Les militaires ne sautent pas les uns sur les autres comme des footballeurs pour marquer leur joie. Cela fait parfois dire à certains observateurs qu'il y a des gradations dans le moral, comme si d'ailleurs le thermomètre à mesurer le moral avait été inventé. Non, à Al-Hasa, comme à As-Salman, je trouve des hommes légitimement fiers de ce qu'ils ont fait. Ils sont heureux mais ils n'extériorisent pas outre mesure.

Je quitte Al-Hasa pour Koweït City. Dès le 28 février le colonel Monier-Vinard a hissé le drapeau français sur notre ambassade. Aussitôt après, nos sapeurs auxquels des renforts ont été envoyés ont commencé le déminage des plages. Le 6 mars, notre atterrissage à Koweït City ne manque pas de pittoresque. Le vent rabat sur l'aérodrome le nuage noir des fumées du pétrole en feu. Il faut s'y reprendre à trois fois avant de deviner la piste. Aussitôt posés, entretien avec le colonel Monier-Vinard, visite à notre ambassadeur puis aux autorités militaires du Koweït, inspection des sapeurs. Étrange inspection. A dix mètres de nos sapeurs parachutistes absorbés dans une tâche des plus dangereuses qui soient, exigeant concentration et attention, des groupes de Koweïtiens témoignent de leur liesse en klaxonnant, et souvent en tirant en l'air. Les marques de sympathie pour nos hommes sont fréquentes mais je préférerais un peu plus de calme pour leur sécurité. Dès mon retour je suggérerai de limiter dans le temps notre participation au déminage des plages et des eaux territoriales, et de proposer au Koweït de lui former des personnels pour achever le travail.

Le 7, visite au Qatar et aux Émirats pour étudier le retour de nos détachements. Et le 8, nous retrouvons à Yambu le groupement de soutien logistique avec lequel voisinent, à quai, deux bâtiments de la marine nationale, le *Du Chayla* et la *Rance*.

1. Au mois d'août je le rencontrerai à nouveau à Aubagne, à la maison mère de la Légion étrangère. Je lui remettrai devant le front des troupes la plaque de grand officier de la Légion d'honneur. Ensuite nous visiterons ensemble Puyloubier où la Légion étrangère héberge plusieurs de ses retraités souvent très handicapés. Schwarzkopf montre ainsi l'intérêt qu'il porte à ce qui est fait pour aider les vétérans.

La bataille achevée, l'inversion du courant logistique se prépare. Nos forces ont consommé peu de munitions terrestres. Tant mieux. Avec le calme qui caractérise les personnels compétents, les manutentionnaires, les magasiniers, les transporteurs s'apprêtent à accueillir les convois revenus du désert et à charger les rouliers de la mer et les paquebots. Les équipes chirurgicales de la *Rance* vont rentrer par avion pour rejoindre les hôpitaux. Finalement la bataille les aura laissées dans l'inactivité, ou presque. Encore tant mieux! Mais tout était prêt et il fallait que tout fût prêt. Les soldats savent qu'un blessé évacué est, dans neuf cas sur dix, au moins, un homme sauvé. C'est essentiel pour le moral. Mais seule une organisation sans faille le permet.

L'amiral Bonnot, commandant nos forces navales de l'océan Indien (Alindien comme disent nos marins), me reçoit à bord de l'escorteur d'escadre *Du Chayla*. Sa mission se poursuit. L'Irak doit respecter toutes les conditions du cessez-le-feu. La poursuite de l'embargo autour de l'Irak maintient un moyen de pression pour lui interdire de se dérober dans l'exécution des termes du cessez-le-feu. Enfin notre marine participe très activement au déminage des eaux du Golfe.

Deux semaines et demie plus tard, le 27 mars à Toulon, je présiderai aux côtés de M. Pierre Joxe la prise d'armes marquant le retour des premiers régiments partis du même port en septembre 1990. Le général Le Pichon, infatigable chef d'état-major de « Daguet », présente ses troupes emmenées par le colonel Rosier. Débarqués pour la plupart du *Danielle Casanova*, cavaliers du 1er spahis, marsouins du 1er régiment parachutiste d'infanterie de marine et du 24e régiment d'infanterie de marine, légionnaires du 1er régiment étranger de cavalerie et du 2e régiment étranger d'infanterie défilent devant des milliers de Toulonnais enthousiastes. C'est une prise d'armes qui rappelle celles de la Libération en 1944-1945. Le retour dans les garnisons, qui s'étalera jusqu'à fin mai, sera tout aussi enthousiaste, avant que le 14 juillet clôture les manifestations sur les Champs-Élysées.

Vient l'heure des bilans. En lisant de-ci, de-là, des jugements péremptoires – « Une armée à réformer »; « Combler les carences » –, je suis quelque peu stupéfait! Certes il faut toujours se remettre en question. Tout de même, en lisant certains commentaires, je me demande si nous appartenons bien à ce camp occidental qui, il y a peu, a fait toucher les épaules, sans conflit, au monde soviétique et à ses satellites (le dernier en date étant l'Éthiopie) et si nous venons bien de faire à peu près bonne figure au Moyen-Orient dans un affrontement qui a tourné à la déconfiture totale de l'adversaire.

A force de lire ces propos surréalistes, il faudrait croire que nous revoici en 1872, après une sévère défaite et qu'autour d'Adolphe Thiers, Président de la République, se réunissent les Conseils supérieurs des armées en vue d'analyser les causes de la catastrophe puis de bâtir les forces qui permettront un jour la revanche que la mainmise de Bismarck sur l'Alsace-Lorraine rend inévitable. Nous n'en sommes vraiment pas là en rentrant de Koweït City, quand même !

Mais puisque nous sommes sur ce terrain je signalerai qu'un remarquable ouvrage *(Vaincre la défaite)* publié récemment par le service historique de l'armée de terre résume l'essentiel de ces Conseils qui ont finalement conduit à plusieurs lois, dont celle de 1882. La lecture de cet ouvrage est à recommander à tous ceux qui ont en charge l'organisation, la formation, l'équipement et la réglementation de nos forces.

Le général de Gaulle, dans *la France et son armée*, évoque cette période de redressement. Je le cite :

« Ce grand travail législatif allait être accompli dans une atmosphère d'unanime résolution : “ Pour faire cette loi, clame Gambetta, nous ne devons voir que l'intérêt national ”; “ Pas un mot de politique, reconnaît le général Billot, n'a été dit dans les débats de notre commission. ” Et le rapporteur déclare devant l'Assemblée nationale, au milieu de l'émotion générale : “ Les grands désastres renferment de grands enseignements. La sagesse consiste à les comprendre, le courage à en profiter. ” »

Ainsi, à ceux qui veulent tout mettre à plat et aux décideurs, je recommande, outre la relecture de *Vaincre la défaite*, celle de *la France et son armée*. Dans ce dernier livre d'ailleurs, le colonel de Gaulle condamne le manque de résolution de ceux qui, à la fin du XIXe siècle, devraient poursuivre l'œuvre entreprise après la défaite. Il faudrait reproduire toutes les pages où il déplore en particulier les insuffisances en matière d'artillerie lourde et plus encore peut-être dans le domaine des stocks de munitions. Retenons-en simplement la présentation lapidaire de la situation de 1914 : « Au total, à l'heure d'en découdre, l'armée allemande est prête à tirer, de plus loin et plus commodément, deux fois plus de plomb que la nôtre. » Les défauts des Gaulois, au premier rang desquels l'imprévoyance et la témérité, se manifestaient à nouveau. Cela faillit nous coûter cher en 1914. Cela nous coûtera cher en 1940. Ces défauts n'ont pas disparu si j'en crois certaines tendances à écheniller les commandes de munitions. Évidemment, les munitions ne défilent pas le 14 juillet.

La guerre du Golfe, comme les précédentes, a confirmé que le feu tue, qu'il faut d'une part s'en prémunir et d'autre part disposer soi-même de canons, d'obus, de roquettes et de missiles, et de camions pour transporter obus, roquettes, missiles.

La guerre du Golfe nous a également apporté des enseignements, des confirmations surtout, dans les domaines stratégique et tactique. Et aussi dans un domaine intermédiaire qui ne figure pas dans le vocabulaire traditionnel politico-militaire français : le domaine opératif.

Le Larousse nous fournit d'excellentes définitions de la stratégie et de la tactique :

La stratégie est « l'art de coordonner l'action des forces militaires, politiques, économiques et morales impliquées dans la conduite d'une guerre et la préparation de la défense d'une nation ou d'une coalition. La stratégie ressortit conjointement à la compétence du gouvernement et à celle du haut commandement des armées. La stratégie tend à se rapprocher de plus en plus de la politique de défense des nations ou des alliances ».

De même source la tactique est « l'art de diriger une bataille, en combinant par la manœuvre l'action des différents moyens de combat et les effets des armes ».

L'art opératif ? Je pense qu'on pourrait le définir comme celui de la conduite de la guerre sur un théâtre d'opérations donné en y assurant la combinaison de l'action des différentes armées, terre, air, marine, et le cas échéant des composantes appartenant aux divers États d'une coalition.

Appliquons cela à la guerre du Golfe : les chefs d'État, les ministres et les chefs d'état-major faisaient de la stratégie ; le général Schwarzkopf, et lui seul, pratiquait l'art opératif ; les généraux sous ses ordres menaient les actions tactiques.

Le chef opératif agit selon les directives stratégiques qu'il reçoit et donne des ordres tactiques à ses subordonnés.

Avant de tirer de notre expérience dans le Golfe des leçons d'ordre stratégique, opératif ou tactique, quelques remarques ou précautions préalables s'imposent cependant.

D'abord le terrain : au Koweït et au sud de l'Irak il est très particulier. C'est une zone découverte et plate, qu'il s'agisse du désert ou de la Mésopotamie. Il n'y a pas d'obstacle naturel au sud de l'Euphrate ; et si les voies de communications ne sont pas très denses, on circule facilement pratiquement dans tout le désert. La population est rare, à l'exception de la ville de Koweït City. Rien à voir donc avec les terrains du Liban, du Viêt-nam, de l'Afghanistan et de l'Europe. C'est dans les campagnes de Cyrénaïque et du Sinaï que l'on pourrait chercher des leçons comparables. Au total, Koweït et sud de l'Irak offrent un terrain où la supériorité aérienne est beaucoup plus déterminante qu'ailleurs car les possibilités de camouflage sont rares. Un terrain aussi où la manœuvre des unités blindées et mécanisées se développe facilement.

Par ailleurs, à quelques exceptions près, les Irakiens ne se sont battus ni dans les airs, ni sur terre. Cela doit conduire à beaucoup de prudence dans l'analyse. Mais on l'a vu, nous disposons de précédents : en 1941 en Cyrénaïque le général O'Connor, qui dispose de 35 000 hommes et de quelques avions seulement, attaque 200 000 Italiens. En deux mois il a fait 130 000 prisonniers en perdant moins de 1 000 tués. Seul le choix de Churchill, qui imposa alors à Wavell de défendre la Grèce, empêcha O'Connor de prendre Tripoli. Que nous enseigne ainsi O'Connor ? la tactique à employer dans le désert. Son meilleur élève sera Rommel qui va débarquer à Tripoli et redresser la situation et le moral des Italiens qui ensuite se battront très correctement.

L'absence de combativité et le renoncement à toute manœuvre de la part des Irakiens a surpris : dans la guerre Iran-Irak, ils avaient montré de meilleures dispositions. Il reste aujourd'hui impossible d'évaluer sérieusement les pertes militaires irakiennes. On ne sait où sont passés les morts et surtout les blessés qui devraient être cinq à dix fois plus nombreux. On ne peut procéder que par différences, or on ignore le nombre réel des déserteurs à l'intérieur du pays. Peut-être un jour un nouveau gouvernement irakien informera-t-il le monde et d'abord son propre peuple du coût humain de cette guerre. Il y a peu de chances que les informations viennent de Saddam Hussein.

Le conflit a mis face à face des armées organisées agissant selon les directives de gouvernements reconnus. L'armée irakienne, articulée à l'image des forces soviétiques, était déployée sur son sol et sur celui du Koweït dans des dispositifs parfaitement observés. Rien à voir avec les contre-guérillas du Viêtnam ou de l'Afghanistan ni même avec l'affrontement contre le corps de bataille viêt-minh ou viêt-cong à qui le terrain et la végétation procuraient de remarquables possibilités de camouflage.

Abordant les leçons d'ordre stratégique recueillies dans le Golfe, notons tout d'abord que le règlement d'une crise d'une telle ampleur n'est plus à la mesure d'une seule nation, aussi puissante soit-elle, pour des raisons non seulement militaires mais aussi économiques et surtout politiques.

Le conseil de sécurité des Nations unies a joué un rôle déterminant, rendu possible par la disparition de l'affrontement systématique entre les deux blocs. Il a donné une légitimité incontestable à toutes les opérations entreprises et du même coup il a incité de nombreux pays à s'engager concrètement pour rétablir l'ordre international.

Une telle unanimité, très souhaitable en de telles circonstances, n'est pas pour autant acquise dans l'avenir. Au niveau des nations occidentales, les mécanismes de consultation et de solidarité doivent être développés. L'Europe, dont le rôle fut marginal, doit se doter de meilleures possibilités d'observation et d'action dans cette zone qui lui est proche et essentielle. Les résultats obtenus dans le cadre de l'U.E.O. tout au long de la crise et du conflit constituent une première étape, encourageante certes, mais très insuffisante. Ils ne doivent pas faire illusion.

La crise a rappelé que les approvisionnements en pétrole dont les États-Unis, l'Europe, le Japon et bien d'autres pays ne peuvent se passer sont autant sinon plus vulnérables sur les sites de production que lors de leur transport. Que ce soit en Iran ou au Koweït c'est sur les sites qu'ils ont été compromis. La fermeture de Suez, en son temps, a seulement allongé la durée des transports. Au moment où j'écris, les puissances occidentales disposent d'une large supériorité navale qui paraît en passe de s'accentuer compte tenu des difficultés des Soviétiques. Ainsi la liberté de circulation des transports pétroliers est garantie. Tout en maintenant cette garantie il convient de se préoccuper dorénavant davantage de la sécurité des sites de production; des navires croisant au large, même des porte-avions de cent mille tonnes, n'ont pas suffi à l'assurer en 1991.

La présence au Moyen-Orient de l'essentiel des réserves de pétrole de la planète suffirait à donner à cette zone une importance mondiale. D'autres facteurs s'y ajoutent. Ainsi sur le plan géostratégique, Suez et Bab el-Mandeb commandent la voie de passage la plus courte entre l'Occident et l'Orient. Dans le domaine politique les séquelles de l'éclatement de l'Empire ottoman, la question d'Israël et des territoires palestiniens, le devenir du Liban sont autant de problèmes à résoudre.

Au total, dans la décennie 90, tous les ingrédients sont réunis pour que la démarche déstabilisante d'un acteur débouche sur une crise. A l'instar de ce qui se passe en Europe il faudrait combiner les systèmes de sécurité et de défense au Moyen-Orient et au Proche-Orient. Sécurité sur le modèle de la Conférence sur la sécurité et la coopération en Europe (C.S.C.E.) combinant des accords sur la réduction des armements avec des mesures de contrôle, de confiance et de transparence et avec des mécanismes de consultation et de concertation. Organisation de défense, entre Occidentaux et Arabes modérés, renforçant les capacités de renseignement et d'évaluation de situation et instituant des concertations d'état-major. Étude de capacités de réactions combinant le prépositionnement de forces avec leur renforcement rapide. En fait, il faut conduire dans cette zone, à l'égard des perturbateurs potentiels, une politique dissuasive, fondée sur des moyens classiques. Il faut aussi prendre garde à ne pas laisser ces mêmes perturbateurs développer des systèmes d'armes de destruction massive. Et si l'on ne parvient pas à les en empêcher, il faut se donner les moyens de les dissuader d'en faire usage.

Le renseignement ressortit aux trois domaines du stratégique, de l'opératif et du tactique. La stratégie exige des évaluations politico-militaires pertinentes ; le niveau opératif requiert une connaissance générale de l'adversaire, enfin point de bonne tactique sans possibilités d'appréciation du dispositif adverse et de son évolution virtuelle.

Dans la crise du Golfe le renseignement strictement militaire a bien fonctionné, aux trois niveaux. Mieux que jamais dans le passé. Les déploiements irakiens étaient parfaitement connus avant et après le 2 août, comme l'était l'essentiel des sites industriels fixes. Les échanges entre alliés concernant les caractéristiques des matériels en service dans l'armée irakienne se sont bien faits. Mais il est clair et il était admis – on l'a vu plus haut – que la quasi-totalité du renseignement militaire était d'origine américaine. On a paru le découvrir après le conflit. Avoir une capacité d'acquisition technique du renseignement au niveau atteint par les Américains, voilà qui est extrêmement coûteux. L'Europe pourrait s'en doter. Le fera-t-elle ? C'est une des conditions de son indépendance. La France a compris le problème et après le satellite Spot elle s'apprête, au moment où j'écris, à lancer Helios. Elle ne pourra satisfaire seule à la totalité des besoins. Pour situer la dimension du problème, signalons que les États-Unis dépensent chaque année pour la seule fonction du renseignement les trois quarts de la totalité de notre budget de défense.

Facilité par le terrain et l'immobilité irakienne, le renseignement tactique – qu'il soit d'origine technique, c'est-à-dire fondé sur les satellites, les avions et les écoutes, ou de source humaine et donc à base de patrouilles dans la profondeur – a parfaitement fonctionné. La France y a pris sa part. Notons cependant que la bataille contre les lanceurs mobiles de SCUD n'a pas été gagnée malgré les conditions absolument exceptionnelles dans lesquelles elle s'est déroulée puisque des patrouilles de chasseurs-bombardiers américains tournaient en permanence à la verticale des zones où se déplaçaient les lanceurs irakiens. Mais elles les ont décelés presque toujours trop tard, Le pourcentage de missiles irakiens interceptés par les Patriot ne doit pas masquer cet aspect important de la lutte antimissiles. En langage peu militaire, schématisons : on a su empêcher quatre-vingts pour cent des SCUD d'arriver. On n'a pas su les empêcher de partir.

Si la collecte du renseignement a bien fonctionné, son traitement n'a pas été du même niveau. Avant le 2 août, semble avoir manqué une confrontation internationale des points de vue. Et dans notre pays semble avoir manqué une confrontation interministérielle. Il y a tout intérêt à réunir des cellules dites de crise au moment où se produisent les premiers signes avant-coureurs des crises et pas seulement au moment où elles dégénèrent. Ce serait d'ailleurs le meilleur moyen d'éviter dans bien des cas leur développement en prenant à temps les mesures appropriées.

Regardons maintenant les moyens. Pour la première fois un pays, les États-Unis, s'est montré capable de frapper des organismes essentiels de son adversaire en utilisant des missiles guidés sol-sol, mer-sol ou air-sol d'une précision de l'ordre du mètre. Ainsi ces cibles furent détruites ou endommagées sans qu'il en coûte des dommages collatéraux importants pour les populations civiles. Cette stratégie était évidemment possible d'une part parce que l'Irak n'avait aucune possibilité de frapper le territoire américain et ne disposait que de SCUD un peu démodés pour frapper Israël, l'Arabie Saoudite ou les Émirats; d'autre part parce qu'aucun pays protecteur n'assurait une couverture à l'Irak. Il faut donc enregistrer cette nouvelle façon de pouvoir frapper un adversaire, tout en notant qu'elle exige que certaines conditions soient satisfaites. Il semble aussi qu'après avoir largement pavoisé les Américains se sont rendu compte que leurs coups au but ont été moins destructeurs qu'on ne l'a dit (en particulier sur les sites nucléaires irakiens, lesquels étaient très bien protégés).

Il est également nécessaire de revenir sur le problème posé par le duel qui a opposé aux modernes Patriot les missiles sol-sol SCUD fixes ou mobiles, dont les systèmes de guidage soviétiques dataient de la fin des années 60 (deux de ces systèmes ont été ramenés en France). Le fait que quatre-vingts pour cent des SCUD aient été interceptés a été considéré comme un succès. Je ne partage pas ce point de vue. Si les vingt pour cent de SCUD qui ont franchi les barrages avaient été pourvus d'armes chimiques on parlerait plutôt de désastre. Il convient d'y réfléchir avant de s'engager dans la réalisation de systèmes antibalistiques très onéreux et dont l'étanchéité ne sera jamais garantie à cent pour cent. Ce sont, à coup sûr, les armes nucléaires israéliennes qui ont dissuadé Saddam Hussein d'utiliser les têtes chimiques qu'il détenait. Un bouclier antiaérien et antimissiles que les spécialistes appellent dans leur jargon « défense antiaérienne élargie » n'est à la mesure que de l'Europe; et de toute façon une capacité de rétorsion restera le meilleur mode de dissuasion.

Au niveau du théâtre, c'est-à-dire au niveau opératif, les coalisés ont été surpris le 2 août 1990. Ils ont ensuite réagi rapidement en mettant en œuvre la stratégie de l'embargo-dissuasion. Reste qu'au mois d'août leur dispositif terrestre a été vulnérable durant plusieurs semaines. Une attaque aéroterrestre irakienne vers Dhahran aux environs du 15 août 1990 aurait obligé à une reconquête difficile et entraîné des destructions catastrophiques. Il faut donc tout faire pour éviter des surprises du type de celle du 2 août et se donner les moyens de réagir plus vite avec des moyens terrestres lourds, c'est-à-dire avec des chars. Or les chars, il faut pouvoir les acheminer. Encore un enjeu à la mesure de l'Europe. Si des forces légères facilement transportables restent nécessaires pour arriver vite, si elles sont parfois suffisantes pour traiter certaines crises, elles ne suffisent pas pour affronter des armées équipées de matériels lourds, sophistiqués et en nombre important.

Lorsque l'on est passé à la stratégie de l'embargo-intimidation, qui a débouché sur l'offensive aéroterrestre en raison de la psycho-rigidité de Saddam Hussein, les Américains ont su et pu ne pas renouveler nos erreurs et leurs erreurs du Viêt-nam : faire trop peu et trop tard. Ils voulaient gagner la guerre vite et avec le minimum de pertes. Il n'est pas toujours facile de faire comprendre aux nations que pour atteindre un tel but il faut être très largement supérieur qualitativement et quantitativement. Ceux qui pensent que moins on engage de soldats, moins on a de pertes se trompent lourdement. Évidemment les qualités des matériels et surtout celles des hommes sont des multiplicateurs de capacité. Elles resteront fondamentales.

Les mois ayant passé, on trouve de-ci de-là des commentateurs pour juger que la préparation aérienne a été trop longue et a causé trop de pertes militaires aux Irakiens. Il aurait fallu attaquer plus tôt sur terre et donc faire tuer un peu plus de Français, de Saoudiens, d'Américains... Étrange critique, qui n'appelle qu'une seule réponse : le rôle d'un général est d'économiser ses troupes, pas celles de l'ennemi. La cause principale et première des pertes irakiennes, c'est l'obstination de Saddam Hussein.

Toujours au niveau opératif, les Américains ont mis en application lors de l'offensive le concept de l' « Air-land battle » développé pour l'Europe. Pour le décrire sommairement on dira qu'il repose sur un affaiblissement de l'adversaire par des attaques aériennes, durant le temps nécessaire avant de lancer une offensive terrestre. En Europe il s'agissait bien sûr de contre-offensive. Le succès de ce concept présuppose que soient remplies deux conditions : supériorité aérienne totale et capacité à encaisser le choc de l'adversaire si celui-ci déclenche lui-même l'offensive terrestre. Il faudra s'en souvenir.

Dans le domaine de l'exécution sur le terrain, c'est-à-dire de la tactique, les commentateurs ont surtout mis en évidence la supériorité des matériels alliés. Ils n'avaient pas raison dans tous les cas et ils péchaient surtout par omission. Un général américain qui affronta une division de la Garde républicaine irakienne par temps couvert m'a dit : « On aurait permuté les matériels, le résultat aurait été le même. » La guerre du Golfe a confirmé, et il faut malheureusement toujours le répéter, l'importance de la compétence et de la cohésion des hommes. Et donc l'importance des actions de recrutement, de formation et d'entraînement. Ce constat est valable au niveau du soldat, des officiers d'état-major et des commandants d'unités grandes et petites. Il ne sert à rien d'accumuler des matériels sophistiqués comme l'avait fait par exemple le Koweït, si l'on n'a pas les hommes compétents et courageux nécessaires à leur mise en œuvre.

Nous nous félicitons à juste titre de l'action de nos forces et particulièrement de la manœuvre de la division « Daguet ». La combinaison des armes dans l'armée de terre (infanterie, blindés lourds et légers, artillerie, génie, hélicoptères), cela s'apprend, cela prend du temps, cela nécessite des exercices nombreux. Il en est de même dans l'armée de l'air pour la combinaison de ses fonctions : renseignement, chasse, appui feu, transport. La marine n'échappe pas à la règle et doit combiner la manœuvre de ses divers types de bâtiments. Combiner les actions des armées entre elles ne s'improvise pas non plus. Mais après tout, si les choses ne se sont pas si mal passées sur le plan tactique et si la manœuvre logistique a permis la manœuvre tactique, c'est peut-être que nos écoles remplissent bien leurs fonctions, c'est peut-être que les responsables de nos armées font ce qu'il faut dans ce domaine, quoi qu'on en dise parfois. Il faut y réfléchir car cela aussi, c'est un enseignement.

S'agissant des causes de la victoire au Koweït j'ai voulu réparer l'omission majeure des commentaires d'après-guerre et rappeler que le succès allié aura été avant tout une victoire de forces instruites et entraînées. Reste aussi, bien entendu, à tirer des leçons au niveau des organisations et des équipements. Je me limiterai à celles qui concernent nos propres forces.

La première leçon confirme la pertinence de la création d'un commandement des forces d'actions rapides, intervenu en 1983. Pourtant, à l'origine, ce commandement, on l'a vu, n'a pas été créé pour conduire des interventions hors d'Europe. Dans le champ d'action traditionnel de notre pays, hors d'Europe, de telles interventions étaient à la mesure d'états-majors interarmées de rang moins élevé commandant des groupements de forces de l'ordre de 3 000 à 5 000 hommes. La F.A.R. a été initialement conçue pour un engagement en Europe. La planification conduite avec nos alliés à la fin des années 70 faisait apparaître en effet l'intérêt de disposer de forces légères et rapides pouvant être engagées rapidement en Centre-Europe ; il s'agissait de ne pas céder trop de terrain avant l'engagement de la Ie Armée et de ses moyens plus lourds mais relativement moins rapides dans leur mise en place. C'est à cette époque, et en particulier au sein de l'état-major de la Ie Armée, qu'est née l'idée d'engager plus vite et plus loin, comme un harpon, de grandes unités, telle la division parachutiste, en vue de tenir des zones de terrain le temps nécessaire à l'engagement des divisions plus lourdes. Pour concrétiser cette idée, plusieurs formules furent envisagées au début des années 80. En définitive trois divisions existantes, la 11e division parachutiste, la 9e division d'infanterie de marine et la 27e division alpine et deux nouvellement créées (à partir de régiments existant déjà dans nos forces), la 6e division légère blindée et la 4e division aéromobile, furent regroupées au sein d'un grand commandement qui fut baptisé force d'action rapide et dont le premier chef fut le général Forray.

La majeure partie des unités de l'armée de terre qui ont participé régulièrement au renforcement de nos forces de présence hors d'Europe ou à des interventions dissuasives ou actives (ce fut le cas au Tchad à deux reprises dans la décennie 80 avec les opérations « Manta » et « Épervier ») appartenait à la F.A.R. Ainsi l'état-major de cette grande unité s'est rodé peu à peu, non seulement dans la préparation d'opérations en Europe, mais aussi dans le suivi des actions menées hors d'Europe comme dans la préparation d'opérations de plus grande envergure. En 1990, au moment où le général Roquejeoffre remplaça le général Préaud à la tête de la F.A.R., la France disposait ainsi d'un commandement en mesure de conduire une opération importante.

Il y a et il y aura toujours des persifleurs pour critiquer le nombre des états-majors, états-majors qu'il est de bon ton de qualifier eux-mêmes de pléthoriques. Or les mêmes censeurs, écoutant les doléances des chefs de corps sur l'encadrement des régiments (doléances justifiées car la France détient dans le domaine du sous-encadrement un regrettable record parmi les nations occidentales), prônent année après année le dégraissage des états-majors pour rétablir l'encadrement des corps. Comme si le prélèvement de quelques dizaines de commandants, de lieutenants-colonels ou de capitaines de frégates sur les effectifs des états-majors (dont toute analyse montre qu'ils sont calculés au plus juste) allait résoudre un problème qui se pose en termes de centaines d'officiers et de sous-officiers qui font défaut ! Ces mêmes donneurs de leçons devraient aussi se reporter aux causes de notre défaite de 1870 où d'excellentes troupes françaises, aussi nombreuses que celles de l'adversaire, ont été défaites parce que manquaient les états-majors en mesure de les conduire avec compétence. La création de l'École supérieure de guerre, en 1875, visait précisément à combler cette carence.

Il ne faut évidemment pas multiplier le nombre des états-majors ; il faut adapter ce nombre aux actions opératives envisagées et le proportionner aux troupes que l'on veut pouvoir mettre sur pied en temps de guerre. A cet égard les aménagements apportés par le plan Armée 2000 vont, en gros, dans le bon sens à cet égard. Il faudra probablement les réexaminer quand les concepts d'engagement seront précisés, de même que nos organisations du temps de guerre après mobilisation. On devra aussi considérer que les fonctions interarmées à remplir, tout comme les fonctions qui seront du ressort de chaque armée, deviendront de plus en plus nombreuses et complexes. On fera enfin entrer en compte le fait que les opérations se déroulent désormais de façon permanente et qu'il n'y a plus jamais de pause nocturne. La bataille continue la nuit. Les états-majors doivent eux aussi être pensés en conséquence.

En tous les cas, en France, il y a lieu de se féliciter de ne pas avoir eu à improviser un commandement en septembre 1990 et d'avoir pu désigner en vingt-quatre heures un chef et un état-major pour conduire nos forces engagées en Arabie Saoudite.

La constitution de nos forces a fait aussi l'objet de critiques. Certaines justifiées, d'autres moins. Venons-y.

Le golfe Arabo-Persique appartient, traditionnellement pourrait-t-on dire, à l'aire de responsabilité anglo-saxonne. Ainsi, quand ils en avaient encore les moyens, les Britanniques étaient intervenus seuls pour faire respecter l'indépendance du Koweït. La France, membre permanent du Conseil de sécurité, a pris en 1990 la part qu'elle voulait prendre dans les forces coalisées. Elle avait les moyens de faire plus, malgré ses charges ailleurs dans le monde, mais elle n'avait aucune raison de vouloir être systématiquement au niveau de la Grande-Bretagne, beaucoup plus concernée. Le parallèle établi souvent entre les forces engagées par nos alliés anglais et nous-mêmes, parallèle visant à démontrer que nous ne pouvions pas faire plus que nous faisions, n'avait aucun sens. En lisant certains commentaires, je me demandais parfois si nous nous préparions à un affrontement avec l'Irak ou avec la Grande-Bretagne!

A la fin de novembre 1990 la France avait donc décidé d'engager la valeur d'une division légère et d'une escadre aérienne. Une fois l'accord passé avec le commandement américain sur les missions de nos forces, les forces terrestres et aériennes ont été constituées en vue de remplir lesdites missions et cela sans s'accrocher à respecter à la lettre l'organisation d'une de nos divisions légères. Le procédé est classique; il a été utilisé fréquemment (par exemple lors de la constitution de l'Afrikakorps). Plutôt que de le critiquer, il conviendrait d'admettre que nos armées de terre et de l'air ont su faire preuve en peu de temps de la souplesse nécessaire pour s'adapter.

Est-ce à dire qu'aucun enseignement dans le domaine de l'organisation ne doit être tiré dans la perspective d'affrontements du type guerre du Golfe? Certes non! Nous avons dû créer un régiment blindé professionnel et renforcer des formations logistiques, d'une part en prélevant des personnels de carrière ou sous contrat dans de nombreuses formations, d'autre part en y incorporant de nombreux appelés qui ont été volontaires pour souscrire des engagements. Cette formule a pu être adoptée parce que Saddam Hussein nous en a donné le temps. Pour réagir plus rapidement et avec plus de puissance dans d'autres circonstances et en d'autres lieux, nous devrions avoir une division blindée pouvant être engagée hors d'Europe et disposant donc de professionnels ou d'appelés à statut spécial. Il est tout aussi essentiel de disposer de plus d'unités logistiques à disponibilité immédiate dans nos armées de terre et de l'air. La marine devrait de son côté pouvoir armer ses bâtiments uniquement avec des personnels acceptant le risque d'être engagés partout dans le monde.

Point n'est besoin de bousculer pour cela les organisations actuelles. La division blindée resterait dans l'un des corps d'armée et pourrait être engagée en tout ou partie aux ordres du commandant de la F.A.R. comme déjà, réciproquement, toute grande unité de la F.A.R. peut passer aux ordres de la Ie Armée.

Nos équipements, on ne l'a pas assez dit, se sont très bien comportés. Le taux d'indisponibilité des matériels majeurs, avions, hélicoptères, chars, artillerie, a été extrêmement bas, de l'ordre de deux à trois pour cent. Cette performance est à mettre au crédit de nos personnels de soutien mais aussi des constructeurs. La preuve a été faite, devant bien des étrangers, que les matériels français étaient très fiables.

Ils correspondaient aussi à ce qu'exigeait le type d'affrontement envisagé. Il est certes délicat, je le répète, de tirer des enseignements d'une guerre où l'adversaire ne s'est quasiment pas battu ; néanmoins il apparaît que les matériels conçus pour une guerre européenne sont aussi ceux qui sont nécessaires hors d'Europe lorsqu'il s'agit de faire autre chose que du contre-terrorisme ou de la contre-guérilla. Les choix qui ont été faits ces dernières années pour remplacer des matériels excellents, mais qui avaient fait leur temps, ont été pertinents. Beaucoup de matériels mis en service à la fin des années 80 supportent parfaitement la comparaison avec les meilleurs systèmes américains, le missile anti-aérien Mistral, l'AS 30 guidé laser ou le véhicule de transport lourd, par exemple. N'empêche, au moment où j'écris, la modernisation des matériels majeurs reste à faire. La plupart sont au stade du développement : système Helios, avion Rafale, hélicoptère franco-allemand, char Leclerc, systèmes antiaériens, pour ne parler que du spatial et du classique. Les choix sont bons mais il convient que le nombre suive et que les échéances soient à peu près respectées. Surtout que l'on ne fasse pas une armée de 14 juillet mais bien une armée dont les systèmes d'armes disposent de stocks de munitions suffisants. Il faut, je l'ai dit, rompre avec la fâcheuse habitude de rogner sur les commandes de munitions lorsque les budgets s'amenuisent. Nous nous sommes engagés dans la guerre de 1870 avec un système logistique quasi inexistant, dans celle de 1914 avec des stocks en munitions insuffisants. Avant 1939, ce sont surtout les choix en matière de concept, d'organisation et d'équipement qui entraînèrent la défaite ; l'efficacité du couple char-avion, pourtant révélée en 1918, n'avait été perçue comme il le fallait ni en France ni en Grande-Bretagne. L'argent passait dans la ligne Maginot alors que nous nous engagions à soutenir la Pologne, ou dans une marine superbe alors que nous étions les alliés des États-Unis et de la Grande-Bretagne et que notre destin se jouait au nord-est.

On a déploré, et à l'heure où j'écris ces lignes on déplore encore, l'absence de l'Europe dans le débat diplomatique et dans l'action militaire qu'a provoqués la guerre du Golfe. Il ne pouvait en être autrement. Absence de l'Europe mais de quelle Europe ? l'U.E.O. ? la Communauté ? En 1990 les Neuf de l'U.E.O. étaient liés par un traité qui leur permettait d'agir hors de la zone couverte par le traité de l'Atlantique Nord. Ils l'ont d'ailleurs fait au niveau du contrôle de l'embargo. Mais là où il y avait engagement et risques réels, à terre et dans les airs, seuls trois pays ont déployé des forces. Et encore de façon très différente. Les deux pays engagés à terre, la France et la Grande-Bretagne, se sont bien gardés d'envisager une coordination de l'engagement de leurs forces terrestres respectives. En fait il faut remonter à Suez et donc en 1956 pour trouver le dernier exemple de réelle coopération franco-britannique.

Pour que l'Europe, à neuf ou à douze, puisse engager des forces, une force d'action rapide européenne par exemple, il faudrait d'abord que cette force existe et puisse se trouver aux ordres d'un chef européen disposant d'un état-major issu des armées des diverses nations européennes. Il faudrait ensuite et surtout que ce « chef militaire européen » reçoive des directives, ce qui présuppose évidemment une union politique et une politique étrangère commune. D'ici là, s'il se passe quelque chose à nouveau dans le monde, les pays européens agiront une fois de plus en ordre dispersé et vraisemblablement sous le leadership américain.

Pourtant, seule l'Europe groupée dispose du potentiel économique permettant de bâtir un système de défense cohérent et complet supportant la comparaison avec la puissance américaine ou avec celle dont disposera certainement la Russie (l'Ukraine peut-être) après les soubresauts d'agonie de la ci-devant Union soviétique.

Encore faudrait-il que l'ensemble des pays européens ne baissent pas trop vite la garde. En 1989, les Douze consacraient 150 milliards de dollars par an pour leur défense, dont 105 au total pour la France, la Grande-Bretagne et la République fédérale d'Allemagne. A la même époque les États-Unis avaient un budget annuel de 300 milliards de dollars, soit le double. Or le produit national brut des Douze rattrape celui des États-Unis. Ajoutons à cela que, dépensant deux fois moins, l'Europe dépense mal. Rares sont les programmes communs à plusieurs pays permettant les effets de série, y compris pour les munitions. Les conséquences financières sont graves : la part des recherches et du développement est trop élevée, surtout en France. Les conséquences opérationnelles sont plus graves encore : trop peu de systèmes seraient interopérables sur le champ de bataille, à commencer par les systèmes de transmission. En 1991, et pour longtemps encore, l'Europe occidentale disposait seulement de deux petits porte-avions à catapulte, les deux porte-avions français, qui à eux deux n'ont pas les capacités d'un seul des quinze porte-avions américains. Additionnées les forces blindées britanniques, allemandes et françaises représentaient il y a deux ans la moitié des forces soviétiques stationnées dans la seule Allemagne de l'Est. Les choses se passent en Europe comme si, regardant à l'ouest, nous avions le spectacle de forces armées spécifiques et équipées différemment pour chaque État des États-Unis. Il y a, bien entendu, des explications à cette situation. Je ne crois pas qu'elle puisse durer. Malgré leur souhait de conserver le leadership total qu'ils ont obtenu en 1991, les États-Unis, sous la pression de leur situation économique, n'accepteront plus de dépenser autant pour la liberté de l'Europe. Il faudra alors que les Européens consacrent les moyens nécessaires à leur défense pour qu'elle soit efficace, qu'ils coordonnent mieux leurs actions, qu'ils prennent plus de responsabilités. Tout cela peut se faire sans rompre le lien indispensable qui lie Européens et Américains et qui repose sur leur culture commune.

XII

RÉFLEXION
SUR LES VINGT PROCHAINES ANNÉES

« Grandir sa force à la mesure de ses desseins, ne pas attendre du hasard, ni des formules, ce qu'on néglige de préparer, proportionner l'enjeu et les moyens : l'action des peuples, comme celle des individus, est soumise à ces froides règles. Inexorables, elles ne se laissent fléchir ni par les plus belles causes, ni par les principes les plus généreux. »

CHARLES DE GAULLE,
La France et son armée, 1938.

« Le vide des armes appelle l'ingérence extérieure ; et les droits auxquels nous sommes accoutumés, les libertés qui nous paraissent aller de soi sont d'autant mieux assurés qu'on nous sait détenir les moyens suffisants pour les protéger. »

FRANÇOIS MITTERRAND,
Valmy, 16 septembre 1989.

Même si j'ai simplement voulu apporter un témoignage, je m'aperçois, au terme de ce livre, que j'ai tenté une entreprise audacieuse et difficile en parcourant près de cinquante années d'Histoire vécues comme adolescent puis comme officier, depuis ma sortie de Saint-Cyr jusqu'à la fonction de chef d'état-major des armées françaises.

Très jeune, j'ai vu une armée étrangère hostile fouler le sol de ma patrie, j'ai subi les quatre années noires de l'Occupation. J'aurai participé ensuite à l'enthousiasme de la Libération. Quatre années plus tard, mon entrée à Saint-Cyr, en 1948, se situera pendant l'époque trouble et troublée où le risque de voir la France devenir une démocratie populaire n'était pas nul. Les guerres coloniales et plus encore leurs séquelles m'auront marqué comme plusieurs générations d'officiers, de sous-officiers, de marins et de soldats. J'aurai assisté, puis participé, aux avatars de nos armées, qui ont conduit aux organisations actuelles. J'aurai terminé ma carrière en assistant à l'effondrement du marxisme, en dirigeant enfin la participation de nos forces à une entreprise où elles ont reçu un large soutien de la nation.

Le soutien de la nation est essentiel pour une armée en guerre et ce soutien se prépare en temps de paix. Il en va certes de la responsabilité du gouvernement mais aussi de l'intelligentsia, des médias, des militaires eux-mêmes parfois. Pendant les années des guerres de décolonisation, ce soutien ne fut pas acquis parce que le pays ne fut que trop tard guidé fermement et par un gouvernement disposant du temps nécessaire à la conduite d'une politique. Beaucoup de Français, et non des moindres, confondirent le débat politique légitime en démocratie et des démarches hostiles, confinant parfois à la trahison, dirigées contre une armée qui était celle de la République française et obéissait au gouvernement. A l'époque les responsables de l'État n'assumaient pas tous leur obligation « d'assurer les conditions matérielles et morales nécessaires pour que les militaires accomplissent leurs tâches » pour reprendre l'expression de M. Mitterrand, Président de la République, à Valmy.

Dès 1990, la situation à l'Est a amené certains à penser qu'aucune menace ne risque plus de se manifester sur cette direction. Cette attitude s'ajoute à une sorte de cécité volontaire devant les conséquences possibles du réveil des nationalismes. Enfin les problèmes qui peuvent surgir des situations socio-économiques, culturelles et démographiques d'une part en Afrique, du Nord au Sud et d'Ouest en Est, d'autre part aux Proche et Moyen-Orient sont agités sans encore qu'on analyse suffisamment leurs conséquences possibles.

A l'orée de 1992, la sécurité et la défense paraissent préoccuper un peu moins les Français et les Européens ; quelques mois plus tôt, pourtant, ils dévalisaient les épiceries parce que quelques puits de pétrole flambaient au fond du golfe Arabo- Persique.

En 1987, la loi de programmation militaire, amendée depuis lors, avait suscité un très large consensus autour de ses objectifs. Un même consensus a soutenu les 16 000 Français engagés dans la guerre du Golfe, et avec eux toute notre armée. Son maintien doit rester un but essentiel des responsables de la nation. Je ne suis pas de ceux, et on me le reproche parfois, qui pensent que l'on doit agir comme s'il ne s'était rien passé depuis 1987 à l'Est ; mais des années de réflexion prospective m'ont également convaincu que dans les situations incertaines la prudence s'imposait. Une nouvelle loi de programmation est en discussion à l'heure où s'imprime ce livre. En tant qu'ancien responsable de nos armées j'espère qu'elle recevra à son tour un large consensus en trouvant le bon chemin entre les exigences des angéliques et celles des figés. Je crois, pour ma part, que le tracé de ce bon chemin réside dans une démarche franchement européenne.

Entreprise encore plus hasardeuse que celle de décrire cinquante années de l'histoire des heurs et malheurs de notre défense, je vais me risquer maintenant à ouvrir des pistes vers l'avenir, en réfléchissant aux vingt années qui vont suivre ces premiers mois de 1992.

Pourquoi vingt années ? La première raison c'est que dans un vieux pays comme le nôtre on ne part pas du néant militaire. Il existe un héritage : une organisation, des forces, un système de recrutement et de formation, des personnels, des stationnements, des équipements en place et une industrie d'armement. A cet héritage s'ajoutent des engagements. Certes la conjoncture peut et même doit conduire, si nécessaire, à adapter l'héritage et à modifier les engagements ; sauf à provoquer de très sérieux problèmes, il y faut de la prudence et du temps. Seconde raison, vingt années sont en général nécessaires, dans une économie de paix, pour qu'un nouveau système de forces important devienne véritablement opérationnel ou pour qu'un système d'armes de conception nouvelle commence à équiper véritablement une ou plusieurs armées.

Prenons deux exemples : il a fallu vingt ans pour que nos systèmes nucléaires stratégiques et préstratégiques commencent à être réellement significatifs et dix de plus pour qu'ils atteignent leur niveau de suffisance. A la fin du siècle et si tout se passe bien, il aura fallu quinze ans pour que les premiers hélicoptères Tigre franco-allemands soient livrés aux forces. Ce n'est que cinq ans plus tard qu'ils commenceront à les équiper de façon significative. Il aura donc fallu vingt ans pour y parvenir.

Ajoutons que les structures (aussi bien celles du territoire que celles des forces), les réglementations, les politiques de recrutement et de formation des personnels, les développements et les industrialisations des équipements de toute nature ne s'accommodent pas de décisions prises au coup par coup. La réflexion à long terme s'impose. De cette constatation est d'ailleurs né le système associant la planification à terme, la programmation sur cinq ans et le budget qui demeure, bien entendu, établi sur un an.

J'ai dit plus haut que je me plaçais dans une économie de paix. C'est très important. Je suis en effet convaincu que, parmi d'autres, l'une des causes de l'effrondement de l'Union soviétique est le maintien de ce pays, depuis 1945, dans un système de défense que seule peut justifier une situation de crise grave ou de guerre. D'où la conservation coûteuse d'effectifs considérables sous les armes et surtout d'un système industriel consacré à la défense colossal, hors de proportion avec les ressources du pays, et qui de plus drainait les meilleurs ingénieurs et les meilleurs ouvriers. Certes les succès ont été spectaculaires, notamment dans les domaines de l'espace et du nucléaire militaire, mais les conséquences sur l'économie générale ont été désastreuses. Le système était tel (et il est resté tel même après la désagrégation politique, ne serait-ce que par inertie) qu'il obligeait pratiquement l'armée soviétique à renouveler ses matériels beaucoup plus vite que nécessaire. Au fond il conduisait soit à la guerre, soit à l'effondrement. Or la dissuasion interdisait la guerre, ou lui enlevait tout intérêt. Ce fut l'effondrement.

J'insiste donc sans faire le moindre procès d'intention ; malgré la qualité des personnels qui structurent le système industriel de défense soviétique, malgré son organisation relativement performante par rapport au reste, ce système pose un problème énorme dont la solution n'est pas pour demain.

Même si ailleurs le problème des reconversions industrielles ne se pose pas avec la même dimension, chaque pays, le nôtre ne fait pas exception, est confronté à ce problème. Dans toute la mesure du possible, les prévisions en matière de structures, de personnels et d'équipements, en matière de défense, doivent donc se faire sur une vingtaine d'années.

La difficulté réside dans la nécessité d'assurer la cohérence avec les grands objectifs politiques, avec l'évolution de la situation internationale, avec les évolutions technologiques, avec enfin les risques envisageables et les ressources.

Les objectifs de notre défense ont peu varié depuis plusieurs dizaines d'années. Pour les Français c'est la préservation de la paix et de la liberté. Cela paraît désormais aller de soi. Pourtant, sans l'Alliance atlantique, consécutive au blocus de Berlin, la France et l'Italie avaient une chance, si l'on peut dire, de se retrouver aujourd'hui dans le groupe des ex-démocraties populaires, avec une économie à reconstruire. Nous aurions eu la paix, sûrement pas la liberté.

Même si, en 1966, la France a quitté les structures intégrées de l'Alliance, tout en se dotant des moyens de préserver ses intérêts vitaux en pleine indépendance, elle a pris simultanément, on l'a vu, l'engagement de satisfaire aux obligations découlant du traité. Cette sorte de double décision qui remonte à vingt-cinq ans impliquait des réorganisations en matière de structures et d'équipements. S'agissant des équipements l'effort a été porté sur le nucléaire, mais une diminution trop rapide et exagérée des budgets dans la décennie 1965-1975 a eu pour conséquence dans le domaine des armements classiques des retards qualitatifs que nous traînons encore, retards d'une dizaine d'années au moins par rapport aux Américains et aux Soviétiques. Dans le domaine des structures, nos forces ont été organisées pour pouvoir s'engager en Europe aux côtés de nos alliés, et pour satisfaire à nos engagements outre-mer. Il convient à cet égard de rappeler d'une part que nous sommes allés dans le Golfe pour défendre le droit et nos intérêts (je ne vois d'ailleurs pas pourquoi la France serait la seule nation à ne pas défendre ses intérêts), tout en soulignant d'autre part que nous n'avions pas d'engagement formel d'y aller.

Au total donc, paix et liberté. Il n'y a aucune raison pour que ces finalités évoluent dans l'avenir. En revanche, les bouleversements du contexte international et ceux que l'on peut envisager doivent conduire à réfléchir aux moyens de continuer à les préserver.

Un retour sur l'évolution de la situation internationale pendant les vingt années 1970-1990 fait apparaître qu'au début des années 70 on a assisté, malgré le coup de Prague de 1968, à une prolongation de la détente. Brejnev n'a-t-il pas signé les accords SALT I de limitation des armes nucléaires stratégiques et le président américain Carter n'a-t-il pas été élu sur un programme de diminution des dépenses militaires et de dislocation de la C.I.A, la centrale américaine de renseignement. Assez vite le président des États-Unis observera cependant que l'appareil militaire soviétique, nucléaire, chimique et classique se développe et se modernise. Il lui faut donc faire tout le contraire de son programme, d'autant qu'il constate les avancées soviétiques en Afghanistan et le soutien militaire accordé en Éthiopie, en Angola, en Irak, en Syrie, au Viêt-nam, au Cambodge, et ailleurs, aux gouvernements qui font peu ou prou allégeance à Moscou.

Reagan va s'inspirer de la doctrine Nixon développée dans

l'ouvrage *la Vraie Guerre*. Il met fin aux hypocrisies de la détente, d'autant que Jaruzelski vient de mettre au pas le peuple polonais, probablement d'ailleurs pour éviter que les troupes soviétiques ne le fassent elles-mêmes. Au déploiement des missiles à moyenne portée SS 20, les États-Unis répliquent par celui des Pershing II, soutenus en cela par la France. Rappelons-nous le discours de notre Président devant le Bundestag, en 1983, et sa phrase célèbre : « Les pacifistes sont à l'Ouest mais les SS 20 sont à l'Est. » Soutenu par l'opinion des pays libres, et d'abord par celle des Américains, Reagan élève les enchères, accélère les programmes de défense américains et annonce l'Initiative de défense stratégique.

L'U.R.S.S., on l'a vu, ne peut plus suivre; par surcroît les autres pays du pacte de Varsovie regimbent et certaines républiques de l'Union commencent à en faire autant.

Arrivé au pouvoir en 1985, Gorbatchev entreprend de faire évoluer la politique de l'Union soviétique; on assiste aux premières rencontres entre les époux Gorbatchev et le ménage Reagan.

Ainsi la fermeté occidentale a porté ses fruits. C'est à elle au moins autant qu'à la lucidité de Gorbatchev que l'on doit la réunification allemande, le retour progressif des forces soviétiques à l'intérieur de leurs frontières nationales, la liberté retrouvée des pays de l'Est, enfin la nouvelle ère de détente qui a conduit à une connivence de fait entre Soviétiques et Américains et qui a du même coup permis aux Nations unies de jouer un rôle déterminant dans la crise du Golfe.

Fermeté, lucidité... mais y aurait-il eu lucidité sans fermeté ?... Je n'en suis pas sûr. On constate d'ailleurs que Gorbatchev a été dépassé par sa propre démarche. Il est instructif de relire avec le recul du temps sa *Perestroïka*, publiée en 1986. On y apprend que tous les maux de l'U.R.S.S. sont simplement venus d'un déviationnisme par rapport au léninisme et donc du marxisme. Ainsi Gorbatchev écrit-il : « Les ouvrages de Lénine et son idéal socialiste restent pour nous une source inépuisable de pensée créative dialectique, de richesse théorique, de sagacité politique. » Ce n'est pas ce qu'ont pensé les habitants de Saint-Pétersbourg!... C'est clair, Gorbatchev a été emporté dans un maelström qu'il n'avait pas voulu.

Finalement la combinaison chez les Occidentaux d'une forte croissance et d'un effort raisonnable pour la défense, accentué à partir de 1980, surtout aux États-Unis et en Grande-Bretagne [1], aura fait toucher les épaules, sans guerre, à l'Union soviétique. Simultanément (mais les deux événements, on l'a vu, sont liés) les Occidentaux et leurs alliés arabes modérés gagnaient la guerre du Golfe en subissant le minimum de pertes. Tirant les leçons du Viêt-nam, les Américains n'avaient pas fait « trop peu, trop tard ».

Au cours des vingt années 1970-1990, quels qu'aient été les tiraillements entre alliés, les hésitations, il y a eu cohérence entre les objectifs, les concepts, les moyens et les évolutions de la situation internationale. La même cohérence s'est, bon an mal an, manifestée dans notre politique. Est-il plus difficile, en 1992, d'anticiper sur les événements et d'essayer de bâtir à nouveau une stratégie cohérente ? Pour tenter de répondre à cette question je vais compléter un peu le panorama que je viens d'esquisser.

En 1992, la conférence à trente-quatre, dite C.S.C.E., qui groupe tous les pays européens, les États-Unis et le Canada, est l'enceinte où devraient se régler par la négociation les problèmes qui se posent de l'Atlantique à l'Oural. Elle mérite qu'on œuvre pour son succès. C'est l'aspect détente des dispositions résultant des négociations de Vienne que notre politique étrangère et de défense se doit évidemment de favoriser. Malheureusement les problèmes qui se posent sont d'une extrême complexité. Les Européens ont commencé à le constater dans l'épisode des pays Baltes. La crise yougoslave en a bientôt apporté une seconde et tragique illustration.

La fédération yougoslave aurait sans doute éclaté quels que soient les autres événements survenus en Europe. Mais aucune solution n'a pu être trouvée par les Européens pour limiter les dégâts, dans quelque cadre que ce soit. Il faut bien dire que l'affaire s'annonçait comme beaucoup plus compliquée que l'agression de l'Irak contre le Koweït. A la différence de Saddam Hussein la Yougoslavie n'a attaqué en 1991 aucune puissance

1. Au début des années 80 la Grande-Bretagne et les États-Unis ont fait un effort financier en faveur de la défense très supérieur au nôtre : 6 % du P.I.B.m. (produit intérieur brut marchand) alors que nous n'en sommes pas à 4 %. Les diminutions envisagées en 1992 maintiendront les États-Unis au-dessus de la barre de 4 % ; les argumentations fondées sur la comparaison des pourcentages de diminution pour justifier les réductions françaises doivent donc être considérées avec la plus grande réserve.

membre des Nations unies et, pire, pour résoudre son problème ne s'esquissait aucun projet politique susceptible de recevoir un assentiment international et surtout intérieur. On ne voyait donc pas très bien quelle pouvait être la mission de casques bleus ou blancs envoyés sur place.

Au début de 1992, une double conclusion s'imposait ainsi aux responsables politiques des pays européens, dont le nôtre : d'un côté il fallait continuer à œuvrer pour le succès de la C.S.C.E. ; simultanément, le flou, les incertitudes dans l'évolution de la situation internationale imposaient la prudence aussi bien au niveau de l'Alliance atlantique et de la Communauté européenne que de la part de la France elle-même.

La crise yougoslave n'aura sans doute été que la première à survenir en Europe centrale. Or il s'agit (ou il s'agissait) d'une fédération qui n'est dotée que de forces armées classiques. Une prolifération des crises entre les républiques de l'ex-U.R.S.S. serait d'une tout autre nature ! La révolution de palais du mois d'août 1991 a d'ailleurs commencé à sensibiliser l'opinion mondiale sur les conséquences de la libanisation d'un État qui sur son sol et dans ses navires dispose de vingt-cinq mille armes nucléaires.

Résumons le tableau tel qu'il se présentait au début de 1992. Les négociations concernant les armes nucléaires stratégiques et à plus courte portée qui se déroulaient d'État à État entre les États-Unis et l'U.R.S.S. vont sans doute se poursuivre entre les États-Unis et la Fédération de Russie qui a hérité du siège de l'U.R.S.S. comme membre permanent du Conseil de sécurité. Les négociations concernant les armes tactiques seront plus difficiles à conduire. L'Union soviétique disposait d'un stock de plus de dix mille de ces armes. Elles sont réparties entre les forces terrestres et aériennes et sur plusieurs républiques de l'ex-U.R.S.S. Ces armes existent toujours. Je remarque en passant que les bonnes âmes allemandes et françaises qui passent leur temps à s'émouvoir au sujet du missile Hadès (en oubliant d'ailleurs que c'est un lanceur mobile) feraient mieux de s'intéresser au danger présenté par ces milliers d'armes tactiques soviétiques dont le contrôle et donc le devenir paraissent incertains. Le président Bush, lui, a discerné le vrai péril, et ses propositions de fin septembre 1991 sur une réduction des armements nucléaires portaient surtout sur les armes nucléaires tactiques sol-sol. Mais quelle certitude pourrait-on avoir d'une destruction totale d'un tel système de forces ? Il en serait de même, a fortiori, d'une opération semblable sur les armes stratégiques. Je doute d'ailleurs que les Soviétiques ou les républiques qui en détiennent acceptent de se défaire un jour de leurs vecteurs sol-sol stratégiques mobiles SS 24 et 25. Le désarmement nucléaire total est une utopie car on ne « désinvente » pas des armes et, plus encore, parce que l'on n'est jamais sûr que l'autre a détruit toutes les siennes. Doit-on par ailleurs se priver de ce garde-fou qui a préservé la paix dans l'hémisphère Nord depuis quarante-cinq ans ? En revanche, la réduction des stocks surabondants ne peut que réjouir. Il y a en France un consensus autour de la défense de nos intérêts vitaux par le nucléaire. Je pense que les Français, qui sont gens de bon sens, y resteront solidement attachés.

Le problème posé par les forces classiques est également difficile à résoudre. Toujours est-il qu'aux termes mêmes des négociations de Vienne, l'U.R.S.S. pouvait conserver à l'horizon de 1995 à l'Ouest de l'Oural 6 000 avions de combat et 13 000 chars de bataille.

Il est à peu près certain, tout au moins en ces débuts de l'année 1992, que ce potentiel se répartira entre la République de Belarus (nouveau nom de la Biélorussie), la Fédération de Russie et l'Ukraine. N'empêche, il demeurera.

Certes il serait absurde, je l'ai déjà écrit, d'avoir l'air d'ignorer ce qui s'est passé en U.R.S.S. et de prétendre que la 8e armée de la Garde et quelques autres sont encore prêtes à foncer sur Nuremberg en quatre jours. Symétriquement il serait imprudent, même en 1992, d'agir comme si le potentiel nucléaire et classique, sans parler du chimique, qui demeurera à l'Est avait subitement cessé d'exister. Les discours d'un jour peuvent ne pas être ceux du lendemain. Que va devenir ce potentiel dans une U.R.S.S. désormais éclatée [1] ? A l'entrée de l'hiver 1991-1992 les présidents Eltsine et Gorbatchev se montraient tout à fait conscients des problèmes qu'allait poser cet arsenal. Mais qu'adviendrait-il si les casseroles de Biélorussie, d'Ukraine, de Russie et des autres républiques restaient vides encore longtemps ? En août 1991 on a assisté à l'échec d'une

1. A noter que le 8 décembre 1991, en faisant de la Russie, l'Ukraine et la Biélorussie une « communauté d'États indépendants », les présidents de ces républiques se sont mis d'accord pour « conserver un commandement uni de l'espace stratégique commun, et un contrôle uni sur l'arme nucléaire ».

révolution de palais. A l'orée de 1992 une vraie révolution reste peut-être à venir. Nous n'avons qu'une seule certitude, c'est que tout peut arriver, y compris une de ces vigoureuses reprises en mains dont l'histoire du peuple russe fournit maints exemples.

Et si maintenant le regard se tourne vers le sud de la Méditerranée et le Moyen-Orient, que constate-t-on ? Les populations de ces régions ont doublé depuis vingt-cinq ans, c'est un fait ; et ce double aura doublé dans vingt-cinq ans. L'Algérie aura 50 millions d'habitants, l'Égypte 100 millions. Si l'on ajoute à cela les retards économiques et sociaux, dont le développement des fanatismes religieux ne devrait pas faciliter le rattrapage, il apparaît clairement que bien des facteurs de crise sont ou seront réunis.

Je ne crois pas, même pour le moyen terme, à une menace militaire directe venant du Sud et du Sud-Est. En revanche, des conflits internes à tel ou tel État ou des conflits entre États de ces régions, tel le conflit du Golfe, peuvent mettre en cause des intérêts essentiels de l'Europe et de la France, ou encore les intérêts de pays alliés ; ils peuvent aussi mettre en danger la vie de ressortissants dont la responsabilité nous incombe.

Dans la perspective de cette évolution des situations au sud et au sud-est de l'Europe, la plus grande attention doit être portée aux risques de prolifération des armes chimiques et nucléaires et des vecteurs de ces armes. Il est désormais à peu près certain que bien des experts se trompaient en 1990 et que l'Irak était sur le point de se doter de l'arme nucléaire. Il semble aussi (malgré les communiqués de victoire de tout le lobby qui gravite autour) que l'effet des armes air-sol sur les sites protégés n'ait pas été ce que l'on a d'abord cru, de bonne foi, à l'époque. L'Irak n'est certainement pas le seul pays tenté de se doter de l'arme nucléaire ; or l'expérience irakienne montre que dans les grands pays qui maîtrisent déjà les techniques nucléaires [1] et celles de la propulsion balistique on s'est montré très léger, c'est le moins que je puisse dire, dans la surveillance des exportations. Il y a là un problème majeur à résoudre. La recherche du profit immédiat peut réserver des catastrophes futures. Simultanément, une réflexion doit être conduite quant à la dissuasion qu'il conviendrait d'exercer vis-

1. En matière d'armes nucléaires mais aussi de propulsion nucléaire ; écrivant ceci je pense surtout aux sous-marins nucléaires d'attaque.

à-vis de nouvelles puissances accédant aux armes non classiques.

Ce qui s'est passé en 1991 au Zaïre doit aussi nous faire réfléchir. Il ne s'agissait pas d'un conflit tribal, comme en 1990 au Ruanda ou depuis des années au Tchad. Il s'agissait de troubles dans un pays surpeuplé par rapport à sa capacité à maîtriser ses ressources, car le Zaïre est loin d'être un pays pauvre. Il y aura d'autres Zaïre. L'immigration est, de toute évidence, un problème majeur pour tous les pays développés. Mais si on la bloque, si simultanément le taux d'accroissement démographique, dans les pays d'Afrique, demeure ce qu'il est, si parallèlement les systèmes sociaux économiques ne s'améliorent pas il faut bien voir qu'on va vers l'explosion.

S'agissant du Sud je me suis, dans ce livre, très longuement étendu sur le Moyen-Orient. Il n'a pas fini de requérir notre vigilance, tant à cause de ses ressources que de sa situation stratégique et des problèmes politiques qu'il pose.

La France est une puissance moyenne mais une puissance moyenne qui compte : elle est membre permanent du Conseil de sécurité des Nations unies. Et comme les quatre autres membres permanents, elle est puissance nucléaire. Mais la France n'est pas une puissance mondiale. Il n'en subsiste qu'une, les États-Unis, et l'Europe tarde à devenir l'autre. Je limiterai donc là mon tour d'horizon. Certes ce qui se passera en Amérique centrale et du Sud et au Sud-Est asiatique nous intéresse. Mais c'est en Europe que se situent nos intérêts vitaux, au Moyen-Orient nos intérêts essentiels, et c'est en Afrique que nous pouvons être confrontés aux risques d'explosion les plus immédiats.

J'ai évoqué l'Europe. Il me semble nécessaire de m'attarder un peu sur les relations entre l'Europe et les États-Unis.

Au début de 1992 l'Europe des Douze est en passe de devenir la première puissance économique du monde. Son produit national brut va bientôt dépasser celui des États-Unis. Or elle dépense, ou plutôt dépensait à la fin des années 80, pour sa défense, 150 milliards de dollars par an quand dans le même temps les États-Unis dépensaient 300 milliards. Cette situation dure depuis longtemps. C'est un problème pour les uns et pour les autres.

Tenant toujours les mêmes discours, les Américains ont demandé et demanderont un rééquilibrage des charges, tout en voulant conserver le leadership, aussi bien pour assurer la sécurité de l'Europe que pour lui garantir ses approvisionnements pétroliers. Trouvant qu'il est, somme toute, confortable de prospérer à l'abri du bouclier américain, bien des Européens s'en accommoderaient volontiers sans s'inquiéter des désengagements américains déjà décidés et en perspective. D'autres pays, dont la France, estiment que le maintien de bonnes relations avec les États-Unis ne devrait pas empêcher l'Europe de l'Ouest de devenir majeure en matière de sécurité puis de défense. C'est tout l'objet des discussions en cours, en ce début de 1992, dans les enceintes de l'Alliance atlantique, de la Communauté européenne et de l'U.E.O., débats que résument les expressions : pilier européen de défense ou identité européenne de défense.

Les membres de l'Alliance, de la Communauté et de l'Union trouveront-ils une voie moyenne, une formule permettant de faire évoluer les organisations actuelles sans les briser afin de bâtir un système de défense capable, en 1995 et au-delà, d'équilibrer, en Europe, la puissance militaire soviétique, ou russe (j'emploie à dessein le verbe équilibrer et non l'expression « faire face à »), tout en permettant à l'Europe de jouer un rôle davantage à sa mesure hors de son propre territoire, en particulier pour résoudre les problèmes qui se poseront au Sud et au Sud-Est. Là réside une des grandes questions stratégiques des années 90.

Au-delà des organisations internationales, il y a les concepts et les moyens. Il est désormais de mode, et c'est évidemment une démarche facile, de dire que nous vivons dans un monde de plus en plus incertain. Paradoxe : c'est le moment choisi par d'aucuns pour pousser à une réduction importante de l'effort de défense quand justement l'incertitude devrait conduire à plus de circonspection.

Certes, en 1995, le Groupement des forces soviétiques de l'Ouest ne campera plus à deux cent vingt kilomètres de Wissembourg. Tout au moins peut-on l'espérer. En revanche nous avons devant nous trois certitudes :

– certitude d'avoir à gérer l'évolution de l'Europe de l'Est et des républiques issues de l'ex-U.R.S.S dont les nations seront en proie à de considérables difficultés politiques, sociales, économiques avec en arrière-plan, dans les républiques indépendantes issues de l'ex-Union soviétique, les problèmes posés par des forces nucléaires et classiques demeurées considérables;

– certitude d'avoir à gérer également des relations, de plus en plus délicates, avec un Orient toujours aussi « compliqué » qu'au temps où le général de Gaulle le qualifiait ainsi;

– certitude, si l'on n'y prend pas garde, d'avoir à constater, en de nombreux pays, le développement d'arsenaux classiques; et peut-être même non classiques.

Trois certitudes peu rassurantes, et pourtant nous vivons une époque de grande versatilité en matière de sécurité et de défense. En 1988-1989 c'était l'euphorie, on ne parlait plus que des dividendes de la paix. Un Américain d'origine japonaise parlait de la « fin de l'Histoire ». Il est tombé depuis dans les oubliettes de celle-ci. En 1990, les événements du Moyen-Orient conduisaient à un peu plus de réalisme mais pour combien de temps? En fait, l'Histoire continue. La paix, la paix associée à la liberté, bien sûr, résulte en général du réalisme, rarement de l'euphorie ou de l'angélisme.

Alors que faire? Mener des politiques de sécurité et de défense réalistes. Mais lesquelles? La question appelle une réponse nationale en même temps que la concertation avec nos alliés. Elle entraîne d'autres interrogations : quel concept ou plutôt quels concepts pour préserver notre survie en Europe et nos intérêts essentiels hors d'Europe? Quelles alliances, et quels rôles pour ces alliances? Quelle organisation et quels stationnements pour les forces? Enfin quelles forces, et pour ces forces quels hommes, quels équipements, quelle industrie d'armement?

Il n'y a pas lieu pour la France et ses alliés de changer la stratégie combinant dissuasion et détente. En Europe cette stratégie est parvenue à maintenir la paix tout en agrandissant les espaces de liberté. Hors d'Europe, la même philosophie générale devrait être adoptée. Quelle est en effet la leçon première de la guerre du Golfe? C'est que l'on n'a pas pu l'empêcher; la dissuasion a localement échoué. Il faut donc se donner les moyens de dissuader les trublions là où une dissuasion nucléaire ne semble pas pouvoir s'exercer, au moins encore aujourd'hui (sauf dans le cas d'Israël qui joue son existence).

Une solution est certainement de moins favoriser leur armement. Resteront les conflits internes qui engendrent souvent pour les minorités ethniques plus de misères que les guerres internationales. Personne n'a la solution. Nombreux sont en effet les pays qui ne tiennent pas à autoriser ailleurs les ingérences des casques bleus ou blancs pour la simple raison qu'ils n'ont pas du tout envie que l'on aille voir un jour, chez eux, comment y sont traitées les minorités.

Sur quatre mots clefs : paix, liberté, dissuasion, détente, il y a accord, au moins entre les démocraties libérales. Celles-ci ont également en commun la même évaluation des risques demeurant à l'Est [1]. Au-delà, elle divergent quelque peu. C'est-à-dire lorsqu'il s'agit du concept et des organisations.

Lors du sommet de l'Alliance atlantique de Londres, en juillet 1990, les Américains ont imposé aux quinze pays de l'organisation militaire intégrée le concept du *last resort* en matière nucléaire, c'est-à-dire du dernier recours [2]. Ils ont également ouvert la voie aux unités multinationales. Sur ces deux points, la France a déclaré n'être pas concernée.

En fait, tout le monde est d'accord pour affirmer que la capacité d'emploi du nucléaire doit conduire au succès de la dissuasion et donc au non-emploi. C'est ce qui s'est passé jusqu'à l'instant où j'écris Si une arme sert tous les jours, c'est bien l'arme nucléaire... tous les jours où elle n'est pas utilisée.

Mais il y a divergence quant au discours le meilleur, et donc le plus dissuasif, qu'il convient de tenir sur ce que l'on ferait en cas d'échec initial de la dissuasion (c'est-à-dire en cas d'agression) et donc sur ce qu'il faudrait faire pour la rétablir :

---

1. A Rome, le 8 novembre 1991, les chefs d'Etat et de gouvernement participant à la réunion du Conseil de l'Atlantique Nord ont approuvé le « nouveau concept stratégique de l'Alliance ». Ce texte est long, j'en extrais la citation suivante :

« Dans le cas particulier de l'Union soviétique, les risques et les incertitudes qui accompagnent le processus de changement ne peuvent être dissociés du fait que ses forces conventionnelles sont largement supérieures à celles de tout autre Etat européen et que ce pays dispose d'un arsenal nucléaire considérable, comparable uniquement à celui des Etats-Unis. Il faut prendre en compte ce potentiel pour préserver la stabilité et la sécurité de l'Europe. »

2. Sans y faire à nouveau formellement référence, le 8 novembre 1991, à Rome.

– Si l'on suit les Américains, dernier recours, mais quand ? C'est l'éternel débat autour de la *flexible response*, la riposte-graduée ; entretenir le doute fait partie de la dissuasion mais ne serait-on pas prêt à trop céder avant d'en arriver au dernier recours ?

– Selon la théorie française : avertissement ultime, qu'il vaut mieux affirmer comme pouvant être et même devant être rapide.

Jusqu'au début de 1992 les Américains affichaient toujours (et estimaient suffisamment dissuasif d'afficher) qu'en cas d'agression, après un combat classique d'une certaine durée, durée non fixée mais qui pourrait être comptée en semaines, les armes nucléaires de « théâtre » seraient susceptibles d'être employées sur des objectifs adverses en vue de rétablir le dispositif de l'O.T.A.N. Les Français estimaient beaucoup plus dissuasif de déclarer qu'après un combat classique, compté en jours, voire en heures, les armes préstratégiques seraient utilisées en avertissement ultime.

Pareille discussion a-t-elle perdu tout objet dans l'ambiance de la nouvelle détente ? Peut-être. Toutefois des arsenaux nucléaires et classiques considérables demeurent. Les propositions Bush de septembre 1991 allaient dans le bon sens pour obtenir la disparition des armes soviétiques à courte portée. En attendant, début 1992, ces armes existent. On sait à peine où elles sont et on ne saura jamais si la dernière est détruite. Maintenir les moyens suffisants pour dissuader leurs possesseurs de s'en servir m'apparaît essentiel. Reste à définir le meilleur concept.

« Dernier recours » et « ultime avertissement » se rejoindront-ils ou resteront-ils complémentaires ? Après tout ils cohabitent depuis plusieurs années et la dissuasion fonctionne. C'est bien le but recherché. Il faudra cependant bien mesurer les conséquences de la réponse à cette question dans la nouvelle Europe géopolitique. En particulier de la réponse que la France choisira de faire.

Lorsque les affrontements classiques étaient envisagés à trois cents kilomètres de nos frontières, la cohabitation de la *flexible response* et du *test* (dénomination première de l'ultime avertissement) ne posait pas trop de problèmes. Dans l'avenir la zone éventuelle des affrontements se situera trois fois plus loin à l'est au minimum. Dans ce contexte la réponse que M. François Mitterrand fit naguère à Mme Thatcher [1], qui peut se résumer comme suit : « C'est l'alliance qui doit, par sa détermination, empêcher que Bonn ne soit menacée », prend un sens nettement plus fort lorsque l'on remplace Bonn par Berlin. Il faudra bien, un jour, harmoniser les concepts surtout si, comme on doit l'espérer, l'U.E.O. parle dans quelques années d'une seule voix.

Il n'est pas neutre, non plus, de prévoir pour la durée éventuelle d'un combat classique, soit quelques jours, soit quelques semaines. La réponse à cette alternative n'est pas du ressort des militaires. Il est cependant tout à fait capital pour eux de la connaître car elle conditionne la logistique à prévoir. Enfin, si l'on s'engage dans le cadre d'une alliance et plus encore d'une Union il ne serait pas très cohérent, cela saute aux yeux, de placer côte à côte des forces disposant, les unes de trente jours d'approvisionnements, pour le combat classique, les autres de dix jours au mieux.

Les forces intégrées de l'Alliance atlantique étaient déjà multinationales, on l'oublie parfois, mais l'étaient seulement au niveau du groupe de corps d'armée et pas en dessous. Lorsque l'on passera au niveau du corps d'armée, désigner les divisions nationales affectées aux corps ne présentera pas de difficulé majeure. En revanche, les problèmes de renseignement, de transmissions et de logistique ne trouveront pas une solution instantanée. Ils sont de beaucoup les plus difficiles à résoudre.

Les autres théâtres ? Le classique y prédomine encore. Au Moyen-Orient, en particulier, la guerre du Golfe a confirmé que les matériels mis au point pour l'Europe convenaient parfaitement pour le désert. La France pour ce qui la concerne, à condition de poursuivre la modernisation de ses équipements avec les matériels parvenus à la fin de leur phase de développement, ou qui atteindront ce stade sous peu, continuera à disposer des moyens de sa politique hors d'Europe.

Notre pays est donc confronté, en ce début de 1992, à un problème qui paraît complexe : comment organiser et équiper ses forces alors qu'il ne partage pas tous les concepts de ses alliés, tout en poussant fortement à la mise sur pied d'une défense

1. Le Président de la République avait tenu à rendre lui-même son propos public à l'occasion d'un discours exceptionnel prononcé devant les auditeurs de l'Institut des hautes études de défense nationale, le 11 octobre 1988.

européenne, et tout en partageant avec eux les objectifs de paix et de liberté ? Est-ce si difficile ? Je ne le crois pas.

La préservation de nos intérêts vitaux et de notre liberté d'action doit toujours reposer sur la dissuasion nucléaire. En ce début de 1992 nos forces nucléaires, particulièrement les composantes stratégiques, ont atteint une dimension que je qualifierai, sans en dire plus, de suffisante. Il faut en entretenir la crédibilité dans tous ses aspects, entretenir en particulier l'invulnérabilité d'au moins deux composantes, aux effets d'une première frappe ; cela afin d'être sûrs d'en avoir toujours une en mesure de survivre à ce premier coup. Ces forces constituent le cœur de notre défense, avec tous les hommes et avec tous les moyens qui concourent à leur mise en œuvre et à leur protection. Il ne sied pas de donner à croire aux Français qu'il pourrait s'agir, un jour, d'une sorte de ligne Maginot avec l'efficacité que l'on sait. La ligne Maginot ne pouvait détruire Berlin.

Si l'union politique de l'Europe s'accomplit, et il faut l'envisager avec confiance, si la France et l'Allemagne continuent à donner l'impulsion nécessaire, la dissuasion nucléaire française pourrait, un jour, être élargie à d'autres intérêts vitaux que les nôtres. Cela suppose, évidemment, la prise de conscience réelle d'une communauté de destin, la volonté de se défendre en commun, et une acceptation du partage des risques.

Pour ce qui est de nos forces classiques, elles doivent être constituées de façon à pouvoir faire face aux dangers potentiels du moment, tout en pouvant, un jour, apporter leur contribution à une défense de l'Europe mieux coordonnée, tant vers l'est que dans d'autres directions. Les deux finalités ne me paraissent pas du tout incompatibles car la nouvelle situation géopolitique en Europe exigera que nos forces classiques puissent aller plus loin que naguère. S'agissant plus spécialement de l'Est, j'écris « plus loin », et non « plus vite », car les délais deviennent beaucoup moins contraignants. Aller plus loin et peut-être, dans certaines circonstances, pour combattre plus longtemps. Cela veut dire aussi une adaptation des systèmes de commandement et de la logistique.

Pour les actions hors d'Europe, tout le monde s'accorde sur la nécessité de persévérer dans les actions entreprises en vue de durcir, moderniser nos forces et améliorer leurs capacités de projection. Il est cependant indispensable de rappeler qu'en dehors du théâtre africain où nous pourrions encore agir seuls (et encore pas partout...) toute action ne peut qu'être internationale. Il faut renforcer la concertation si l'on veut mieux prévenir les crises hors d'Europe et se préparer à agir avec d'autres s'il faut les gérer.

Le pacte de Varsovie a éclaté. La politique étrangère de l'U.R.S.S. a évolué. Celles des républiques qui en sont issues s'y substituent tant bien que mal. On ne peut ignorer ces événements. Il serait en revanche irresponsable de faire comme si n'existaient pas les parcs de moyens nucléaires et classiques, que les accords américano-soviétiques et les dispositions de Vienne laissent aux héritiers de l'U.R.S.S. Il serait également irresponsable d'agir comme si, ailleurs dans le monde, on n'était pas confronté à de sérieuses perspectives de crises. L'Europe et la France doivent en tenir compte. Pour nos alliés comme pour nous-mêmes les accords établis à Vienne ont déterminé les nombres maximaux concernant les matériels majeurs qui pourront équiper les forces occidentales. Il serait de la plus élémentaire prudence que ces nombres constituent des planchers et non des plafonds. La France serait sagement inspirée de conserver un millier de chars, trois cents hélicoptères armés et cinq cents avions de combat en ligne [1], ce nombre cumulant armée de l'air et aéronavale, même si les modernisations doivent traîner un peu. En dessous de ces chiffres nos forces classiques n'auraient plus une grande signification militaire ni donc politique.

J'ai dit beaucoup plus haut ce que je pensais du système de recrutement des personnels des forces et j'ai marqué ma nette préférence pour le système mixte, au moins aussi longtemps que le volume total [2] de nos forces et la durée du service militaire resteront proches de ce qu'ils sont en ce début de 1992. Les partisans de l'armée de métier feront certainement à nouveau référence à l'ouvrage du général de Gaulle qui porte ce titre. Il n'est donc pas inutile de rappeler ce qu'écrit le Général : « Le moment est venu d'**ajouter** à notre masse de réserves

1. En ligne veut dire : sans les maintenances. Les maintenances sont variables selon les matériels ; ainsi pour les matériels terrestres la maintenance est de l'ordre de dix pour cent alors qu'elle dépasse largement ce chiffre pour les matériels aéronautiques.

2. C'est-à-dire des trois armées, de la gendarmerie et des services communs ; on a souvent tendance à considérer que l'on ne trouve d'appelés que dans l'armée de terre, or si elle en reçoit les deux tiers, un tiers, soit 80 000, sert ailleurs.

et de recrues, **élément principal de notre défense nationale**, mais lente à réunir, lourde à mettre en œuvre et dont le gigantesque effort ne saurait correspondre qu'au dernier degré du péril, un instrument de manœuvre capable d'agir sans délai, c'est-à-dire permanent dans sa force, cohérent, rompu aux armes. Point de **couverture** française sans une armée de métier. »

Il s'agissait donc, dans la pensée du Général, d'ajouter et non de substituer.

Ce que voulait surtout le général de Gaulle, et la lecture du premier chapitre de ses *Mémoires de guerre* le confirme, c'est la constitution d'un corps blindé mécanisé, mobile et bien équipé, en mesure de porter le fer hors de nos frontières ou de rétablir une situation compromise. Les Allemands ont d'ailleurs, à la fin des années 30, constitué leurs forces blindées avec un système de recrutement mixte et cela leur a réussi...

Certes les évolutions de la stratégie, de la tactique et des matériels ont, après l'achèvement des guerres coloniales, mis fin aux armées de masse nécessitant pour un pays comme le nôtre la mobilisation de millions d'hommes. La mobilisation restera cependant nécessaire, en toutes hypothèses, pour les formations de défense opérationnelle du territoire et le complément des formations logistiques, en particulier dans le service de santé. Ajoutons-le : il serait paradoxal de renoncer au système mixte associant appelés et professionnels au moment même où la situation internationale accorde des délais permettant de faire plus largement appel à la mobilisation.

Reste le problème des interventions hors d'Europe qui a tant ému les foules en 1990 et 1991 alors qu'il est connu depuis des dizaines d'années [1]. Il ne s'agit plus du « dernier degré du péril » mais de la défense des intérêts français, intérêts qui peuvent être essentiels mais ne sont pas « vitaux ».

Sauf à changer les dispositions du législateur seuls des professionnels et des appelés volontaires peuvent être utilisés, sans l'accord du Parlement, hors d'Europe et des D.O.M.-T.O.M. Ce n'est pas neuf. Le vrai problème est celui du soutien de la nation et celui de la considération dont doivent être entourés des Français qui risquent leur vie. Je m'associe totalement sur ce point à mon prédécesseur, le général Lacaze, qui, dans un

1. J'en ai déjà largement traité page 130 *sq*.

ouvrage récemment publié (*le Président et le champignon*), souligne que la vie d'un engagé a autant de poids que celle d'un appelé, et que les familles des engagés font partie, elles aussi, de la communauté nationale. Mais j'ajoute que lorsque l'on en est au « dernier degré du péril », lorsque la menace se situe en Europe, les enfants de ces familles ne doivent pas être les seuls à risquer de se faire tuer pour la patrie. Cependant, tant que l'on pourra lire sous la plume de responsables politiques (comme ce fut le cas à la fin de 1991 lors de l'instauration du « service humanitaire ») que les formes marginales du service national sont instituées, je cite, « pour que les jeunes n'aient plus l'impression de perdre leur temps au service militaire », on aura de plus en plus de mal, c'est clair, à convaincre les Français de la nécessité de servir sous les drapeaux.

De toute façon les forces armées françaises ont toujours été à l'avant-garde des actions humanitaires. Si on le sait peu chez nous, les Kurdes, les Libanais, les habitants de Dubrovnik, les réfugiés surinamiens et bien d'autres ne l'ignorent pas.

J'ai beaucoup parlé de l'Europe. Sa défense s'inscrit de plus en plus à l'ordre du jour, même si les réticences restent vives. Cette défense doit s'organiser à partir d'un noyau dur constitué par tout ou partie des pays membres de l'U.E.O. Pour ma part, j'ai pu tirer des enseignements aussi bien dans le domaine des personnels en participant à la mise sur pied de la brigade franco-allemande que dans celui des équipements en tentant de faire aboutir des programmes conduits en coopération. Ces expériences m'ont convaincu qu'il faudra progressivement harmoniser les dispositions internes des différents pays européens dans bien des domaines liés à la défense.

Les armées française et allemande sont toutes deux bâties sur un système de recrutement associant professionnels et appelés. Néanmoins, lors de la constitution de la brigade franco-allemande il a fallu surmonter de multiples difficultés dues aux différences de durée du service militaire et de réglementations ainsi qu'à l'inégalité des rémunérations. Quelques matériels sont communs aux deux armées, surtout dans le domaine des missiles anti-chars, mais ils sont trop rares. Et il ne s'agit que de deux des pays européens. Le Président de la République dénonçait cette situation de relative anarchie en 1988 : « En matière d'armements, observait-il, on avance à pas lents vers l'unité européenne. Pas d'avion, pas de char, un hélicoptère franco-allemand. Et pour les fusées pas grand-chose [1] »...

Il reste beaucoup à faire pour assurer, même au sein de l'U.E.O., la cohérence entre la politique générale, les politiques étrangères et de défense, les concepts, les missions des forces armées et leurs moyens en hommes et en équipements. Cependant des voix s'élèvent, de plus en plus nombreuses, pour que les problèmes de l'Europe soient débattus entre Européens. L'U.E.O. a le mérite de pouvoir s'appuyer sur un traité. Elle doit évidemment pouvoir s'élargir à d'autres et en priorité à la totalité des douze pays qui composent la Communauté économique européenne (C.E.E.) dont les intérêts s'interpénètrent de plus en plus [2]. Au départ il faut bâtir à partir de ce qui existe. Non pas bâtir « contre d'autres » mais bien plutôt, pour eux, dans la suite, si tout va bien. Je pense aux jeunes démocraties de l'Est. J'ajoute que la défense de l'Europe, au moins celle des Douze, ne pourra plus, le temps passant, se concevoir en termes d'alliances internes car s'il y a Union Politique Européenne, le concept d'alliances internes n'aura plus grand sens. C'est l'Union qui établira des alliances.

Nous n'en sommes pas là. Mais si l'on veut voir là le but vers lequel chaque pays des Neuf, voire des Douze, veut aller, plus ou moins vite, il faut que des mesures concrètes permettent de s'engager dans cette voie.

En 1991, la France et l'Allemagne viennent de prendre des décisions communes, des mesures porteuses à cet égard, la création d'un corps d'armée franco-allemand en particulier. On pourrait aller plus loin entre Français et Allemands, notamment en matière de défense aérienne et de protection des approches maritimes. Les deux pays sont décidés à progresser dans le sens d'une union, sans pour autant compromettre les acquis de l'Alliance atlantique. N'est-ce pas le sens de la déclaration commune concluant les conversations de Bonn le 15 novembre 1991 ? Je cite :

« Le Président de la République et le chancelier fédéral ont donné mandat aux deux ministres de la défense de préparer le

---

1. Discours du 11 octobre 1988 devant l'I.H.E.D.N. (déjà cité).

2. L'U.E.O. regroupe les pays suivants : France, Grande-Bretagne, Allemagne, Italie, Belgique, Pays-Bas, Luxembourg, Espagne, Portugal.

La C.E.E. regroupe les pays de l'U.E.O. et la Grèce, l'Irlande et le Danemark.

renforcement et l'extension de la coopération militaire franco-allemande dans une perspective européenne. »

Et plus loin :

« Ces travaux s'inscriront dans la perspective d'une défense européenne commune, ce qui contribuera à un renforcement de l'Alliance Atlantique. »

Mais il faut aussi « ouvrir le jeu ». Ainsi pourrait-on dès maintenant créer une cellule militaire permanente exerçant ses activités au sein du Secrétariat général de l'U.E.O., et décider de la réunion périodique des chefs d'état-major en visant dans un premier temps une harmonisation des concepts de défense ainsi qu'une rationalisation des politiques suivies en matière d'équipements, et, pourquoi pas ? dans le domaine du recrutement et de la formation des personnels [1].

Le chef d'état-major du pays exerçant la présidence de l'U.E.O. serait le porte-parole de ses collègues dans les enceintes extérieures. Au premier rang de celles-ci se situe le Comité des chefs d'état-major de l'Alliance atlantique, enceinte où, dans ce cas, on devrait revoir le chef d'état-major français [2]... Les réflexions du comité des chefs d'état-major de l'U.E.O. devraient aussi s'étendre aux zones extra-européennes où les intérêts essentiels de l'Europe sont en jeu (ce qu'autorise le traité de Bruxelles). Les gouvernements européens pourraient ainsi arriver à prendre mieux conscience des risques courus et de la gravité de certaines de leurs lacunes, en particulier en matière de systèmes de renseignement et de commandement. Ces lacunes compromettent l'inter-opérabilité des forces et surtout elles limitent l'indépendance politique. Car la liberté de décison restera toujours liée à une appréciation de situation qui ne vienne pas d'un autre partenaire, si sincère que soit la bonne volonté de celui-ci.

Il y a donc des voies possibles pour bâtir l'Europe de la défense. Atteindre cet objectif exigera du temps et des moyens. Dans cette attente puis par la suite, bien entendu, les Français doivent savoir que la nécessaire modernisation des forces a son prix. Ils ne sauraient s'imaginer que sans faire les efforts néces-

1. A terme on voit assez mal une Europe dont une partie des membres aurait des armées de métier et l'autre partie des armées mixtes (métier et conscription) avec des durées de service militaire très différentes.

2. Qui n'y siège plus depuis 1966.

saires nous pourrons rester compétitifs dans tel ou tel domaine et préserver l'essentiel.

On en arrive ainsi à débattre des ressources nécessaires pour conserver à notre défense une efficacité suffisante, pour préserver la paix et notre liberté d'action. Il est vrai qu'en 1992 la compétition internationale se situe davantage sur le terrain économique. Mais n'oublions pas qu'il faut raisonner dans la durée et que de grands bouleversements sont en perspective. Si la France dispose d'atouts non négligeables, y compris dans le domaine de l'économie, c'est parce qu'elle a su préserver sa liberté et disposer de capacités d'action. Ces capacités lui ont permis d'agir lorsque l'Irak a mis en cause, non seulement le droit, mais aussi l'économie.

Entrer dans une bataille de chiffres sur la part des ressources du pays, et donc le pourcentage du célèbre et énigmatique P.I.Bm, qu'il convient de consacrer à la défense dans les prochaines années pour qu'elle reste à la mesure des enjeux, voilà qui est toujours délicat. Pourtant, en ce début de 1992, le Gouvernement et le Parlement se préparent à engager les dix à vingt prochaines années au travers de leurs prochaines décisions. Le 6 juin 1991, M. Seguin s'exprimait ainsi dans le journal *le Monde* : « Nous ne pouvons consacrer à la défense une part des richesses nationales inférieure à 3,5 % sur un P.I.Bm croissant de 2 à 3 % par an à l'horizon 1995-2000. » J'ai entendu d'autres personnalités de la majorité comme de l'opposition citer également ce taux. Il me paraît tenir compte aussi bien de la nouvelle détente européenne que des dangers potentiels. Mais attention, il faut aussi bien voir exactement de quoi l'on parle lorsque l'on évoque la part de la richesse nationale consacrée à la défense, et que l'on veut établir des comparaisons. D'autres pays incluent les pensions des personnels de la défense, la France ne le fait pas. En revanche, la France dispose d'une gendarmerie; celle-ci pour quatre-vingt-dix pour cent de ses activités, remplit des missions qui ailleurs, aux États-Unis, en Grande-Bretagne et en Allemagne, sont exécutées par des forces ressortissant à des ministères – des budgets – autres que la Défense. Un prélèvement de 3,5 % du P.I.Bm, pensions non incluses et gendarmerie comprise, me paraît un pourcentage raisonnable, à la mesure de la France.

Ce pourcentage n'est plus atteint au début des années 90 et ne le sera probablement pas dans le cadre de la future loi de programmation. Rappelons-le, un dizième de point du P.I.Bm représente à peu près 6 milliards et donc, sur vingt ans, à peu près cent vingt milliards. La conception, le développement et la réalisation d'un grand programme d'équipements s'étale en général sur vingt ans. Cent vingt milliards représentent grosso modo trois fois les besoins du programme Leclerc ou du programme porte-avions et les deux tiers du programme Rafale (dans chacun des cas les munitions et les programmes complémentaires indispensables étant exclus, ce qui est d'ailleurs regrettable).

Grâce à des investissements très importants en matière de recherche et de développement effectués depuis quinze ans, nous en sommes au stade où notre industrie est en mesure de fournir à nos armées les matériels modernes dont elles ont besoin. Il ne faudrait pas qu'un relâchement exagéré de nos efforts replace progressivement nos forces dans la situation qu'elles ont connue au début des années 1970.

Les risques ont évolué; ils n'exigent pas aujourd'hui les mêmes efforts qu'en 1982. Reste qu'il faut réfléchir dans la perspective de 2010; et donc dans un très large éventail de risques potentiels. Deux conditions me paraissent devoir être remplies si la gravité de la situation économique et l'impossibilité de maîtriser d'autres dépenses obligeait à franchir légèrement vers le bas un plancher situé entre 3,4 et 3,5 pour cent du P.I.Bm. Première condition : « davantage d'Europe », avec une réelle rationalisation des productions et une « préférence européenne » de la part des Européens en matière d'armements; seconde nécessité, une volonté bien affichée devant la nation d'augmenter notre effort de défense, si la conjoncture l'impose, ce qui impliquerait déjà de conserver certains moyens fondamentaux humains et matériels des forces et de l'industrie.

Je répète enfin que si la prochaine loi aborde le problème des structures et des effectifs, elle devrait le faire en termes d'emploi avant de le faire en termes strictement budgétaires. Elle devrait donc définir les organisations et les effectifs du temps de guerre pour toutes les armées, pour les services et pour la gendarmerie, et ensuite fixer les organisations et les effectifs du temps de paix ainsi que les modalités de passage d'une situation à l'autre.

Au début de cet ouvrage, j'ai évoqué la situation de 1948 et la réaction occidentale concrétisée par le traité de Washington.

La paix, la liberté en tout cas, des Français et de bien d'autres Européens ont été alors les dividendes de la défense. Où en serions-nous sans le coup d'arrêt que fut le pont aérien de Berlin ? La paix et la liberté ne sont jamais garanties pour l'éternité et sans effort. Elles sont, il faut sans cesse le redire, les dividendes de la défense.

En ce début de 1992, la France et l'Allemagne se sont résolument engagées dans la construction d'une Europe de la sécurité et de la défense. D'autres pays européens sont prêts à bâtir avec elles. Mais les obstacles ne manquent pas. La loi fondamentale allemande qui exclut encore les interventions extérieures de la Bundeswehr n'est pas le moindre de ces obstacles. Il faudra donc de la volonté et du temps pour aboutir et, dans l'intervalle, qui peut durer une décennie ou plus, la France devra compter encore très largement sur elle-même et sur des alliances de circonstances dans bien des situations.

Notre pays a la chance de disposer, dans tous les secteurs qui conditionnent une défense efficace, d'hommes et de femmes de talent et de dévouement. C'est une richesse nationale. Nationale car, il faut le rappeler, la défense et ses moyens sont la propriété de tous les Français. Ils auront, en définitive, la défense qu'ils auront eux-mêmes, et eux seuls, voulue, aussi longtemps que la responsabilité d'en fixer les grands axes ne sera pas portée au niveau d'une Europe politique dont les contours restent à définir. Dans cette Europe, la voix de la France sera à la mesure des capacités dont elle disposera.

« La France s'est faite à coups d'épée », a écrit le général de Gaulle. Il est de la responsabilité de l'ensemble des Français que l'épée reste de qualité et soit fermement tenue pour que la France demeure.

ANNEXE

DÉCRET N° 82-138 fixant les attributions des chefs d'état-major.

Du 8 février 1982 (A.)

Art. 1er. Le chef d'état-major des armées assiste le ministre dans ses attributions relatives à l'emploi des forces et à leur organisation générale. Il est consulté sur l'orientation à donner aux travaux de planification et de programmation. Il peut être chargé par le ministre de toute étude intéressant les armées.

Les chefs d'état-major de l'armée de terre, de la marine et de l'armée de l'air assistent le ministre dans ses attributions relatives à la préparation de chacune des armées.

Le chef d'état-major des armées a autorité sur les chefs d'état-major de l'armée de terre, de la marine et de l'armée de l'air lorsque des fonctions opérationnelles leur sont confiées ainsi que pour la coordination des travaux relatifs soit à ses propres attributions, soit aux aspects interarmées de la préparation des forces.

Le chef d'état-major des armées assure la coordination de la satisfaction des besoins des forces en ce qui concerne le soutien incombant aux services interarmées.

Les quatre chefs d'état-major réunis sous la présidence du ministre constituent le comité des chefs d'état-major.

Art. 2. Dans les circonstances prévues aux articles 2 et 6 de l'ordonnance du 7 janvier 1959, le chef d'état-major des armées peut, par décret en conseil des ministres, être nommé chef d'état-major général des armées.

Titre premier.

Le chef d'état-major des armées et le chef d'état-major général des armées.

Art. 3. Le chef d'état-major des armées élabore les plans d'emploi des forces, en application des directives concernant les missions des armées fixées par le gouvernement et notifiées par le ministre. Il soumet ces plans au ministre, il est responsable de leur exécution.

Il propose au ministre l'articulation générale des forces et, par délégation, répartit entre les forces les moyens opérationnels.

Il a autorité sur les commandements des forces.

Art. 4. Le chef d'état-major des armées contrôle l'aptitude des forces à remplir les missions qui leur sont assignées. Il a sur elles un pouvoir permanent d'inspection. Il fait rapport au ministre sur l'opportunité et l'efficacité des mesures prises pour la préparation des forces.

Il dirige ou prescrit les exercices et manœuvres d'ensemble.

Il soumet au ministre l'estimation des besoins qui en découlent et leurs priorités respectives.

Art. 5. Le chef d'état-major des armées rassemble les propositions du délégué général pour l'armement, des chefs d'état-major de chaque armée et des directeurs des services interarmées dans les domaines de la planification et de la programmation.

Après consultation du délégué général pour l'armement sur les possibilités techniques et industrielles, il fait rapport au ministre sur l'ensemble des travaux. Il lui propose les mesures nécessaires pour assurer leur cohérence au regard de l'emploi et leur compatibilité avec les ressources financières prévisibles, telles qu'elles sont appréciées par le secrétaire général pour l'administration, et lui présente un projet de décision.

Le chef d'état-major des armées est tenu informé par le délégué général pour l'armement, par les chefs d'état-major de chaque armée et les directeurs des services interarmées du déroulement des programmes en cours.

Le chef d'état-major des armées propose après consultation des chefs d'état-major d'armée concernés les caractéristiques militaires des armements ou matériels nucléaires et spatiaux et est consulté sur les solutions techniques étudiées par le délégué général pour l'armement.

Art. 6. Le chef d'état-major des armées participe à la préparation du budget.

Il élabore les éléments du budget concernant ses services et ses attributions ainsi que les organismes qui lui sont rattachés.

Il est responsable des crédits correspondants et s'assure des résultats obtenus.

Il est informé par le secrétaire général pour l'administration des travaux conduits au sein du ministère de la défense pour la préparation du budget ainsi qu'en cours d'exécution de celui-ci, lorsque la disponibilité ou l'emploi des forces sont affectés de façon substantielle.

Il exprime au ministre son avis sur les priorités à satisfaire au regard des missions assignées aux forces.

Art. 7. Le chef d'état-major des armées assiste de droit à toutes les réunions des conseils supérieurs.

Art. 8. Le chef d'état-major des armées assure la direction générale de la recherche et de l'exploitation du renseignement militaire. Il participe à l'élaboration et à l'exploitation du renseignement de défense.

Art. 9. Sous l'autorité du ministre de la défense et selon ses directives :

– il est chargé des relations avec les armées étrangères, il dirige les missions militaires à l'étranger et en assure la gestion :

– il organise, dans le cadre de la politique de coopération, la participation des armées à la coopération militaire avec les pays liés à la France par des accords de coopération, il en prépare les programmes et en dresse les bilans ;

– il prépare les instructions du ministre aux représentants militaires auprès des organismes internationaux et veille à leur application ;

– il négocie et signe, conformément aux directives du ministre, les accords techniques sur l'emploi des forces ;

– il suit les négociations internationales qui peuvent avoir une incidence sur l'emploi ou la nature de nos forces, en liaison avec le secrétaire général de la défense nationale.

Art. 10. Le chef d'état-major des armées dirige l'enseignement militaire supérieur interarmées.

Art. 11. Le chef d'état-major des armées, sur avis du chef d'état-major de l'armée intéressée, propose au ministre les nominations aux commandements des forces ainsi que les affectations aux postes interarmées, aux postes de chef de mission de liaison avec les organismes interalliés et aux postes d'attaché des forces armées et d'attachés militaires, navals et de l'air à l'étranger. Il est consulté sur les nominations et affectations d'officiers généraux.

Art. 12. Le chef d'état-major des armées est consulté sur les études et la préparation des textes de caractère interarmées relatifs aux statuts, aux rémunérations et aux mesures de caractère social applicables aux militaires, ainsi que sur des décisions de principe relatives à la gestion du personnel militaire et à la vie dans les armées.

Il fait connaître au ministre son avis sur l'ensemble de ces questions, particulièrement lorsque les dispositions envisagées sont liées au plan du moral ou de la disponibilité, aux capacités opérationnelles des forces.

Art. 13. Le chef d'état-major des armées propose chaque année au ministre les projets d'enquête qu'il estime souhaitable de confier au contrôle général des armées.

Art. 14. Sous l'autorité du Président de la République et du gouvernement, le chef d'état-major des armées, ou le chef d'état-major général des armées s'il est nommé, assure le commandement de l'ensemble des opérations militaires, sous réserve des dispositions particulières relatives à la force nucléaire stratégique et à l'armement nucléaire tactique.

Il est le conseiller militaire du gouvernement. Il propose les mesures militaires en fonction de la situation générale, et des capacités des forces. Il instruit, dans le domaine de ses attributions, les questions à soumettre aux conseils et comités de défense. Il traduit les directives du gouvernement en ordres d'application pour les grands commandements opérationnels, territoriaux ou spécialisés, qui lui rendent compte de leur exécution.

Il est consulté sur les orientations stratégiques résultant de la politique de défense du gouvernement.

Les chefs d'état-major de l'armée de terre, de la marine et de l'armée de l'air sont les adjoints du chef d'état-major général pour la conduite des opérations militaires. Ils peuvent, sur décision du chef d'état-major général, assurer les fonctions de commandant opérationnel.

Art. 15. Pour l'exercice des attributions définies au présent décret, le chef d'état-major des armées dispose de l'état-major des armées dont l'organisation est fixée par arrêté du ministre de la défense.

Titre II.

Les chefs d'état-major de l'armée de terre,
de la marine et de l'armée de l'air.

Art. 16. Les chefs d'état-major de l'armée de terre, de la marine et de l'armée de l'air, selon les besoins exprimés et les plans d'emplois élaborés par le chef d'état-major des armées :

1° Sont chargés d'établir la doctrine d'emploi de leur armée respective ; ils sont responsables de l'instruction, de l'entraînement et de l'organisation qu'elle implique.

2° Adressent au ministre, sous couvert du chef d'état-major des armées, leurs propositions en matière de planification et de programmation des moyens de leur armée respective, compte tenu des possibilités techniques et financières. A ce titre, ils proposent au ministre un ordre de priorité entre les objectifs de recherche et d'étude à long terme.

3° Établissent des plans de mobilisation du personnel et du matériel de leur armée.

Art. 17. Les chefs d'état-major de chaque armée participent à la préparation du budget. A ce titre, ils évaluent dans le cadre de la programmation prévue et compte tenu des décisions nouvelles prises par le ministre les ressources financières correspondant aux besoins de leur armée.

Ils rendent compte au ministre des conséquences du projet du budget arrêté par le ministre au regard de la préparation de leur armée.

Ils sont responsables de l'emploi des crédits ouverts et s'assurent des résultats obtenus.

Art. 18. Les chefs d'état-major de chaque armée sont responsables de la formation et de la discipline des personnels militaires de leur armée. A l'exception des officiers généraux dont l'administration relève directement du ministre, ils assurent la gestion de ces personnels et disposent chacun à cet effet d'une direction du personnel.

Ils définissent les spécifications militaires souhaitées des matériels nouveaux, approuvent les caractéristiques techniques qui leur sont fournies par le délégué général pour l'armement, proposent au ministre, conjointement avec le délégué général pour l'armement, le lancement des programmes correspondants, dirigent l'évaluation opérationnelle des prototypes, sont responsables de la mise en place dans les forces des matériels fabriqués.

Ils définissent les besoins en matière d'infrastructure militaire de leur armée, proposent au ministre les programmes correspondants et en suivent la réalisation.

Ils proposent au ministre les mesures relatives au recrutement, à l'affectation et à l'avancement, sous réserve des dispositions des articles 11, 12 et 19.

Art. 19. Les chefs d'état-major sont consultés par le ministre avant toute nomination ou affectation d'officier général de leur armée.

Art. 20. Les chefs d'état-major de chaque armée font connaître au secrétaire général pour l'administration leurs besoins concernant le nombre, la qualification et la répartition des personnels civils dans les directions et services dépendant d'eux.

Art. 21. Les chefs d'état-major de chaque armée tiennent le chef d'état-major informé de l'état des disponibilités des moyens opérationnels et mettent ces moyens à la disposition des commandants des forces. Ils organisent et assurent l'entretien et le soutien logistique de leur armée.

Art. 22. Les chefs d'état-major de chaque armée donnent aux services interarmées, comme aux services placés directement sous leur autorité, les directives qui découlent de la programmation des moyens de leur armée. Ils leur fixent les priorités et les échéances à respecter.

Ils définissent les besoins de leur armée en matière de soutien du service de santé et du service des essences des armées et les soumettent au chef d'état-major des armées.

Art. 23. Les chefs d'état-major de chaque armée disposent d'un état-major dont l'organisation est fixée par arrêté du ministre.

Art. 24. Les chefs d'état-major de chaque armée orientent les travaux des officiers généraux inspecteurs qui sont placés sous leurs ordres. Ils exploitent leurs rapports, soumettent ces derniers au ministre et les communiquent à l'inspecteur général de leur armée.

Titre III.

Le comité des chefs d'état-major.

Art. 25. Le comité des chefs d'état-major est un organisme consultatif à la disposition du ministre.

Art. 26. Le comité prend connaissance des plans d'emplois des forces élaborées par le chef d'état-major des armées et des projets de planification et de programmation présentés par les chefs d'état-major de chaque armée. Il examine la cohérence de l'ensemble et propose, le cas échéant, les modifications nécessaires, qu'elles portent sur la répartition des ressources ou sur la conception des plans d'emploi.

Art. 27. Le comité peut être consulté sur l'organisation d'ensemble des armées et des forces, sur le statut de la fonction militaire ainsi que sur toute question de portée générale dont le ministre de la défense décide de le saisir.

Art. 28. Le ministre fixe l'ordre du jour des réunions du comité. Il peut appeler à participer à une séance ou à une partie de séance toute personne désignée en raison de sa compétence.

Le chef d'état-major des armées

peut également réunir les chefs d'état-major, pour les consulter sur les affaires de son ressort et sur celles dont l'étude lui a été confiée par le ministre.

Art. 29. Le ministre désigne un officier général ou supérieur placé directement sous son autorité comme secrétaire du comité des chefs d'état-major. Le secrétaire est responsable de la préparation des questions soumises au comité et de la sécurité des travaux du comité. Il assiste aux réunions et assure la rédaction des procès-verbaux où sont mentionnés les avis émis par les participants.

Titre IV.

Les conseils supérieurs.

Art. 30. Le ministre dispose des conseils supérieurs de l'armée de terre, de la marine et de l'armée de l'air, organes de conseil et d'études propres à chaque armée.

Les conseils supérieurs sont obligatoirement consultés pour l'établissement des listes d'aptitude aux grades d'officier général et, dans les cas où la loi du 13 juillet 1972 susvisée le prévoit, pour l'application aux officiers généraux de certaines mesures individuelles.

Ils sont également consultés par le ministre sur les sujets d'ordre général intéressant leur armée et sur toute question qu'il juge à propos de leur soumettre.

Art. 31. Les conseils supérieurs de l'armée de terre, de la marine et de l'armée de l'air sont présidés par le ministre, et comprennent respectivement :

– le chef d'état-major de chaque armée, vice-président ;

– l'inspecteur général de chaque armée, membre de droit ;

Des membres, officiers généraux de la première section du cadre des officiers généraux, désignés par décret en conseil des ministres, pour un an, à compter du 1er janvier de chaque année, au nombre de :

– douze pour le conseil supérieur de l'armée de terre ;

– six pour le conseil supérieur de la marine ;

– six pour le conseil supérieur de l'armée de l'air.

Assistent également aux réunions des conseils supérieurs :

– de droit, le chef d'état-major des armées, en vertu des dispositions de l'article 7 ci-dessus :

– en tant que de besoin, les majors généraux de chaque armée, s'ils n'ont pas été déjà désignés en qualité de membres dans les conditions fixées ci-dessus.

Le ministre peut appeler à siéger, à titre consultatif, toute personnalité militaire ou civile en raison de sa compétence dans les questions soumises à l'examen des conseils supérieurs.

Tout changement de poste ou de fonction des membres désignés peut entraîner, le cas échéant, une modification dans la composition du conseil.

Les nouveaux membres sont nommés jusqu'au 31 décembre de l'année en cours par décret en conseil des ministres.

Art. 32. Le fonctionnement des conseils supérieurs est fixé par arrêté du ministre.

Art. 33. Sont abrogées toutes dispositions contraires au présent décret, et notamment :

– le décret n° 71-992 du 10 décembre 1971 relatif au commandement des opérations dans les circonstances prévues aux articles 2 et 6 de l'ordonnance n° 59-147 du 7 janvier 1959 portant organisation générale de la défense ;

– le décret n° 75-144 du 10 mars 1975 modifié fixant les attributions des chefs d'état-major en temps de paix.

Art. 34. Le Premier ministre et le ministre de la défense sont chargés, chacun en ce qui le concerne, de l'exécution du présent décret qui sera publié au *Journal officiel* de la République française.

Fait à Paris, le 8 février 1982.

Par le Président de la République,

FRANÇOIS MITTERRAND.

Le Premier ministre,

PIERRE MAUROY.

Le ministre de la défense,

Charles HERNU.

TABLE DES MATIÈRES

Cet ouvrage a été réalisé par la
SOCIÉTÉ NOUVELLE FIRMIN-DIDOT
Mesnil-sur-l'Estrée
pour le compte des Éditions Grasset
en février 1992

Imprimé en France
Première édition, dépôt légal : février 1992
N° d'édition : 8729 – N° d'impression : 19901
ISBN : 2-246-45541-3